藤田瑞穂
川瀬慈
村津蘭
［編］

拡張する
イメージ

人類学と
アートの
境界なき
探究

AKISHOBO

拡張するイメージ——人類学とアートの境界なき探究

目次

拡張するイメージ——人類学とアートの境界なき探究

はじめに

藤田瑞穂　川瀬慈　村津蘭

人類ははるか昔から、イメージをかたちにしてきた。心象、心像、死後の世界、夢、自然界からうけとるメッセージ、神や悪魔などの超越的存在、無意識の領域から泉のようにあふれでてくる抽象的な存在。それらはかたちとなり、さらなるイメージを生み出していった。生成、共振、増殖するイメージとの交流を通して、人類は技術を進歩させ、文化を築き、宗教を生み出してきた。いうまでもなく、人はみな何らかのイメージと感覚を持つ。「異文化」の研究を掲げてきた人類学は、それらの相違について思惟を深め、自己・他者間におけるイメージの共有を試み、アートにおける実践は、自らの抱くイメージや感覚を直接、間接的に、時にはそれに憑かれたかのように表現する。その二つははじめから、全くかけ離れてはいない。ときに近づき、すれ違いながらこれまでずっと歩んできたといえないだろうか。

本書は、人類学とアートを背景として活動する者たちが、イメージという現象を、各自の研究や活動実践に基づきながら思考し、それぞれの領域の拡大を目指すものである。

近年、人類学とアートのさらなる接近がよく話題に上がるようになってきた。しかし、人類学とアートの親密性は、民族誌とシュルレアリスムが寄り添って歩んだ一九二〇年代から既に存在した。安定した秩序に基づいた所与の現実と理性を疑い批判し、広大な無意識、あるいは「他者」の領域を潜行しながら、人間の可能性を探究するという共通した態度に根差した両者は、ただ思想的な近似性を有しているだけではなかった。アルフレッド・メトローとジョルジュ・バタイユの交流や、雑誌「ドキュマン」へのマルセル・モースの寄稿、シュルレアリスム運動に身を投じていたミシェル・レリスのフランスのダカール・ジブチ調査隊への参加など、具体的で密接な関わりを通して双方の活動に影響を与え合っていたのである（クリフォード 二〇〇三：一五一―一八九）。

人類学は映像による記録・表現と深く関わってきた。なかでも一九五〇年代から百二〇を超える映画を制作した映像人類学者であるジャン・ルーシュは、現実を炙り出す手段としての「シネマ・ヴェリテ」などの方法論を編み出し、ヌーヴェルヴァーグなどの映画運動に極めて大きな影響を与えた。しかし、構造、象徴といった抽象度の高い領域の動きに力点を置く人類学の潮流においては、具象に立脚する映像は主に、文字を中心とした論理の補完物として位置付けられ、決して知を切り拓くメディアの中心には位置付けられてこなかった。

しかし、一九九〇年代以降、人類学において人の感覚を捉え、表し得る映像が改めて注目されるようになっている。そこで議論されるのは、人々の経験を映像として映し出すという営みだけではなく、フィールドで調査者自身に生じる感覚の蠢きである。また、撮影や録音を通したフィールドの人々との協働作業のプロセスの分析、検証の重要性である。撮影と編集は、その主体となる人物の感覚や身体に依拠する作業という認識のもと、映像は文字の補完ではなく、それ単体で完結し得る人類学的営みとして捉え返されてきた。「感覚民族誌」（Pink 2009）と呼ばれるこうした潮流は、人類学の理論的背景と、ビデオカメラ、録音機材の低廉化と高品質化という技術的環境からさまざまな実践を生みだしてきた。

たとえば、感覚民族誌として有名な「リヴァイアサン」(ヴェレナ・パラヴェル、ルシアン・キャスティン=テイラー、二〇一二年)は小型のウェアラブルカメラをフィールドである底引網漁船の船員だけではなく、様々な場所や、捕獲された魚にまでつけることで、従来カメラの背後にあった「観る」主体を解体し、人間を超えた複数の視点から成立する世界のあり様を描き出している。また、アンドリュー・アーヴィングは、ニューヨークのマンハッタンで偶然出会った歩行者たちに小型マイクをつけ、その時考えていることをつぶやきながら歩いてもらい、その姿をカメラにおさめるという活動を行っている。それにより、都市における人々の公的な行動に潜む内面的な声や想像、記憶を明るみに出した(Irving 2016)。このような実践は、人類学が前提に持っていた人間中心主義や、経験のあり様を捉え返すものとして注目されている。

一方、アートの領域においては、この三十年ほどで一気に加速したグローバル化を背景の一つとして、フィールドワークなど人類学研究にも近しい手法で調査を行い、その結果をもとに作品を制作するといった活動(リサーチベース・アート)が目立つようになっている。これは一九九〇年代以降、さまざまな形で社会関与型のアートの潮流が生まれていったことにも起因する。一九九五年、美術史家のハル・フォスターは論文「民族誌家《エスノグラファー》としてのアーティスト」で、ヴァルター・ベンヤミンの「生産者としての作家」(一九三四年)を芸術的権威と文化政治学の関係に対するもっとも重要な介入の一つとしたうえで、一九八〇年代初頭にこのモデルと構造的に類似した新たなパラダイム「民族誌家としてのアーティスト」が勃興したと指摘した。そして、アートの実践の場が美術館やギャラリーといった制度的な空間から外へ広がっていくなかで、「人類学の探査の対象と考えられている、文化という拡張された領域」へと向かう傾向について、ある社会問題から次の社会問題へと「水平的」に制作を行うのであって、「垂直的」ではないと批判的に分析した（フォスター 二〇一一）。詩人の松井茂は、本書の執筆陣でもある美術家の西尾美也の活動についての論考のなかで、フォスターの批判はアーティストの調査にもとづく作品を展示することが植民地主義的な構造に陥ることに警鐘を鳴らすもので、当時の美術傾向には時宜を得たものであったが、今日的にはまさに「民族誌家としてのアーティスト」のような領域横断こそがアカデミズムにおいて新たな美術制度として再編され、現代美術の典型になりつつあることを指摘した。そしてこうした状況が加速した背景には、芸術表現系の大学において現代美術のカリキュラムが整備され、前時代の歴史化がなされたことや、制作系の実践型の博士課程の増加があると分析する（松井 二〇一五）。また、一九九〇年代末から二〇〇〇年代にかけては、キュレーターのニコラ・ブリオーが企画した展覧会「トラフィック（*Traffic*）」（CAPC／ボルドー現代美術館、一九九六年）において「リレーショナル・アート」と称された、作品制作と鑑賞のプロセスのなかで作家、作品、鑑賞者の間に新たな関係性を築こうとする作品群が、その著書『関係性の美学（*Esthétique relationnelle*）』（一九九八年）の波及力もあって注目を集めることとなった。「リレーショナル・アート」と同時期に注目されはじめ、今日も活発に展開する「ソーシャリー・エンゲージド・アート」は、社会と深く関わりを持とうとする芸術実践である。社会的現実と深く関わろうとするアーティストはそれ以前からも多く存在したが、この「ソーシャリー・エンゲージド・アート」においては作品制作を最終目的としない取り組みも目立ち、人々との共生と協働とが重視されている（星野 二〇一八）。こうした流れのなかで、世界各地で国際芸術祭やアーティスト・イン・レジデンスなどのプロジェクトは増加の一途をたどり、アーティストが自らのそれとは異なる文化圏に一時的に滞在し、その土地にまつわる何かを調査しながら制作活動を行うことは、すっかり時代の潮流の一つとなった。

アーティスト自身に刺激や良い影響を与えるだけでなく、現地の人々に新たなものの見方をもたらすなど、双方にとって利点が多いこともあって、行政によってサポートがなされる例も数多い。

さらに、学術全般、とりわけ人文科学において、調査研究にアートの制作手法を取り入れたアートベース・リサーチの必要性が叫ばれつつあるなど、学術のアート的転回の傾向が見られる。また最近では自然科学においてもアートが注目され、創造力・芸術性を養うとして「STEAM（Science［科学］・Technology［技術］・Engineering［工学］・Art［芸術］・Mathematics［数学］の頭文字）教育」を取り入れる学校も増えている。

このように人類学とアート、あるいは学術全般とアートの接近がしばしば論じられるなかで、まさにその当事者とも言える、多様なメディアを用いて研究を行う人類学者、人類学的な視点をもって芸術活動を行うアーティスト、キュレーターが集い立ち上げた共同研究会が、本書の基盤になっている。研究会では、学術とアートの近年の交流や理論的潮流を踏まえつつ、いずれの潮流においても主要なメディアとなっている「映像」を起点として、それぞれの立場からの視点を共有して互いに知見を広げ、ともに考えるための場を作ることからはじめた。異なる領域を横断する取り組みというよりは、既存のアーキテクチャー（枠組み、構造）を拡張あるいは境界を溶解し、さらなる発展を目指すための活動である。

まず今日における「映像」について、「映像の可能性／不可能性」「映像記録の加害性」「映像アーカイブと現在」などのテーマに加え、必ずしも動画のかたちをとるものではないが、時間の経過を伴うイメージなど映像的な事象についても取り上げ、意見を交わした。たとえば、美術館のプロジェクトの一環で「稲」を育てることは、背後のものごと（農家の人の手やアーティストの存在など）を喚起するという意味においては媒体であり、また植物であるから時間と共に移り変わるという意味で、「映像的」といえるのではないかといった、「映像」という言葉の定義を根本から見直すような議論ももたれた。

また、二〇一九年度のメンバーの研究成果である二つの書籍の検討も「映像」への理解を変容させた。一つは芸術・映像人類学の試みとして、新たな語りと問題提起のあり方を目指した『あふりこ——フィクションの重奏／遍在するアフリカ』(川瀬慈編著、二〇一九年、新曜社)であり、二冊目は、芸術・映像人類学のコラボレーションとしての研究実践を、映像で捉えた脈動、感覚、時間を書籍の形で収録し、いかに拡張することができるかに挑戦した『im/pulse』[1](藤田瑞穂、矢野原佑史編著、二〇二〇年、京都市立芸術大学)である。

前者はテクストによるフィクションという形式をとっているが、それが「純粋に虚構から成るのでは」なく、「ある共通空間、共通の歴史、それにある世界観を演出する」(オジェ 一九八一)ものであるという意味において映画と共通している。一方、後者は三次元で制作された展示空間を二次元でいかに再展開するかという企図を実現するために、写真やイラストを視線の動きと与えるインパクトに留意して配置すると同時に、本としての手触りや質感にも配慮した。そこでは知覚への全身的な働きかけによって没入させるような映画の特性は排除されたとしても、作り手の提示する図像が読者の想像に先立って存在し、それが読者の受け取る知覚と記憶のなかで作り上げられていくという意味において、映像的な運動が起きているといえた。

こういった研究会の議論のなかで、それぞれの実践を「映像」といったときに想定される限定的なものから、実験の場をより拡張的に捉えた「イメージ」として、理解し広げていくことになった。

イメージについて、ハンス・ベルティンク(二〇一四)は、そのあらわれにメディアと身体が密接かつ根本的に関わっていることを、古代の像《イメージ》と死や、近世の肖像、現代アートなどさまざまな舞台と物質的関係性の中から詳らかにしている。人間は所有するイメージ

1　展覧会「im/pulse: 脈動する映像」(二〇一八年六月二日—七月八日、京都市立芸術大学ギャラリー@KCUA、キュレーション：藤田瑞穂)での実践をもとに新たに制作。

の主人ではなく、むしろ「イメージの場所」であり、人間の身体はイメージに占拠されているのだと彼は言う。イメージはメディアと切り離すことが不可能であり、個人だけではなく集団的なものであるイメージは、確実に物質的、社会的規制の変化によって移り変わるものである。現在、新型コロナウイルス感染症（COVID-19）の世界的感染拡大（以下、「パンデミック」）を経て、写真・動画でのやりとりはかつてないほど存在感を増し、人々の生活をかたち作るようになった。このような世界的情勢のなかで、実践や研究において深くイメージに関わる私たちは、どのように応答できるのかという問いを含めて思考することになったのである。人類学において、イメージそのもののあらわれ、たとえばそれが視覚にとどまらず、多感覚的なものであり、同時に記憶術とも密接に関わっていることなどは深く論じられてきた（セヴェーリ 二〇一七）。また、イメージを「わたし」や「わたしたち」、「人間以外の動物」を含んだあらゆる「Xに対する現れ」として捉え、その過程を考察することをラディカルに提起した議論など（箭内 二〇一八）、近年イメージについては人類学の中でさまざまに議論されている。

しかし、本書はこのようにイメージそのものを論じるよりも、そこを起点にした人類学やアートにおける個々のフィールドと実践に目を向け、それぞれの広がりと可能性について提起することを目指すものである。ゆえに本書では、「イメージ」「拡張」についての定義を敢えて行っていない。個々の向かう領域が多様であり、厳密な定義が論稿の個性を矮小化することを恐れたためである。書き手はその身体と経験に根差しながら、極めて同時代的な問題系について思考する。その身振り、イメージとその拡張のあり様が自ずから現れることを期待した。

明示的に書かれているかどうかは別にして、パンデミックを起因とした未曾有の社会変動と、それに伴うデジタル化の深化は、個々の論稿の一つの通奏低音になっているといえるだろう。朝起きてから会議や授業で出会う人々がすべて物理的接触を伴わないイメージであるという生活のなかで、各々はいやがおうでもイメージというものに向き合わざるを得なくなった。フィールドに根差した学問であるにもかかわらず人類学者がフィールドに行けず、あるいは、空間を演出する美術館がその空間を閉ざさざるを得ない状況で、各論稿は自らの実践や研究、経験を見直しながら、その中で何が可能なのかに向き合うような形で書かれている。同時代的に生じている環境の変化、それに伴う問題の発生や可能性の誕生は、パンデミック下に留まるものではない。ただ理論を論じるだけではなく、表現するものとして身体的に巻き込まれながら思考し、その形跡を提示することで、閉塞的な状況を切り開いていこうとする所作こそが、本書の営みなのである。

各論稿を具体的に紹介していこう。

村津の論稿は、インターネットが普及し、かつての「行って帰ってくる場所としての人類学のフィールド」が溶解する中での人類学的なフィールドとの関わりと知を、詩という媒体で記述することについて思考する。それは、ベナンにおける妖術師のイメージが、調査者の身体と環境、記憶を媒介としながら、新たなイメージを立ち上げようとする過程の探究だと捉えられるだろう。接続／非接続に特色づけられるようになった世界で、断片化した物語と身体を、主語と述語の対応する論述という形式ではなく、断片性を保存しながら喚起というやり方で描き出そうとする試みを通して、人類学的な記述を拡張することが企図されている。

続くふくだの論稿では、テクスト、あるいは言語ではなく、イメージそのものでコミュニケーションを図ることと、そこにおけるマルチモーダルな知のあり方が提起される。人類学者二人が映像で自らのフィールドについて対話するというプロジェクトの自己分析によって、イメージ知の特性をあぶりだそうとしたこの論稿が目指すところは、テクストに偏重した知の、マルチモーダルな知への転換である。ふくだの考察は、イメージ知が、具象であるがために、単声を拒絶し差異を呼び込むポリフォニックなものであることを提示している。

美術家である西尾の論稿は、ケニアの日常風景に着想を得たアートプロジェクト《感覚の洗濯》について論じる。ケニアの人々にとっての日常の風景である道に干した洗濯物が、西尾にとってはインスタレーションに見えたように、日本で人々が洗濯物を持ち寄り公共空間で手洗いし干す行為を促すことは、現代日本の都市空間における均質化や同質化に対する抵抗となり得る。具体的な行為のなかで洗濯、公共、衣服といったイメージをずらし、更新するアートプロジェクトとして完結している《感覚の洗濯》を論文として記述することで西尾が目指すのは、従来の職業批評家と作り手という切り離された関係からの逸脱と、それによって新たな批評空間を開くことである。

フィールドレコーディングを通して、作品制作や研究を進めてきた柳沢は、風という目には見えない自然現象を可聴化するプロセスを通して、フィールドにおける調査者の身体と環境のイメージを拡張することを試みる。エオリアン・ハープという、自然に吹く風により音を鳴らす弦楽器を制作し、さまざまなフィールドに置いて録音すること、および関連する過程のワークショップを開催することで柳沢が提示したのは、既に人類学的な調査の前提になったデジタルの録音機器を超える感覚拡張的な調査のあり方であり、同時に民族誌としての開示の方法なのだといえよう。

キュレーターである奥脇の論稿では、論自体にモンタージュ的手法が用いられている。彼が議論の俎上にあげるのは、まさにイメージそのものとどのように向き合うべきかということである。ここで取り上げられるのは《億年分の今日》という、写真家・志賀理江子らの作品が提示する「イメージでなくもない」作品である。わかりやすいイメージがあらわれないこの作品の分析を通して、個人の欲望を煽る存在として現代的にあらわれるイメージから、見ることを他者と共に生きるためのメディウムへと拡張させる必要性が語られる。

現代的なデジタル・メディアの流通が変化させた状

況に起点を置きながらも、佐藤・矢野原の論稿が焦点をあてるのは、感染症によって変化した社会性のありかたである。ここでは個人と個人を関係づける社会性と、そこに対するアートの役割が、九〇年代京都のＡＩＤＳへの理解深化に関与したアーティストや周囲の人々の活動と、現在に続くその余波を参照しながら探究される。その上で固定化した社会性の放棄こそが、社会性を刷新していくことに不可欠であることが示される。

ドキュメンタリー映画の制作に携わってきた金子の論稿は、言語学者と協働して制作することによるイメージの拡張性を描き出している。百年近く前の調査の記録を辿ってタイとラオスに跨って住むムラブリの人々を観に行った金子は、偶然にそこで調査する日本人の言語学者と出会う。偶然と介入により、『森のムラブリ』という一つのイメージが生成される過程が描かれている。

小川の論稿は、映像研究の立場から「証言映画」が拡張的にアートベース・リサーチとして捉え得ることを明らかにしている。在日コリアン二世の立場から証言映画を制作した朴壽南《パクスナム》の映画に焦点をあてながら、ここで小川が行うのは作品の再評価といったことではない。作家や作品という枠組みのなかで、都合よく消されてしまいがちな、迷い、葛藤、挫折などの複雑さこそに焦点をあて、生きにくさを表現する者として朴を捉えることで、映像研究で捨象されがちなイメージ制作のパフォーマティブな側面を炙り出すのである。

藤田の論稿は、自らがキュレーションした二つの展示に焦点をあてる。それらは共に博物館の収蔵品というわば、静的なアーカイブを動的なイメージへと変容させることが企図された。アーカイブ化された資料たちの背景とそこに潜む物語と向き合いながら、展覧会の来場者、つまり生身の身体に対してイメージを立ち上げる作業は、資料と空間との関係性をいかに作り上げていくかということでもある。藤田は来場者と資料が「出会う」ための空間的演出を自ら、またアーティストと協働して行う。運動し成長する線を作っていくことでイメージを再創造する取り組みは、物理的身体を有さないオンラインに浸かってしまった現代の「身体性」の再考へと我々を促すものである。

川瀬の論稿が語るのは、藤田と同じ「イメージの立ち上げ」という行為が、どのように川瀬の身を置くフィールドの吟遊詩人に行われているのかということである。鉱脈のように連綿と続くイメージに、吟遊詩人は巧みにアクセスし、言葉と音楽によって現実や空間を読み換えていく。それは彼自身が制作する人類学的な映像イメージが担うものとも通底するものである。上映という具体的な場所で、観客は各々の記憶と文脈が混ざり合うなかでイメージを経験する。ただし、それだけでは終わらない。吟遊詩人たちが固定のイメージを提示するのではなく、聴衆と即興的、創発的にイメージを作り出していくように、川瀬の人類学的な映像は、観客とのコミュニケーションを誘発し、新たな関係と現実理解を紡ぎあげる、終わりのない開いたものであることが提示される。

以上が、私たちがそれぞれの専門領域を隔てる境界を溶解させながら協働して進めてきた、映像、そしてイメージについての考察をかたちにしたものである。

各論稿は、それぞれ実験性を有し、ときに論稿自体がパフォーマティブなふるまいをする。こうしたありようは、個々がそれぞれ属する、従来の枠組みにおいてだけでは評価が困難なものである。人類学、アート、文学、音楽、映画などが交差し出て来たものについて、何をもって良い作品／研究とするのか。そして、誰が、どうそれを判断するのか。このような問題は、その領域がただ実験として終わらずに発展していく上で不可欠なものである。

人類学が長く関わりを持つ映像については、人類学は民族誌映画祭や、専門の学術誌などを有し、映画媒体と人類学がそれぞれ要請する評価軸が交わるアリーナを有している。また、文学と人類学についても、海外においては学会でのEthnographic Writingへの賞の授与なども行われている。[2] 表現媒体と学問的背景に精通した人々が、一つの批評空間を構成し、従来の枠組みでは困難なもの——たとえば主観的、内在的な視点から制作・執筆された作品や論考——などに対して、評価を可能にしているといえるだろう。

しかし、国内的な状況を見ると、近年、国立民族学博物館がマルチモーダルな学術誌として『TRAJECTORIA』を刊行しているが、領域横断的な作品／研究についての議論や評価を行えるアリーナはいまだ限定的である。その単純だが重要な要因としては、この領域に関わる研究者やアーティスト、キュレーター、さまざまな媒体に精通する者や、こうした人々が領域を横断する議論ができる場の少なさが挙げられる。そのような新たな場が育つには、それによって何が可能になるかを思考し、議論し、描き出し、批評するという一連の循環に、さまざまな人が有機的に参加することが欠かせない。私たちが本書で行おうとしているのは、実践に携わりながら、そういった場が育つようにさまざまな種を撒くことである。

パンデミックを経た日常において、映像を目にしない日はない。人々はスマートフォンで、パソコンで、毎日のようにイメージの氾濫するインターネットに接続し、映像を、図像を、音声を、文字を、そこにある全てを貪り続ける。新型コロナウイルス感染症は長きにわたって人々を屋内に閉じ込め、活動を鈍らせたかのように思われた。しかしその間、身体の動きが少なくなるのに反比例して直接目にすることのできない物事に想いを馳せ、イメージはあちらこちらで膨れ上がっていった。私たちはそうしたなかで、イメージにまつわる研究のあり方を捉え直し、拡張させ、さらに希望に満ちた未来を想像しながら探究を続けている。本書を手にした読者のみなさまと、この思索の旅路をしばしともにできれば幸いである。

2　例えば、AAA（*American Anthropological Association*：アメリカ人類学会）のセクションであるThe Society for Humanistic Anthropologyは、フィクション、クリエイティブなノンフィクション、詩などに毎年賞を授与している。

参考文献

マルク・オジェ（一九八二）「解説」クリスチャン・メッツ『映画と精神分析――想像的シニフィアン』鹿島茂訳、東京：白水社。

ジェイムズ・クリフォード（二〇〇三）『文化の窮状――二十世紀の民族誌、文学、芸術』太田好信・慶田勝彦・清水展・浜本満・古谷嘉章・星埜守之訳、京都：人文書院。

カルロ・セヴェーリ（二〇一七）『キマイラの原理――記憶の人類学』水野千依訳、東京：白水社。

ハンス・ベルティンク（二〇一四）『イメージ人類学』仲間裕子訳、東京：平凡社。

ハル・フォスター（二〇一一）「民族誌家《エスノグラファー》としてのアーティスト」石岡良治・星野太訳、『表象』05、一二五―一五六頁。

星野太（二〇一八）「ソーシャル・プラクティスをめぐる理論の現状――社会的転回・パフォーマンス的転回」アート&ソサイエティ研究センターSEA研究会・工藤安代・清水裕子・秋葉美知子編『ソーシャリー・エンゲイジド・アートの系譜・理論・実践――芸術の社会的転回をめぐって』東京：フィルムアート社、一二一―一五二頁。

松井茂（二〇一五）「西尾美也の場合――再読『民族誌家《エスノグラファー》としてのアーティスト』」『情報科学芸術大学院大学紀要』七号、一〇五―一一二頁。

箭内匡（二〇一八）『イメージの人類学』東京：せりか書房。

Bourriaud, Nicolas. 2002. *Relational Aesthetics*. Pleasance, S. and Woods, F. (trans.) Dijon: Les presse du réel.

Irving, Andrew. 2016. Random Manhatan: thinking and moving beyond text. Cox, R., Irving, A., and Wright, C. (eds.) , *Beyond text?: Critical practices and sensory anthropology*. Manchester: Manchester University Press.

Pink, Sarah. 2009. *Doing Sensory Ethnography*. Los Angeles: SAGE Publications.

第1部

拡張するフィールド

村津蘭

妖術と人類学の喚起、その拡張

本稿ではまず一篇の詩を提示する。それは、韓国で「チェービー（つばめ）」、と名づけられた台風が、凄まじい風で家や木をなぎ倒して関西を通り過ぎた後、半ば呆然として過ごした二〇一八年の秋に筆者が書いたものである。この詩は、ベナンの神話や言語などを交えた詩篇をという呼びかけを受け、詩集「MELE ARCHIPELAGO: Homage to Ştefan Baciu」[1]に寄稿したものである。[2]ここで目指したのは、人類学的な経験と知識、理論を、詩的言語という言語様態を持って「ありえるかもしれない」という潜在性の形で示すことだった。

詩人の吉増剛造は詩を「『かたち』にならない、名づけがたい根源的なところにあるらしいものの、『思想』というよりも、『思いの塊《かたま》り』といったほうがよいようなもの、それの、そのはたらきのようなものをこそ」（吉増 二〇二一：六）をつかまえるものとして語っている。それは、「論理によってはたどり得ない、あるいは物語的な結構によってはたどり得ない、割れ目、沈黙、裂断《れつだん》に出会う」（吉増 二〇二一：一二七）ものでもあるとされる。こうした詩のあり様によって、学術的な論述ではたどり着くことの難しい、言語や言説として現れる以前の様態、あるいは、自他の溶解とつながりのあり様を、喚起という形で示し得ないか。この詩はそうした企図の元に書かれた。

しかし本稿において焦点を当てたいのは、詩としての現れそのものではなく、むしろ「たどり得ない」と諦念された学術的な論理の側であり、それと表現の関係である。

1 ルーマニア出身の亡命詩人、シュテファン・バチウ生誕百周年を記念して編纂された詩誌。国境を越えた手紙としてバチウが主宰した詩誌「MELE — International Poetry Letter」へのオマージュとして、阪本佳郎氏（Sakamoto 2019）の呼びかけにより制作された。

2 寄稿したものから形式を含め一部改変している。また、詩中の文言は次のサイトからの引用を含んでいる。ウィキペディアフリー百科事典「平成30年台風第21号」（https://ja.wikipedia.org/wiki/%E5%B9%B3%E6%88%9030%E5%B9%B4%E5%8F%B0%E9%A2%A8%E7%AC%AC21%E5%8F%B7 最終閲覧日：二〇二一年五月一日）、朝日新聞デジタル「全長89ｍのタンカー、関空連絡橋に衝突 強風で流され」（https://www.asahi.com/articles/ASL9453ZZL94PTIL023.html 最終閲覧日：二〇二一年五月一日）、IoTNEWS「マクニカ、自動清掃ロボット『Neo』を関西国際空港に提供」（https://iotnews.jp/robotics/108356/ 最終閲覧日：二〇二一年五月一日）

映像にしろ、文章にしろ、一つの表現がどのようにその形になったのかということは、形成過程に様々な偶発性や、直観的、あるいは反射的な動きを含むため、議論することが困難なものである。しかし、少なくとも、その過程において呼応関係にあった、人類学的理論やフィールドの対象、調査者としての経験を、出来上がった表現と並置して記しておくことは――双方ともに拙《つた》ないものであるとしても――人類学的な記述の拡張を議論し、その可能性や限界を思考する材料として、有用であるように思える。

本稿では一つの表現とその発想の起点となったアフリカの妖術師と人類学に関連する議論を両方提示する。それにより、表現と媒体、理論、フィールドの対象、調査者といった事柄がいかに呼応し合い、絡まり合うのかを炙り出していきたい。

テンペスト

jɔhɔn syɛn syɛn

空が垂れ下がり

その日は誰もが空っぽみたいな顔をして

陸に閉じこめられた

へいせい30ねんたいふうだい21ごう、

アジア名：チェービー／Jebi、命名：韓国、意味：つばめ、

フィリピン名：メイメイ／Maymay は、

2018年8月28日に発生し、9月4日に日本に上陸

あたりは暗く、水を含んだ重い空気が

地上のもの全てを殴ることを決めて

窓ガラスには涙のようなものが流れている

灰色の空に建物の欠片が舞い飛んで

それが妖術の始まり
だったと
スマホの奥、ベナンから
ロジェが言う

Nyà dokpo kpodo xɔntɔn kpo we yi gbě
或る男が友と狩りに行った
Bo non zunkàn mɛ kakakaka bo blo azán atɔn. Yě hù nu ɖe ǎ
森の中で三日過ごしたが何も殺さなかった
Azán ton go ɔ gbɛ̌ɔ do hwelɛkɔ ɔ e wà mɔ agbanlín dokpo
三日目の昼下がりに一頭のレイヨウを見つけ

E tlɔ tú do agbanlín ɔ jí

矢の狙いを定めた

Bo agbanlín ɔ ɖɔ ma hùmio, nǎwa ɖagbè nuwè

レイヨウは殺さないでと言った。よいことをもたらしてあげるから

Bo kanlìn ɔ húzú nyɔnú ɖagbè ɖagbè ɖagbè ɖokpó

動物は、美しい美しい美しい一人の女になった

Bo gbètɔ kplá wǎ xwé

男は女を家に連れ帰った

Nyɔnú kadǒ sɛn n'i ɖo ma ɖɔ yiyi we gbeɖé bo un nyi kanlìn o

女は誰も私が動物だと口にしてはいけないと言った

Amɔ nyao wa yi ɖɔxó o nu nɔví ton

しかし男は弟に話してしまう

Gbe dokpo wa su bo tagbà wa byo hɛnnù o mɛ

ある日家族で諍いが起きる

Bo nɔví ton zùn nyɔnù o do: kpɔn nu kanlín énɛ o

弟は、見ろこの動物をと女を誇る

Nyɔnú o súxó

女は叫ぶ

Bo kan wezùn lo bo do hàn bo byɔ zunkàn mɛ

歌いながら森へと走り出す

Aayi

アイ

Agbò do gbé agbò do gbé

水牛が森にいるよ　水牛が森にいるよ

Mɛ eno o ɖo agbò do gbé agbò do gbé
誰が水牛が森にいるといったのか？

E biɔ zunkàn mɛo, e lěvɔ hùzú kanlín
森に帰った女は動物へと姿を変える

Agbò do gbé agbò do gbé
水牛が森にいるよ　水牛が森にいるよ
Mɛ eno o ɖo agbò do gbé agbò do gbé
誰が水牛が森にいるといったのか？

私は全ての人がするように
やかんを火にかけて

雨を見ていた

水牛？　それはレイヨウではなかったの？
聞くと
レイヨウかもしれない。水牛かもしれない
ロジェが言う
動物のことが本当に人間にわかると思うか？

雨と風で空気は裂け
建物の間から音が流れ落ちている
それはどうも歌のように聞こえた

誰が水牛が森にいるといったのか?

誰が殺す側を決めたのか?

人間に裏切られ
動物の憎しみは海の底で
まだ誰も知らない形をしている
その角は
砂の底に引っかかることすらなく

2018年9月4日午後1時半ごろ、
関西空港と対岸を結ぶ連絡橋(大阪府泉佐野市)に、
タンカー「宝運丸(ほううんまる)」(全長89メートル、2591トン)が
衝突した

轟き、泡立ち、沸きおこる
黒い海が小刻みに割れて
それが
妖術の始まり
だったとロジェが言う

Azán atɔn gbe ton ɔ, nɔví ton o jɛ azɔn
三日後、弟が病気になった
E we nyi sakpat á zɔn
大地神の病気だった
Wŭtù ton bi fiii sɛn bodo buton
体中に発疹ができ

Bo hɛnnù ɔ dokpo dokpo jɛ kúkú ji

男の家族は一人ずつ死んだ

E nɔ zǎn mɛ dokpo non kú

少し経てば一人死ぬ

E nɔ zǎn mɛ dokpo ɖěvo no kú

少し経てばもう一人死ぬ

Hɛnnù o e zɔn bɔ bokɔnɔ kàn

家族は占い師のもとに行った

Bokɔnɔ ɖɔ

占い師は言う

Nyɔnú nu énɛ ɔ ɖɛ̌e zùn do kanlín o wɛ zɔn

病気は、動物と謗られた女のせいだ

Hǔn bokɔnɔ wà bǒ nu ye

占い師は闘うための呪物を作った
Yě jɛ àkwɛ zǎn ji
人々はお金をつぎこんだ
Bokɔnɔlɛ o jɛ zà lì xá yé dele ji bo jɛ bo syɛnsyɛn wa ji
占い師らは競って強い呪具を作り始めた
Yě nɔ houin yé dé lè o do gò dokpo o min do quartier tinmè tinmè lè
より強くなるために地域ごとに組織を作り
Bo yé jɛ ahwàn fun ji
呪術の争いを始めた
Wagbo wagbo tɔn on yé nɔ hù gbèto ni vodounlɛ bo nɔ do wà bǒ nan
やがて神に人間の血を捧げて力を得るようになった
Bo ɖěe e na hù min nan bo énan lè ni glǒ yé
守るために、殺すために

Fi ɖée azé bɛ si énìn
それが妖術の始まりだった

墜落する駅のガラス板
薙ぎ倒された街路樹
ひきちぎられながら飛ぶトタン
動画は小さな画面の中で繰り返し再生されて
恐怖は拡散した
ベランダの猫の置物が割れる
一体わたしたちはどうなってしまうのだろう
地面はどんどん沈んでいくようで
ある人々は神の名を呼んだ

ある人々はどうしても
その名前を思い出せなかった

関空に三千人取り残されてるってよ

太陽は破壊されて
午後二時人々は飛びもせず
風だけが狂い
体は垢にまみれ塩に漬かる
小さな疑念は増殖して
誰のせいか誰のせいだ

やくざな知事が叫ぶから
生まれる前から溜め込んだ憤怒を
みんな一斉に
思い出しはじめる
一人差し出せば
一人助かるか
三人差し出せば
私は助かるか
守るために、殺すために
さあ、地域で徒党を組もう

三時のニュースは流れなかった

動物は歌う?
いや、もう動物は歌わない
誰の話?
アイザノ老だ
どこで聞いたの?
ウェボだ
あんたが聞いたの
いや、おれは聞かなかった
聞いたのは、あんただ

私は妖術の始まりについて聞く
だって鳥も、動物だった

すさまじい顔をしたつばめが
その羽根で窓の一つ一つを叩いていく
人間と呼ばれ、恥辱にまみれ
聞こえるか、聞こえるか
地上は洗われ
建物は揺れて
なんだこれはただの箱だ
目の前いっぱいに広がる
空洞に恐れをなして

ひれ伏す

台無しになった夏の終わり

最後の日なんて生まれる前から始まってるよ

その言葉が聞きたかった

けれど動物はもう歌わず

新しい猫の置物を買って

2018年10月15日、株式会社マクニカは、

関西国際空港にて、カナダのAvidbots（アヴィドボッツ）社が

開発した自動清掃ロボット「Neo（ネオ）」の運用開始

嵐に打たれた人たちが
見ることのない
秋晴れ
鳥は飛んで

雑巾とつるつるの床の
長引く微かな摩擦音
聞こえるか、聞こえるか、
もし母親に会ったなら
よろしくと
僕からよろしくと
伝えてくれ

スマホの奥で
ロジェが言う

1 「妖術師」という種

私は、アフリカのキリスト教や妖術師をテーマに、西アフリカのベナン共和国を調査地にして研究してきた。妖術師は、サハラ以南アフリカの多くの地域で現実に存在するものとして扱われている。妖術研究の草分けであるE・E・エヴァンズ＝プリチャード（二〇〇一）のアザンデ人の民族誌は、妖術（witchcraft）は、身体内部にあり、非自発的に獲得してしまう目に見えない存在であるとしている。一方、呪術・邪術（magic・sorcery）は身体外部にある技術であり、目に見えて接触可能なものとされる。アフリカではこの区別自体曖昧であることも多いが、ベナンの呪術・妖術はこの区分けに概ね一致しており、呪術は人間が意識的に身につける技術で、妖術は妖術師が無意識的に身につける超常的な力とされる。妖術師は基本的に、病いなどの不運があったときに、その原因が妖術なのではないかと、仮説的に類推されることによって感知される存在である（梅屋 二〇一八）。そのため、妖術師は人々の信念上の存在であり実際には存在しないとする研究者もいる。

アフリカの妖術は、人類学において様々な形で議論されてきた。ここでは詳細に立ち入らないが、これらの研究では、その社会における妖術の機能、社会・経済的な変動との相関性、人々の経験を組織立てる様相、あるいは、妖術の信念の成立過程など、多様な視点から論じられている。[3] しかし、この詩の背景にある理論射程は、一九九〇年代以降論じられてきた、近代の社会や経済変動との関係などではなく、自然環境との関係における妖術師である。

近年の人類学では、人間を中心とした「文化」を自明のものとするのではなく、動物・微生物・機械などを含んだ多様な種との絡まり合いの中で、人間を再考することが思考されてきた。それは、自然を制御する存在として、人間を自律的なものとして捉える前提から脱却し、「人間の本質は種間《インタースピーシーズ》の関係にある」(Tsing 2012: 144) と観念することだといえる。[4]

この考え方を敷衍すれば、超常的な力を行使するために人間を超える存在とされる妖術師もまた、人間と深く絡み合う一つの種とも想定され、そのあり方は人間の社会の中だけではなく、動物や植物などを含んだより広い生態の中から捉えられるべきものといえるだろう。

3　日本語で読めるアフリカの妖術についての文献の例としてはメア（一九七〇）、マーヴィック編（一九八四）、阿部・小田・近藤編（二〇〇七）などがある。

4　このような提起は、特に「マルチスピーシーズ人類学」という枠組みで、文学批評や生態学など異なる分野を横断しながら展開してきた。こうした研究の紹介は雑誌『たぐい』（亜紀書房）などに詳しい。

妖術師は、そもそもにおいて、動物や植物と深くつながりを有するものと考えられている。たとえば、私が調査する地域では、妖術師はフォン語でアゼト（azèt̀ɔ́）と呼ばれるが、妖術師は、夜みなが寝静まった後、自分の身体を抜け出し、ふくろうやその他の動物に形を変え、集会に出席するのだとされる。集会場所は特に木の中なのだとされ、木の種類で典型的に言及されるのは、イロコ（学名Milicia excelsa）、またはバオバブである。夜の集会では、誰に危害を加えるか、或いは誰を食べるかということが話し合われる。集会で決まったら、それが自分の子であっても差し出さなければならない。妖術師は親にも子にも愛情を持たない冷酷な存在であり、道徳の外側にいるものだと考えられている。嫉妬を動機に超常的な力で親族を害するというのが、人びとの妖術師に対する共通認識だ。社会的に成功している人ほど妖術の対象となりやすい。

　妖術師は夜の集会の中で、危害の標的である人間の肉を食べるとされる。直接食べるのだと語る人もいるが、その人間の魂（sɛ̀）を、鶏やヤギなどの動物の中に入れて調理した上で食べるとされることの方が多い（Falen 2018: 30）。霊を食べられた人間は、現実の世界の中で死んだり病いになったりするという。つまり、妖術師と人間は、動物を介しながら、食う・食われる関係が想定されている。

　病いなどの不運を通して、人々が妖術の介入を疑った場合、現在ではキリスト教教会で祈禱を受けるなどの方法もあるが、従来はまず卜占師の下に行き、その原因が妖術かどうかを判じることが一般的であった。もし妖術であると判じられた場合、真夜中に交差点で山羊や鶏などの供犠を捧げるなどの儀礼がなされることが多い。身代わりの供犠獣を妖術師に食べてもらうことで、攻撃対象となった者は不幸から身をかわすのだとされる。動物はこのように妖術師とのやりとりの媒介ともなる。

また、妖術の存在を感知する契機として動物の異常な動きが挙げられる。その認識は、在来宗教の信者だけではなく、キリスト教徒においても広く共有されている。たとえば、私があるキリスト教徒の男性に聞き取りをしたとき、その男性は、自分の姪イヴォンヌの病いの治癒のために儀礼をしたことを次のように語った。

「姪イヴォンヌのために、九日間の祈りの儀礼を夜中にしていました。すると、家の外にたくさんの猫が集まってきて、普段ではあり得ない程喧しく鳴きはじめました。そして、その場にいた姪を深く眠らせてしまいました。しかしそれでも、家の中には教会の塩を撒き、教祖の写真を掲げていましたから、猫は一匹だって家の中には入れませんでした」

ここで語られているのは、姪の病いの治癒のための儀礼をしていると、妖術師が邪魔しに来たが、教会の塩や写真によって家は守られた、ということである。これは、病いという出来事に妖術師が関与していることと、教会がそれを上回る力を有していることを説明したエピソードであり、この教会の信者がよくする語りである。通常このような語りがなされるときに、わざわざ「猫は妖術師だった」と説明されることはない。妖術師と呼ばれる存在が、動物に変身できるというのは共通認識だからだ。猫が集まり異常な鳴き方をしていた、というそれだけで、その動物は妖術師が変身したものだということは、既に語り手にとっても、聞き手にとっても明らかなことなのだ。

妖術師はまず実在の人間の姿で想像されるが、人間を超えるものであり、また動物でもあり得るものである。人間の中に潜み、動物に変身することが可能な妖術師という存在は、人間と動物という種の範囲を溶解させるだけではなく、人間を畜獣のように「捕食される存在」に転じさせるものでもある。つまり、妖術師は「人間」や「動物」といった固定的な役割を揺さぶり変化させる存在であるといえよう。その存在は、動物や植物の都度都度の現れと関わりの中で人間の前に立ち現れるのであり、生態的なあり様と切り離すことができないものなのである。

2　環境と妖術

妖術の語りがよく現れるのは、不運な出来事が起こったときだ。妖術や呪術には、経験を組織化するという側面がある。病いや事故の原因が、妖術の仕業だとされることで、それが起こるまでの一連の出来事が、妖術という一つの物語へと網掛けられ、まとめられていく。浜本満は妖術・呪術のこのような側面を「物語生成装置」（浜本 一九八五：一二）と呼んだ。日常の中で生起する様々な物事は、放っておいても何らかのつながりを持って意味を持ち、物語になり得る。呪術や妖術はそれを規制すると同時に、制度的に生成していく装置なのだという。それが「装置」として働くのは、妖術とつながり得る経験と物語が、ある種の類型として人々に共有されているときだ。それは、誰かが夜中に通常と異なる行動をしていたなど、妖術師と目される人物のふるまいと関わる場合も多いが、環境のあり様と関わるものも多い。

たとえば、ベナンでは、その類型の一つに「つむじ風」がある。つむじ風は妖術師自身が変身したものであるか、妖術師が巻き起こしたものだとされ、人々が病いの経験を語るときによく出てくる。先述のキリスト教会の男性に、姪が病いになったきっかけを聞いたときも、つむじ風との接触が挙げられた。それは、次のような語りに現れる。

「姪の父親が亡くなり、遺産として家畜を残しました。すると、姪の伯母がその家に来て、家畜を毎回何匹かずつ持って行ってしまいました。しかし、伯父は、家畜はその子ども達が相続すべきだとして伯母に反対しました。それにもかかわらず、ある日、伯母は家に来てヤギをすべて持っていってしまったので、伯父は伯母の家まで行きそれを取り返しました。この出来事は、怒りや嫉妬を引き起こしました。伯母は伯父を攻撃の対象にしたのです。伯父は病気になり、なかなか回復しませんでした。伯父は姪の母親に看病してもらうために居住を移しました。妖術師の目はどこにでもあるので、そのことは妖術師が知るところになりました。姪の母親が伯父の面倒をよく見たために、妖術師が姪を攻撃の対象にしたのです。姪が母親の店に行くために道を歩いていると、つむじ風が起こり、接触しました。姪はそこで意識を失い倒れました。そしてその後、頭が痛くなり熱が出はじめたのです」

病いについて聞いたにも拘わらず、遺産問題から語られるこの応答のあり様が、妖術という物語がいかに過去を絡め取っていくものかを示しているだろう。伯父や姪の病いは、遺産を巡って伯母と揉めた文脈の中に位置づけられるものになっている。

しかし、このような「妖術の物語」は、ただ妖術師という観念や信念体系だけに引き起こされている訳ではないことに留意する必要がある。風が巻きながら動くという、日常から逸脱する自然に接触する中で、病いは妖術のものとみなされた。妖術という現実は、猫の異常な鳴き声や急に現れるつむじ風といった、人間の営為で制御できる範囲を超えたものや運動との具体的な接触の中に立ち現れるのだ。それは、通常あり得ない程喧しい鳴き声に対する反応や、つむじ風に出会う際の肌の感覚といった、類推という思考の働きだけでは掬いきれない身体性に基づいたものといえる。

3　妖術の始まり

妖術が、環境と身体、嫉妬といった強い情動と人間関係の中に存するものだということは、その始原として語られる物語にも現れる。本稿の詩の中でそのまま取り込んだこの物語は、アイザノ老という男性に、二〇一八年、ロジェ・ガンダホというベナンの友人を通して遠隔で聞き取ったものだ。[5] 私は当時京都にいて、ロジェは自宅のあるベナンのウェボという町にいた。私がスマートフォンのWhatsApp[6]という通話アプリを使ってロジェと行うフォン語のレッスンのついでに、ふと思いついて妖術の起源についての話を知っているかと聞いたことがきっかけだった。ロジェ自身は知らないが、それについて知っていそうな人に聞いてみると答え、彼は後日、彼の親戚であるアイザノ老が、たまたま家を訪れた

5　妖術のはじまりの話は、みなが知る話ではなく、また語る人によって内容が異なるものであるため、一つのヴァリアントとしての提示となる。

6　日本で普及するＬＩＮＥに似た機能を持つアプリで、西欧、アフリカなど世界中で幅広く使用されている。テキストや音声でメッセージを送信したり、音声通話やビデオ通話を行うことができる。

ときに聞き取ってくれたのだ。ロジェはその内容できるだけ忠実に再現したものを、WhatsApp の音声メッセージで録音して私に送付した。私はそれを受けて不明な点を同アプリ上のテキスト送信機能で質問し、ロジェが答えるというやりとりを重ねた。

詩で引用したように、この物語は、最初に人間が森に狩りに出て、一頭のレイヨウ[7]と出会うところから始まる。男は、人間に変身したレイヨウを妻として連れ帰ったが、レイヨウとの約束を破り、その正体を弟に話してしまったため、レイヨウは森へと帰る。その裏切りは男の住む場所に、死に至る病いの蔓延という災厄を引き起こした。そこで、彼らは対抗するために自分たちを防御するための呪物を作った。しかし、最初は防御のためだけであった呪物作りは、コミュニティ内の競争の中で戦争になる。そして最後には、人々はより強い超常的な力を求めて、人間を殺し神ヴォドゥンに捧げるようにまでなり、それが、妖術の始まりだったと語られるのだ。

領域の点から考えると、この物語は動物の場所である森と人の住む場所である村が、レイヨウの変身と移動を通してつながれたところに始まるといえる。森からもたらされたのは美しい女性で、恵みといえるものだったが、それは人間側の裏切りによって失われる。その結果もたらされるのが、災厄である。災厄が在来信仰ヴォドゥンの神格の一つ、サパタの病いである疱瘡であることから、この裏切りは、動物だけではなく神に対するものでもあることがわかる。神が次に出てくるのは供犠を捧げる対象としてだ。つまり、神々や動物といった非人間的領域との調和が崩れた後、その関係は婚姻といった平等性が担保されるものではなく、一方が災厄を与え、一方が供犠を捧げるという非対称的なものに変容したといえる。妖術の始まりは、その変容の後の人間の領域での争いに端を発している。

妖術の現れのくだりの特徴は、制御できない情動の高まりにある。それは人々が呪物を作るところに始まるが、その背景には、惨い罰を目の前にした人々の凄まじい恐怖と畏れがあっただろう。超常的なものに対抗するには、超常的なものでなければいけない。呪術はそのために人間が取り得る数少ない方法だ。呪物を作り始めたのは、自然な流れであったといえる。しかし、呪物に頼り始めた人々には、ただ身を守るだけではない動きが生まれ始める。お互いに対する猜疑や対抗心が高まり、人々はより強力な呪物を求め、組織立って競争し、呪術による戦争にまで発展するのだ。そのように、本来の災厄とは離れて過熱したものが行きついた先は、人間の供犠である。超常的な力のために人間を屠る存在は、もはや人間とは呼べない。そこにあるのは妖術師という人と似て非なる種なのである。妖術の始まりは、裏切りから始まる負の情動の集積に存している。

7　ウシ科の哺乳類でアンテロープとも呼ばれる。

妖術師が異なる種として捉えられていることは、物語をめぐる語りにも現れる。たとえば、この物語では途中に、「誰が水牛が森にいるといったのか？」と歌う場面がある。しかし、聞いていた私は先ほどまでレイヨウだと言っていたのに、なぜそれが急に水牛になったのかわからなかった。それで、

「水牛？　それはレイヨウではなかったの？」

　と私が聞くと、

「レイヨウかもしれない。水牛かもしれない」

　と私の質問をアイザノ老に聞いたロジェから答えが返ってきた。どういうことかと私が食い下がると、

「動物のことが本当に人間にわかると思うか？」

　と、ロジェは言うのだ。

　先ほどまで、命乞いをして人間に変身したり、裏切られて森に戻ったりと、擬人化され人間に近しいものと位置づけられていた動物が、手のひらを返したように他の種として扱われたことに、私は軽い驚きを受けた。

　これと似たような言葉は、妖術師について私が人々に聞くときにも言われることがあった。妖術師がこのようなことをした、あのようなことをしたと語る人に、どうしてそんな

ことをするのだろうと聞くと、「嫉妬だよ」などと返ってくる場合もあるが、「私は妖術師じゃないからわからないよ」と、突き放したような言い方をされる場合も多いのだ。それはもちろん、自分に妖術師の嫌疑がかかることを避けようとする所作ともとれるが、かなり親しく、私が人に妖術師の嫌疑をかけることなどないとわかっている場合においても、そのように言われることがある。

このような反応は、人間である彼らが動物や妖術師と断絶しているという認識を示すもののように私にはみえる。神や動物、自然についても、妖術師についても、人間は多くを知っているが、わからないこともある。むしろ部分的にしか「わからない」ものだからこそ語る。そしてその語りによって、異なる種であると同時に、引き離すことが不可能な程に絡まり合う「ともに生きる」という状態を紡いでいると考えることもできるだろう。

4　フィールドとの仮想的つながり

こうした妖術師のあり方は、この話をベナンから遠く離れた日本でスマートフォンを通じて聞いた私の身体性や取り巻く環境と、切り離して考えることは困難なものである。

北米を代表する文化人類学のジャーナル「American Anthropologist」で、映像人類学と名付けられていたセクションが、現在のメディア状況を反映して、マルチモーダル人類学と変更されたのは、二〇一七年のことである。それは当然、ビデオカメラや録音機を携帯することが当たり前になった、人類学的調査と成果形態のモダリティの拡張を反映したものである。しかし、「An Invitation」と名付けられた序文ではそれだけに留まらず、メディア制作の（一定程度の）民主化と統合、人類学的調査における協働へのシフト、フィールドのコミュニティへの還元も謳われた（Collins, Durington and Gill 2017: 142）。つまりそれは、単純な調査と成果発表の様式や媒体の変化だけではなく、それに伴う人類学者とフィールドの関係の変容を包含した提起だったといえる。

フィールドの人々との協働やコミュニティへの還元は、映像人類学で長く言われていることであり、特に新しいことではない。重要なのは、それがフィールドにおけるメディアの一定の民主化、つまり撮影・録音可能なメディアおよびインターネットの爆発的普及を背景としている点だろう。それは、私自身のフィールドにおける実感とも合致する。二〇一二年に初めてベナンに行ったときは、周囲の人々が持つ携帯電話はフィーチャーフォンであったが、二〇一八年には、安価な中国や台湾のメーカーの進出によって、都市中産階級層を中心に多くの人々がスマートフォンを手にしていた。友人であり、研究の助手でもあるロジェも、当時私立小学校の教師で決して裕福ではなかったが、スマートフォンを購入していた。そのため、毎週スマートフォンを介して世間話もするようになり、日本にいるときでもフィールドが飛躍的に近く感じられるようになった。

妖術の始まりの話についても、調査を依頼したというよりも、電話のついでに聞いたという方がニュアンスとしては正しい。そこに至るまで人間関係や現地の物事に対する理解は、フィールドワークを含む三年近い在住経験に根差したものであった。しかし、こうしたスマートフォンを介したフィールドとのコミュニケーションは、これまでの人類学的調査における「フィールド」と「ホーム」という関係を変容させるもののように思えた。つまり、アイザノ老に直接聞くべきだった話は、私は直接彼の顔も身振りも知ることなく、ロジェが聞き取って吹き込んだ音のデータとして、京都のアパートの一室に流れる。その状況は、フィールドに身を置きながら体得していく知とは異なる形での了承を形成する。了承の形成とはすなわち、スマートフォンのアプリを通した「フィールド」の知が音声やテキストにデジタル化され、「ホーム」と呼ばれたところにいる身体に変容をもたらす過程だともいえる。そしてその身体状況は、対象を起点とした思考の発展を異なる方向へと導くだろう。それはどうしたって、アパートの窓を殴る風といった直接的なものに、情動的影響を受けざるを得ないものだから。

5　台風、災厄、妖術師

妖術の始まりの話を聞いたとき、私はまだその前の月に過ぎ去った台風の記憶を身体に残していた。

二〇一八年八月末にマーシャル島付近で発生し、九月四日に日本に上陸した台風二十一号は、近畿地方において記録的な暴風、高潮を起こした。猛烈な風は、死傷者を出すとともに、家々を破壊し、木や電柱を多数倒壊させた。それにより延べ約二百二十万軒の停電が発生したという。都市圏に住むことが多かった私は、これ程大きな台風を経験したことはなく、ベランダの窓から誰かの家の屋根の一部が飛んでいくのを信じられないような思いで見ていた。通りには人はおらず、空も建物もすべて灰色だった。安普請のアパートが暴風で細かく揺れるたびに、微かな興奮と恐怖を覚えていた。

Twitterでは、神戸の海岸沿いで車が高潮で沈んだ写真や、京都駅のガラス屋根が崩落する動画が流れてきたが、一番騒がれたものは、関西国際空港の連絡橋に、流されたタンカーが衝突したというニュースだった。報道では利用客の約三千人〜八千人が空港で孤立したという。吹きすさぶ風と、衝突したタンカー、取り残される人々といった周囲の物事は、人間の制御の範囲をゆうに通り越した、凄まじい力の働きに対する深い畏れを呼び起こした。

妖術の始まりの話は、そういった感覚的記憶に符合するものだった。韓国語でつばめを意味する「チェービー」と名付けられた台風が、家々をなぎ倒しながら進む姿は、動物がもたらした災厄という話に重なった。動物との約束を破った人間が神による病いという災厄を与えられたように、気候変動によって人間が何らかの裏切りの罰を与えられているような気がしたのだった。

そうした不安の中、Twitterやニュースで追う台風についての発言には、リスクの高い行動をした「不届き者」に対する排他的なものも目立った。災害時において人々がスケープゴートを作りやすいことはよく知られているが、建物が壊れタンカーが橋に衝突するというような非常時の中、首長を含めた人々が、他者を攻撃するような発言をしていたことは、私にとって呪物を作る競争を繰り広げ妖術師化していった人々の姿との仄かな連関を感じさせるものだった。

しかし、そうした不穏な予感に胸をざわつかせたことが嘘のように台風は過ぎ去った。翌日から空は晴れ、まるで終末を感じたことなどなかったような顔をして、日常は始まっていた。もちろん、被害を受けた人々が元の生活を取り戻したわけではない。しかし、インターネットの記事によると清掃用のＡＩロボットは、そうした感情は置き去りに、ただ命令された区画を淡々と拭いていたし、ロジェは電話でいつも通り長い挨拶をする。様々な媒体の断片が、災厄の後の現実を作り出していた。そしてそうしたことそのものが、非日常的な形で始まったにも拘わらず、今もベナンの人々の日々を構成するものとしてある妖術という存在と、つながり得るものに思えた。

6　喚起、つながり、潜在性

身体から切り離された物語の音声とテキストは、私の思考を身体的な記憶に引きずられる形で方向づけていった。しかし、一方でその思考はフィールドにおける妖術師のあり方に規定されるものでもあった。詩を書くという営みは、このような関係と過程を浮かび上がらせるための一つの実験の思弁（インゴルド 二〇二〇：一四六）であった。

複雑に交錯する絡まり合いを何らかの形で提示しようとするとき、思い起こされたのは『文化を書く』の中で、スティーブン・Ａ・タイラー（一九九六）が、民族誌自体がポストモダン的特徴を帯びた喚起であると述べた、その喚起という形態である。

喚起とは、提示《プレゼンテーション》でも表象《リプレゼンテーション》でもない。それはいかなるものも提示しないし、表象しない。しかし、このないということによって、それは想像することは出来てしかし提示することの出来ないものを、手に入れさせる。このように喚起とは、真実を越えたところにあり、行為についての判断に左右されない。それは、感覚と想像、形式と内容、自己と他者、言葉と世界の、それぞれの分離を克服するものなのである。

（タイラー 一九九六：二二九）

喚起は読者に対し、既に明示的な何ものかを提示するのでなく、提示することができないもの、つまり潜在的なものを摑まえることを可能にするものである。つまり、喚起は想像に一定の条件を与え、何ものかの輪郭を浮かび上がらせるものであるといえるだろう。

詩的言語という媒体は、断片的なつながりによって断絶を保持しながらも喚起的に示すことが可能なものである。また、通常の言語上のルールや構造を逸脱することで、潜在的なつながりや連関を示しだしたり、それらを無化したりすることができる。そしてその断片性と余白性によって、関与と思弁へと誘うことを可能とする。そうであるから、詩的な言語は仮想空間への接続を通して「フィールド」や「ホーム」が融解した地点における、記述の可能なひとつの拡張的様態であるといえるだろう。

その言語のふるまいは同時に、明確な物語から逃れることが可能である。詩という形態は、物語として固定的な意味が付与され、経験として組織化される未満の流動性、あるいは可能性を提示し得る。つまり詩は、時系列を前提とする通常の文章のふるまいでは捉えきれない、仮想空間を通じて起こる物事の同時性、あるいは過去と現在の並置性を現すことができる。そうであるなら、この表現方法によって「私」のいる地点と、「フィールドの人々」、「妖術師」「動物」がいる地点を、ずらしながらも同じ平面上で交え、潜在的な場として立ち上げることが可能になるのではないか。こうした思いが、ここで現したフィールドの物事と詩という形式を選び取らせたのだった。

本稿では、その期待としての言語表現と、逆にそれでは到達できないフィールドの事象のあり方と理論の伝達を並置して見せることによって、拡張的な人類学的記述の可能性と限界を示すことを試みた。仮想空間の比重がますます拡大する中で、複雑な種の絡み合いを、身体や感覚を起点として捉えようとしたとき、イメージとして固定的なかたちになる未満の何か、思いとして形になる以前の情動を摑むことは、人類学の表現として増々重要性を増していくだろう。それは、フィールドや対象によって形作られるとともに、理論や表現媒体によっても形作られるものだ。それらと常に対話を重ね、可能性を探っていくことこそが人類学的な知を拡張していく上で求められていることだと考える。

参考文献

阿部年晴・小田亮・近藤英俊編（二〇〇七）『呪術化するモダニティ――現代アフリカの宗教的実践から』東京：風響社。

ティム・インゴルド（二〇二〇）『人類学とは何か』奥野克巳・宮崎幸子訳、東京：亜紀書房。

E.E.エヴァンズ＝プリチャード（二〇〇一）『アザンデ人の世界――妖術・託宣・呪術』向井元子訳、東京：みすず書房。

梅屋潔（二〇一八）『福音を説くウィッチ――ウガンダ・パドラにおける「災因論」の民族誌』東京：風響社。

マックス・マーヴィック編（一九八四）『魔術師――事例と理論』山本春樹・渡辺喜勝訳 東京：未來社。

L・メア（一九七〇）『妖術――紛争・疑惑・呪詛の世界』馬淵東一・喜多村正訳、東京：平凡社。

スティーブン・A.タイラー（一九九六）「ポストモダンの民族誌」ジェイムズ・クリフォード、ジョージ・マーカス編『文化を書く』春日直樹・足羽與志子・橋本和也・多和田裕司・西川麦子・和邇悦子訳、東京：紀伊國屋書店、二二七―二六〇頁。

浜本満（一九八五）「呪術――ある『非－科学』の素描」『理想』六二八号、一〇八―一二四頁。

吉増剛造（二〇二一）『詩とは何か』東京：講談社現代新書。

Collins, Samuel Gerald., Durington, Matthew., and Gill, Harjant. 2017. Multimodality: An Invitation. *American Anthropologist*, 119(1): 142–146.

Falen, Douglas. 2018. *African Science: Witchcraft, Vodun, and Healing in Southern Benin.* Madison: University of Wisconsin Press.

Sakamoto, Yoshiro. ed. 2019. *MELE ARCHIPELAGO : Homage to Ștefan Baciu.* Honolulu/Kyoto: Editura Archipelago.Tsing, Anna. 2012. Unruly Edges: Mushrooms as Companion Species. *Environmental Humanities*, 1: 141–154.

ふくだぺろ

FUKUDA Pero

具象のポリフォニー
——音—イメージ知性の特徴とダイアローグ

1　はじめに

映像で人はどうコミュニケーションできるのだろう？　それは言語によるコミュニケーションとどう違うのか？　そうした疑問を携えて、二〇二一年に私はファン・カストゥリジョン[1]と映像で対話した。私はルワンダの先住民であるトゥワという人たちを研究していて、カストゥリジョンはクベオ・エミ・ヘヘネワ（以下、クベオ）というコロンビアの先住民を研究している。二人ともマルチモーダル人類学者だが、ほとんど赤の他人だった。おたがいのフィールド経験について音—イメージ[2]で会話するべく、私が一分の映像を送り、それに彼が一分の映像で返事をする。それに対してまた私が、と応答を五往復させることで *Read Letters and Asynchronous Perspectives*（以下、*RLAP*）と題された十分の映像作品、音—イメージ・ダイアローグを制作した。そのコミュニケーションの過程と完成したときの興奮は、いまも私の体の中に残っている。言語なしに、音とイメージだけで、こういう対話が可能なのかという驚き。このプロジェクトは単発で終わらせるのはもったいない、継続的にもっと多面的に展開させていこう。そう、カストゥリジョンと話した。山形ドキュメンタリー道場[3]の主催者藤岡朝子のコメントに従って*RLAP*を「終わりなき思考のプロセスとしての映画制作」[4]とするのなら、ただ映画として見せるだけでなく、展示、テクスト、ディスカッション、ウェブサイトなど異なったモードで多様な人々と*RLAP*を再創造していくことが重要になってくる。だから、トゥワ、クベオの人々だけでなく、新しい人たちとの新しい対話を生むべく、学会や映画祭、ギャラリーなどで上演、議論するべく活動しているし、そうした対話を織り込んだ音―イメージ・ダイアローグの続編を企画している。そこでは私たち二人に限らず、様々なフィールドの人々、人類学者や映像作家、アーティストを巻き込んでいく計画である。こうした多彩な音―イメージ・ダイアローグ・プロジェクトの一環として、本稿では、ミハイル・バフチンのダイアローグ理論に基づきながら、私ふくだが*RLAP*で起こっていた映像コミュニケーションを言語で分析する。しかし、一度映像

1 ペンシルベニア大学博士研究員。カストゥリジョンの幅広い活動や来歴を概観するには彼のホームページを参照。https://middleear.net（最終閲覧日：二〇二二年一月十日）

2 以下、映像が聴覚と視覚情報から構成されていることを明示したい場合には「音―イメージ」という語を使用するが、そうでない場合は慣用的に「映像」を用いる。

3 制作中の作品を持ったアジアのドキュメンタリー制作者が集い、山形の温泉地に滞在して作品の成長を促すアーティスト・イン・レジデンシー。長期と短期がある。https://ddCenter.org/dojo/（最終閲覧日：二〇二二年一月十日）

4 藤岡朝子（ドキュメンタリー・ドリームセンター代表）二〇二一年八月十九日談話。

として完成しているものをなぜ言葉で分析するのか？

2－1　マルチモーダル人類学と本稿の意義

私が追究するマルチモーダル人類学の問題意識とは、言語・テクストに偏重してきた知の見直しであり、目標とするのは、音―イメージなどの多様なモードの知と従来のテクスト知が照射しあう、多面的な新しい知の確立である。具体的には、論文だけでなく映画、写真、録音、展示、ハイパーテクスト、XR、漫画、詩、小説など多様なモードを調査の手法と成果発表に用いる、文化人類学の領域になる。従来、映像人類学と呼ばれてきたジャンルが、デジタル革命に伴い、メディア環境がより民主化され、調査のあり方も調査対象との協働へとシフトしていくという時代状況に対応して、アメリカ人類学会の機関誌American Anthropologist誌がマルチモーダル人類学という新しい呼称を提唱した（Collins, Durington & Gill 2017）[5]。実践研究[6]の要素が強いメディア人類学（Harvard 2022）、感覚と社会の不可分性を探求する感覚人類学（Cox, Irving & Wright 2016）、デジタル文化をフィールド化するデジタル人類学（Horst & Miller 2012）、デザインと人類学の協働を推進するデザイン人類学（Gunn, Otto & Smith 2013）、現代美術と人類学の結節点であるアート民族誌（Schneider & Wright 2013）といった類縁的な動向が二〇一〇年代に続出しているように、言語的かつ理性的な知からマルチモーダルかつ実践的な知への転換は同時多発する現代的な関心である。

誤解のないように強調しておくと、こうしたマルチモーダルな知へのシフトというのは、テクストを排除するものではない。テクストの知と映像などのマルチモーダルな知ではできることが異なるのであり、それぞれの可能性と限界が認識される先に立ち上がる多面体こそがテクストも含んだマルチモーダルである。

だから、本稿で*RLAP*を言語（テクスト）で分析するのもマルチモーダルの営みである。カストゥリジョンとふくだぺろの間で交わされた音—イメージ・コミュニケーションを事情通の批評家として事後的に私が言語化する過程で、1．音—イメージ・ダイアローグにおけるコミュニケーションの類型を提示することで、2・音―イメージ・ダイアローグ・コミュニケーションの特質を明らかにし、3．音—イメージ・知の可能性について言語でも議論する下地を整えることで、音—イメージの知性としての確立に貢献できるはずだ。

2—2 先行研究

映画の視点からすると、映像人類学は西洋的かつ支配的な映像美学を顧慮しないアマチュアの映像制作と見られるこ

5 映像人類学は民族誌映画を中心としながらも、録音（フェルド 一九八八、柳沢 二〇一九）など様々なメディアの知的可能性を追求してきたし、特に九〇年代以降、その拡散傾向は顕著だった（Grimshaw & Ravetz 2005）。だから私個人は映像とマルチモーダル人類学の内実にそこまでの差異はないと考えているが、映像人類学という名称はそうした多様性を反映していない点で語弊がある。本稿では、映像を中心として現在に続く歴史ある領域としては映像人類学、二〇一〇年以降の新しい潮流を指す場合にはマルチモーダル人類学という使い分けをする。

6 一九八〇年代にヨーロッパで始まった、芸術実践が研究に不可欠な方法論として組み込まれた「実践研究」Practice（based/ led/ as）Research等と呼ばれる学際領域（Nelson 2013）。類似するものにアートベース・リサーチがあるが、こちらは心理学と教育学の要素が強くなる（笠原 二〇一九）。

ともあった。実際、ルーシュ＋モラン『ある夏の記録』（一九六一年カンヌ国際映画祭）、MacDougall *To Live with Herds*（一九七二年ベネチア国際映画祭）、キャスティン＝テイラー＋パラヴェル『リヴァイアサン』（二〇一二年ロカルノ国際映画祭）といった例外はあるものの、ほとんどの作は一般的な映画祭ではなく民族誌映画祭や大学という独自のサーキットの中で、独自の映像観を構築してきた。なかでも重要なのは「知の創造」としての映像であり（MacDougall 2006: 1–10）、物語や感動を一意的に掲げる主流派映画ではなく、理論と（反）美学の独自の追求において実験映画との近接性が主張されてきた（Ruby 2000: 239–280）。それでも圧倒的に多くの作は被写体（と）の相互行為を撮影した叙述型であり、知や思考としての映像を考えたときに、その先があるのではという疑問が以前から私にあった。映像を制作して受け手がその映像を見る一方向な関係ではなく、映像でコミュニケーションをする双方向の関係にこそ、音―イメージの知性が露呈するのではないか。アカデミックな議論の手法として音―イメージを位置づけよう、そういう意図が*RLAP*にはあった。

ヒントになったのはジェイムズ・クリフォード（二〇〇三：一五一―一九四）である。人類学者の単声的なモノローグが他者の文化を統一して支配する民族誌を乗り越えるためにコラージュ、モンタージュとしての民族誌をクリフォードは提唱したが、複数の人類学者が文字という記号ではなく映像という具象で実践した場合に、クリフォードが批判したような単声性（モノフォニー）をどう乗り越えられるのか。

映像人類学において音―イメージ対話を実践した例は寡聞にして知らないが、映画史の文脈を参照すれば映像往復書簡がある。実験映画史においても珍しいこの試みで代表的なものを挙げれば、かわなかのぶひろ＋萩原朔美『映像書簡　一―一二』（一九七九―二〇一一）、ジョナス・メカス＋ホセ・ルイス・ゲリン『メカス×ゲリン　往復書簡』（二〇一二）になるだろう。なかでも傑出するのは、オールドメディア（文字の書簡）に引きずられて相手に呼びかける言葉＝ヴォイス・オーバーを排したメカス＋ゲリン等と一線を画す、かわなか＋萩原である。特に前半四作は、ヴォイス・オーバーがないのはもちろん、言葉や文字の意味に縛られない「言語的な意味から引き剝がした『映像言語』」（かわなか 二〇〇六：七七）の追求、純粋な映像対話になっている。同作の詳細については別項議論するとして、映像独自の可能性という関心を共有するＲＬＡＰでも当然、ヴォイス・オーバーは方法論的に排している。さらにはフィールドで録音した以外の音や音楽も使用していない。これは、実験映画の系譜に連なり、不協和音やエモーショナルな音楽を配する『映像書簡 一―一二』との映像観の差異でもある。二十世紀後半以降の映像人類学の正統（Henley 2020: 1–20）は音―イメージが視聴覚に直接訴える刺激性や制作過程でつきまとう暴力性を自覚し、極力回避したり、あるいは制作の過程を再帰的に明示するように努めてきた（ことは映像の「記録」という性質をどこまで前面に出すかだ）。そうした立場からすれば、人類学者の声（ヴォイス・オーバー）によって対象を抑圧することはもちろん、安易なＢＧＭで受け手の情動に扇情的に介入することも、回避される。現場で録音された音のみを用いるという決断は、あえてイメージと音のみでフィールドについて対話するという趣旨からすれば当然の結論でもある。

2―3　方法論

さて、こうした *RLAP* を言語で分析するのに、まずは *RLAP* を観返して、ふくだとカストゥリジョンが提示した映像同士がどう呼応しているか、ペンを走らせた。[7] それは*RLAP*について書いたというより、*RLAP*が呼び起こす概念や想念を記述したということであり、記述の核となるのは映像技法である。言語におけるレトリックが、美的効果や説得力を添える技術などではなく認識の方法そのものであるように（佐藤 一九九二）、映像技法というのは思考そのものである。ディゾルブ（前後の映像が数秒重なりながら移行する）、モンタージュ、スプリット・スクリーン（上下左右等に画面を分割）、スーパーインポーズ（異なった映像を重ねる）、スローモーション、ミキシング等々といった音―イメージ技法は思考そのものであり、それ以外では不可能な認識を人間に与える。そうした映像思考の応答を分析することで、音―イメージのコミュニケーションの仕組みにアプローチする。形式の分析に重点を置くという趣旨と紙幅の関係で、映像の内容に深く立ち入った分析はしない。

応答の分析においては二十一世紀のいまもダイアローグ理論を牽引するミハイル・バフチンを参照する。[8] バフチンは世界と生そのものをダイアローグとして捉えており、その理論は音声言語による会話の分析という規模にとどまらない大きなスケールと汎用性を持っている。バフチンの散文の類型（バフチン 二〇一三：一四二―一七八）に倣い、音―イメージ・ダイアローグの類型を制作して、分析の足がかりとした。なお、*RLAP*の冒頭から最後まで全てを叙述する紙幅はないので、この類型に従って代表的なもののみを挙げることにする。

バフチン理論は他者表象の問題、社会集団や個人の重層性、コミュニケーションの流動性など多様な角度から人類学に応用されてきたが（後藤 二〇〇九）、本稿は第一に言語コミュニケーションではなく、マルチモーダルな音―イメージ・コミュニケーションを対象とする点、第二に、人類学者がフィールドについて記述したいわゆる「モノ」グラフである民族誌とは異なる人類学者同士がフィールドについて語り合う「ポリ」グラフを対象とする点で、こうした先行研究と一線を画すことを断っておく。

3　*Read Letters and Asynchronous Perspectives*

*RLAP*は元々、二〇二一年三月に開催されたイギリス王立人類学協会映画祭（RAIFF）のパネル「危機下のクロノトープ」[9][10]に提出された作品である。実際に誰かと映像で対話して一本の作を作りたいという私の要望に応じて、主催者のシャーロット・ホスキンスが私にカストゥリジョンを推薦してくれた。私とカストゥリジョンに面識はなく、ホスキンスの紹介でチャットを交わしたことがある程度だった。お互いの研究について深く話したこともなかったが、そこが利点になると判断した。事前に言葉を交わしすぎていると、そこに引きずられてしまい、音―イメージによる対話という趣旨の厳密性が失われてしまう。一方で、大陸は違うがマルチモーダルに先住民研究をしているとい

7　本稿の執筆にカストゥリジョンは関わっておらず、すべてふくだの責任と視点で書かれている。
8　参照した文献はMorson, Emerson (1990)、田島（二〇一九）、桑野（二〇二〇）、バフチン（一九八二、一九九六、二〇〇一、二〇一三）。
9　特定の語りの中における時間と空間の配置（バフチン 二〇〇一：一四三―一四五）。
10　アリスター・ロマス（マンチェスター大学）、シャーロット・ホスキンス（オックスフォード大学）、アンドレア・ボルドリ（ベルン大学）主催。
https://nomadit.co.uk/conference/raiff2021/p/9504（最終閲覧日：二〇二三年一月二十四日）

う共通点がある。対話をするのに適度な距離と共有があると判断した。しかし、こうした正当化は所詮後付けで、決め手は直観である。映像ダイアローグをぜひやりたいという、ズームを通して聞こえるカストゥリジョンの声のトーンや質が、彼とすべきであると告げていた。そこからはスムーズだった。一人五分という時間制限がパネルにある以上、ある程度ちゃんとした対話を成立させるには一分の映像を五往復させるのがベストだった。そして先述した、ヴォイス・オーバーやBGMを使用しないこと、フィールド経験についての対話なのでフィールドで撮影した映像が中心になるだろうが、それ以外の映像も使用可といったガイドラインについてはあっさりと決まった。これは後から思えば、マルチモーダル人類学という領域を通じてメタ的な映像観が共有されていたことの証拠だろう。

　ここで映像本体へのリンクとQRコードを掲示しておく。まずはヘッドホン付きで映像を見て欲しい。本稿はあくまで全体プロジェクトの一部に過ぎないし、そもそも論として、映像を視聴しないで映像について記述したテクストを理解することは原理的に困難だろう。

https://vimeo.com/577762526/dfd725b3ee

　とはいえ、現在映像を視聴できない環境にある読者もいるだろうから、*RLAP*の簡単な概要をここに掲げておく。

　ふくだからカストゥリジョンへの一通目の手紙F１（00’00”）[11]では画面の右半分でトゥワの女性たちが喧嘩をしており、左半分では踊っている。音は喧嘩と踊りの音が重なっている。カストゥリジョンの返事C１（01’09”）は、図書館での調べ物のシーンから、三角の建物の古い写真、コロンビアの風景、三角の建物の壁画、実際の建物が燃えるショットへと遷移していく。対するふくだの二通目F２（02’13”）では、子供たちの歌声をバックに炎から月へとイメージは移行し、空と二重露光された女と子供を映す。そしてカストゥリジョンの二通目C２（03’16”）では男たちが楽しそうに三角の建物を建設している。ふくだの三通目F3（04'09"）では無音を背景に空に雲が流れ、一瞬子供が踊る。カストゥリジョンの返事C3（05'09"）は静かであり、霧がかったジャングルと川のショットに挟まれて、子供たちが村で遊んでいる。呼応してふくだの四通目F4（05'59"）では、カメラは水中に飛び込み、水の映像に東洋人の母子やトゥワの家族が映り、ブラックアウトの後に、畑を耕すトゥワの女で終わる。カストゥリジョンの四通目C4（06'57"）はクベオの男たちの踊りの音を背景に、魚と踊りのイメージが切り替わっていく。ふくだの最後の手紙F5（07'53"）では、C4の踊りの音―イメージを借用した上で巻き戻し、トゥワの男の踊りへと雪崩こむ。掉尾を飾るカストゥリジョンの手紙C5（08'42"）では、F5のトゥワのミュージッキングの音を背景に、クベオの踊りが早回しで高速切り替えし、F5のトゥワの男が重なり、最後は音楽が切れて、人の眼が映されて終わる。

4-1 *Read Letters and Asynchronous Perspectives* 分析：類似

F4とC4を繋ぐ第一は音、正確にはリズムである。鍬（06'48"）と杖（06'58"）のリズムの類似、つまり「音の類似」でC4はF4に応答している。イメージの次元においては、鍬をふるって働く↓杖をうって踊るという移行があり、「コトの対比」が生まれる。労働と儀礼という一見異なった営みを強固に結びつけながら、しかし両者の表情や筋

11　以下、ふくだからカストゥリジョンへのレターを順序に従ってF1、F2……、カストゥリジョンからふくだへのレターをC1、C2……とする。

肉の動きも呼び込み、トゥワの女の営みとクベオの男たちの営みの「差異」も強調する。もしここをテクストで記述したならば、言語は概念であるから、抽象化によって個別性を相当程度犠牲にせざるを得ない。しかし具象である音―イメージにおいて同一なものは存在しない、全てが個別具体だ。だから音―イメージの類似は常に差異や対比を伴うのであり、映されているものの声が飛び交う「具象のポリフォニー」として主張し続ける。

4―2 継続

三角の建物が燃えて終わるC1（02'03"）の火に呼応して、F2は火と煙で始まる（02'12"）。これは火同士という「モノ的類似」でもあるのだが、より意図されているのはC1とF2の境目をぼやかすような「継続」である。ここでも音が重要な機能を果たす。破壊を示唆するC1の燃える炎の音に対して、F2では炎に集まった子供たちの団欒の声が耳につく。これは夕飯時の映像なのだが、私のフィールドにおいて炎と言えばこうした団欒の炎以外にない。音は「継続」とは真逆の「転位」を演じており、こうした音とイメージの矛盾を「背反」と呼ぶ。

微かな虫と鳥の声が流れているC3では静けさが際立つ。霧に包まれたジャングルと川から始まり、村で遊ぶ子供たちから霧に包まれたジャングルと川に戻る。最後少しさがって、水面に向かうかのようなカメラに合わせて（05'55"）、続くF4で私は水の中に飛び込むことにした（05'58"）。水のシーンを継続させ、しかし水中に飛び込むという文字通りのジャンプだ。「水から出てくる存在はひとつの存在であり、それが少しずつ物質化するのだ。それが存在になる前はひとつのイマージュであり、イマージュになる前はひとつの欲望」であるというガストン・バシュラール（二〇一六：五六）の言葉を想起すれば、水が母子を夢見、母子がルワンダの家族たちを夢見るということになる。そして夢のあとに暗転があり、女が畑を耕す。そうするとこれは畑で耕す女が見た夢かという疑問が浮かぶ。二〇二〇年、ルワンダでのフィールドワークの際に、私は妻と子を連れて行った。私が村の中に住んだのに対し、彼らは近郊の街から隔日で村に通ってきて、村人たちと交流していた。この畑を耕す女性はニラバリセツァといい、私が一番親しくしている一人だ。彼女とはよく飲み、よく芋を掘り、よく踊った。私たち家族がバイクタクシーに乗って村を去る時のニラバリセツァの絶叫「行かないでくれ」は、私たちの夢くらい見ていても不思議ではないと思わせる。いや、それは私の期待だ。イメージが「不在の現前」（ベルティンク 二〇一四）であるのならば、絶叫は、こうして日本にいながらひたすらルワンダのイメージを眺めて編集している私のものなのだろう。少なくとも、フィールドにいた当時の私に孤独の絶叫のようなものがあったことは否定できない。

C3の静けさと水のイマージュ性というカストゥリジョンが提示した音―イメージとの自身の意識内での対話〈内的ダイアローグ〉[12]を通して、私のフィールド経験の情動的にナイーブなところが音―イメージとして浮上したのがF4だろう。他者との「継続」を契機に、異質なものと合わせようとする揺らぎから、私自身が自覚できていなかった〈潜在性〉が浮上した。

12　以降、バフチンのダイアローグ概念は初出において〈〉で示す。

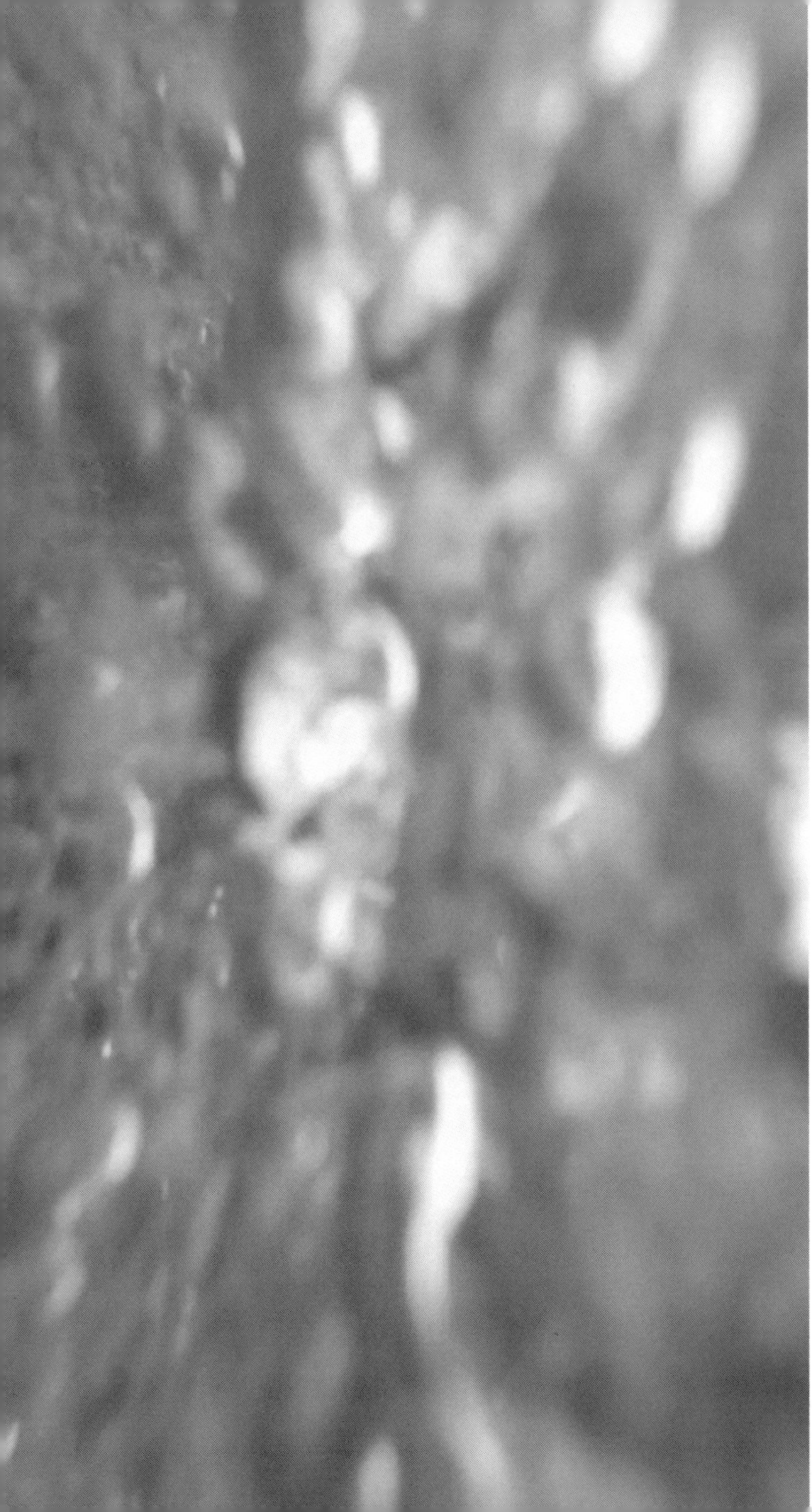

4－3　借用と転位

今回の音―イメージ・ダイアローグでは比較的様々な映像技法＝思考が展開されているが、その中でもディゾルブという思考が私には不可解だった。移行を示そうとしているのはわかるが、前後の重なりが中途半端で感傷的に見えた。しかしカストゥリジョンの二通目C２を観ていると認識を改めざるをえなくなった。私の一通目F１（00'00"）は喧嘩と歌舞という、制作中の博士論文・映像のテーマをストレートに、スプリット・スクリーンさせながら、音としてはオーバーラップさせることで音―イメージ化したものだった。それに対してカストゥリジョンの返事C１（01'08"）はディゾルブという重なりと溶解の思考でずらしてきた。「思考の転位」だ。三角建物と水、三角建物壁画と実写、ジャングル（壁画の背景）と炎が重なって溶け、消える。C１では人類学的記録（古い写真）、現地の人々の記録（壁画）そしてカストゥリジョンの記録（燃える動画）が交差し、時間が水とともにディゾルブ（融解）していく。カストゥリジョンの研究は三角の建物の記憶＝失われた時間にまつわる研究なのだろう。一方、F１に歴史的な時間はなく、現在があるだけだ。時間を創造する「思考」が違うということは、語りにおける時間と空間の配置〈クロノトポス〉が違うということだ。C１は私の内的ダイアローグにおいて、見慣れた世界を再発見する〈異化〉として作用し、F１の歴史的時間の欠如という、それ以前には存在しなかった潜在性を顕在化させた。

歴史的時間の生成というディゾルブ思考に異化された私は、「思考の借用」をすることにした。F２では炎から月、月から女へと二か所でディゾルブを借用したのであるが、C１では歴史的時間の生成として機能していたディゾルブ

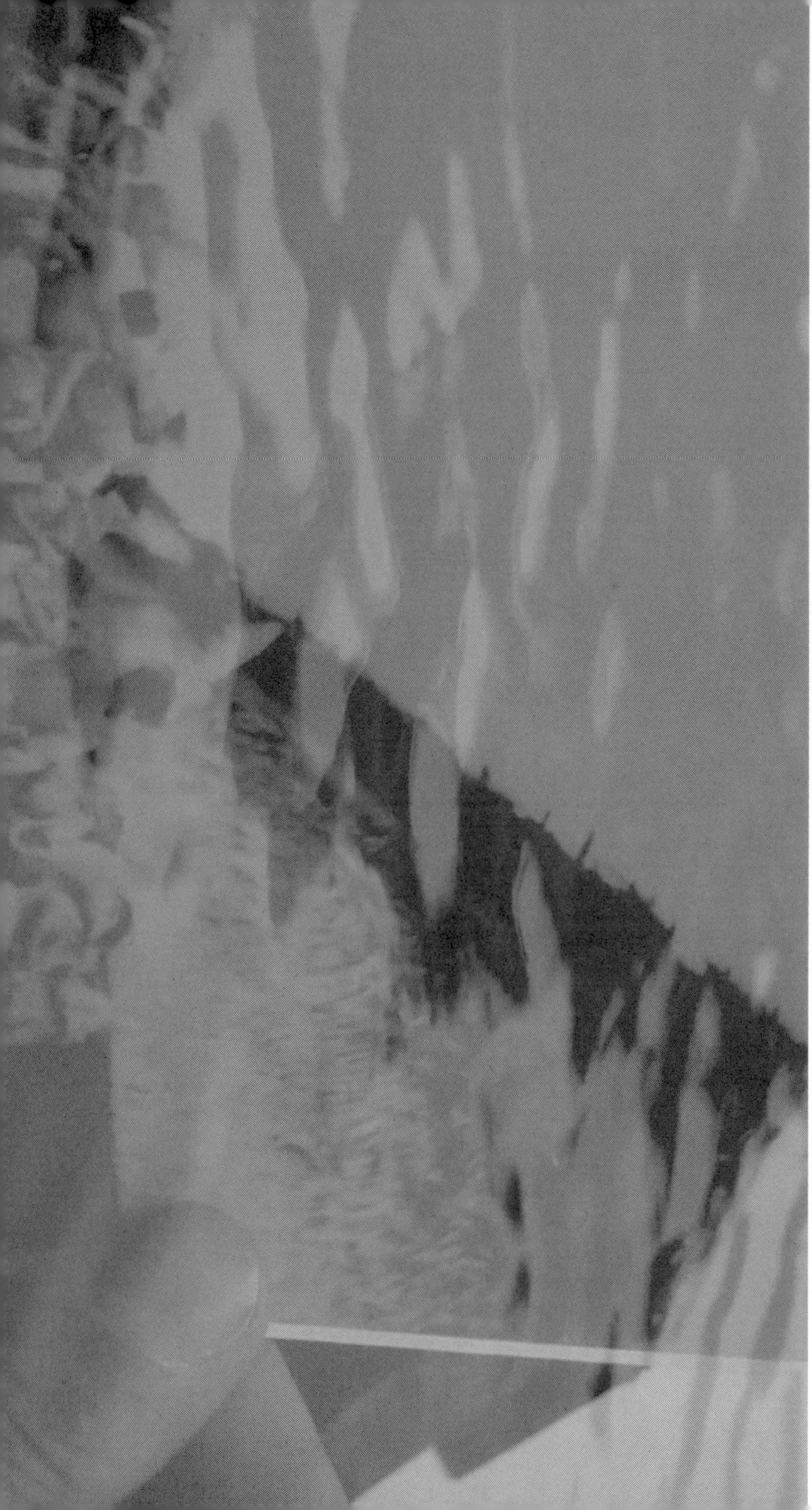

が、ここではむしろ空間的な移動として機能している。子供たちの声と歌はそのままで、月は高速で、あるいは逆行、ジグザグなどの混線的な動きをして、穏やかさと現実感を破る。結局、ディゾルブ思考だけでは異質さが拭えず、月の動きをいじるという速度操作と人と空を多重露光させる「思考の転位」を導入したということだろう。日常的な音とのギャップが現実感を喪失させる。これは混線だ。時間感覚を異化された私は、時間（クロノ）のみならず、空間（トポス）も、ひいては現実感そのものが異化されていたのだろう。混線し、矛盾するような編集＝思考は振り返ってみると、混沌とした私のフィールド観そのものではないかと気づかされる。

4−4 引用

C4（06'58"）で踊りを出されたら、博士論文のテーマが音楽と暴力である身としては、踊りを出す以外にない。応答の仕方を思案した結果、踊りのカットをそのまま引用した。元と違いをつけるためにコントラストを上げ、モノクロームにする。モノクロームという色調の類似はC1の古い写真（01'28"）を呼び込む。西洋式のシャツとズボンではなく、伝統衣装を着た人々が集っていた写真。過去と現在のクベオの人々が並列化する。しかしその言及は速度操作で逆再生され、色が戻り、一気に現在のルワンダへと跳躍する。巻き戻すというのは、あからさまに過去に戻るということだ、だがその先にいるのは、クベオではなくトゥワの人々だ。クベオとトゥワを強引に同じ地平に呼び込む。丁寧に互いの内的ダイアローグを通じて、それぞれのコロンビアとルワンダについて、類似、継続、借用、転位といったコミュ

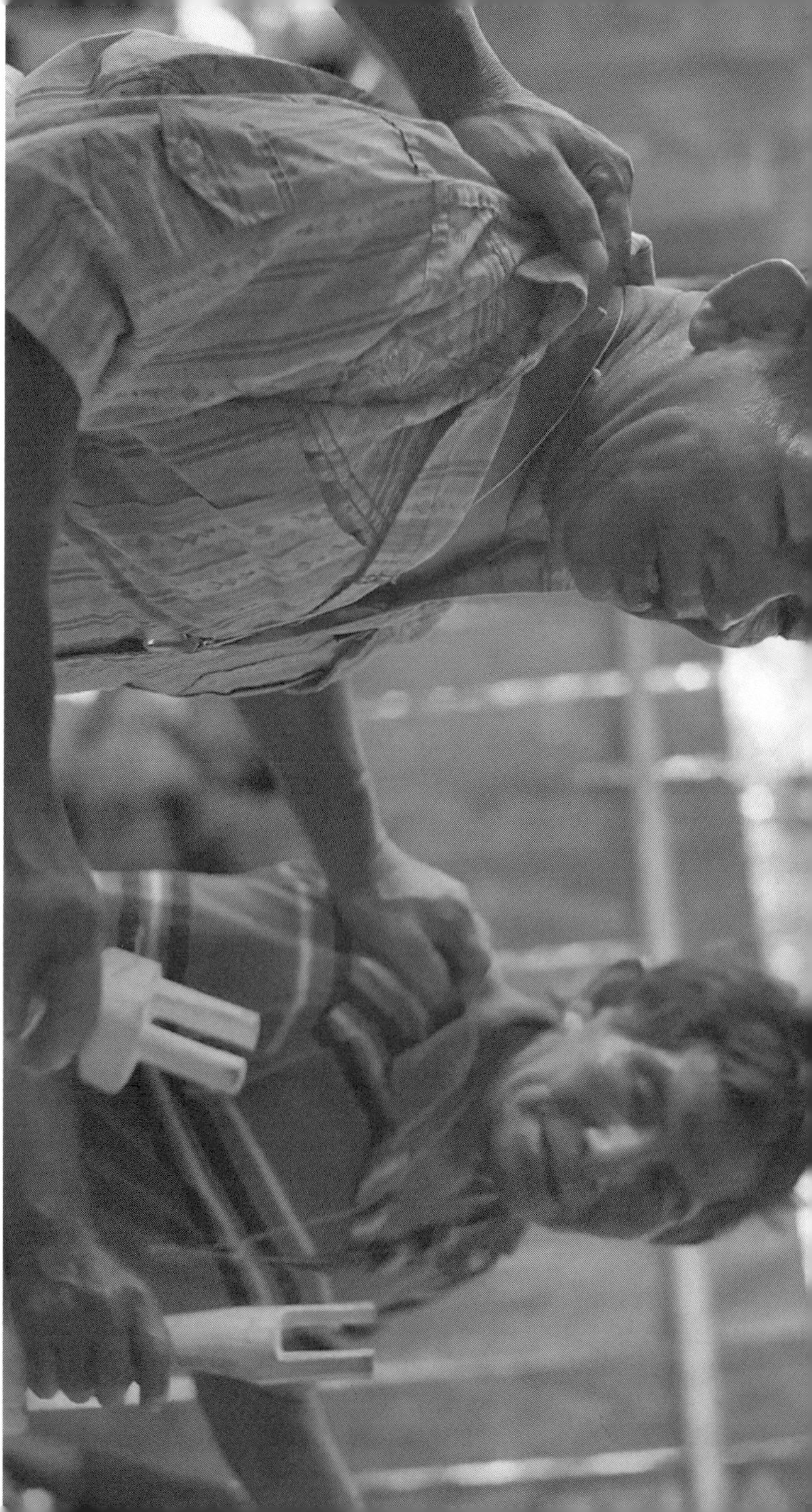

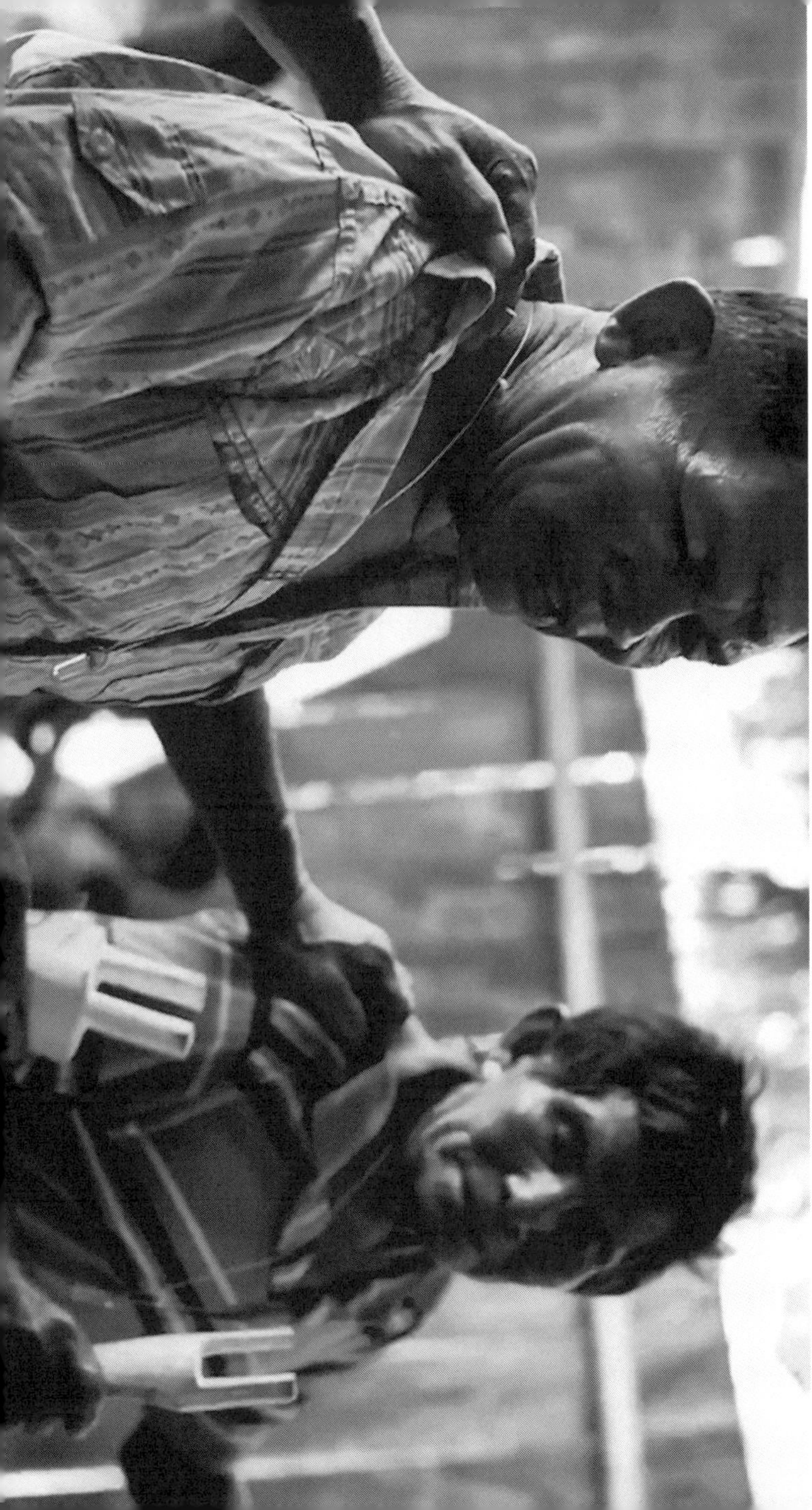

ニケーションを通じて語ってきたのを、力技でお前のフィールドと俺のフィールドは地続きだと宣言しながら、ビート、メロディ、社会的な位置づけなどがあまりにも違うのを音楽の強度で、強引にねじ伏せて興奮へと誘う。こうした宴会を撮影する際に私がルワンダで試みていたのが数時間に渡り、一つのロングショットで撮影することだ。カメラを持ったダンサーとしてパーティーに参画し、歌と踊りとカメラが同一化するように撮影する。意識されているのは相互の同化であり、創造的な複数の声で満ちた〈ポリフォニー〉ではなく、創造的な一つの声〈モノフォニー〉である。多分私は、カメラを通してトゥワと同化しようとする自身のフィールドでの感傷的なあり方をカストゥリジョンに見てもらいたかったのだ。彼の意見を聞きたかった。だから強引にコロンビアとルワンダを接続し、興奮へと引きずり込みながら、切れ目の悪いところでいきなり切断し、続きを相手に委ねたのだ。お前はどうなんだ？ と。

４－５　外部

音―イメージを「引用」した後に逆再生してフィールドの強引な同一平面化を図ったＦ５に対して、Ｃ５（08′40″）はＦ５の音を引用する。これは引用という応答法を借用しているとも言えるが、しかし音―イメージから音のみへという「要素の転位」がある。また08′57″からはＦ５で踊る男のイメージが引用される。しかし、ここではＦ４で用いられたスーパーインポーズの思考（06′18″）も借用されているので、ただの引用ではない。スーパーインポーズ化された思考を転位した引用である。事態は複雑になってきている。Ｃ４もＦ４に対して音の類似、コトの対比、モノの類似、思考の転位、構造の類似と多様かつ複雑な呼応を見せていたが、C5も相当なものである。しかし、このC5において最も重要なのはそこではない。トゥワの音楽に乗って、クベオのイメージが高速で旋回する、トゥワとクベオの融解のような編集の先に、09'18"で引用されているトゥワの音楽が突然切断され、クベオの男の声と共に登場する眼。

この眼をどう理解したらいいのか。私にはわからない。そしてこのわからなさこそが、個々人の唯一性を持参して向かいあう他者同士のわかりあえなさ〈外部〉ではないのか。この眼は白人の眼であり、チョコレート色の肌をしたカストゥリジョンの眼ではない。そして私も白人ではないし、私たちのフィールドに白人はいない。人類学が基本的に白人から見た他者に関わる学問であってきた（今もある）ということを想起すれば、この目は人類学的眼差しという捉え方もできそうだ……理解できない外部に遭遇したとき、私はなんとか理解しようとして、私とカストゥリジョンの記憶や知識、感性や知性などの対話のリソースである〈統覚的背景〉において重なっているはずの、つまりメタレベルで共有されているはずの、人類学的知識を召喚した。しかし、この眼が人類学的眼差しなのであれば、素直にカストゥリジョン自身の眼を出せばこと足りるし、斜め上を向いているのも辻褄が合わない。眼差しであるなら、カメラを真っ直ぐ見返さないといけない。

結局、私はこの眼がわからない。だから、外部なのだ。そして、バフチンが言うように、他者なくして存在できない世界において、ダイアローグに終わりはない。それなのに、映像として完成させる必要上、*RLAP*には仮綴じが必要になる。ならば、カストゥリジョンはトゥワとクベオの融解で大団円的に閉じるのを拒否して、トゥワにもクベオにも、ふくだにもカストゥリジョンにも異質な外部で閉じることにしたのではないか。外部が終わりを拒絶して、さらなるダイアローグを誘うことを予期して。

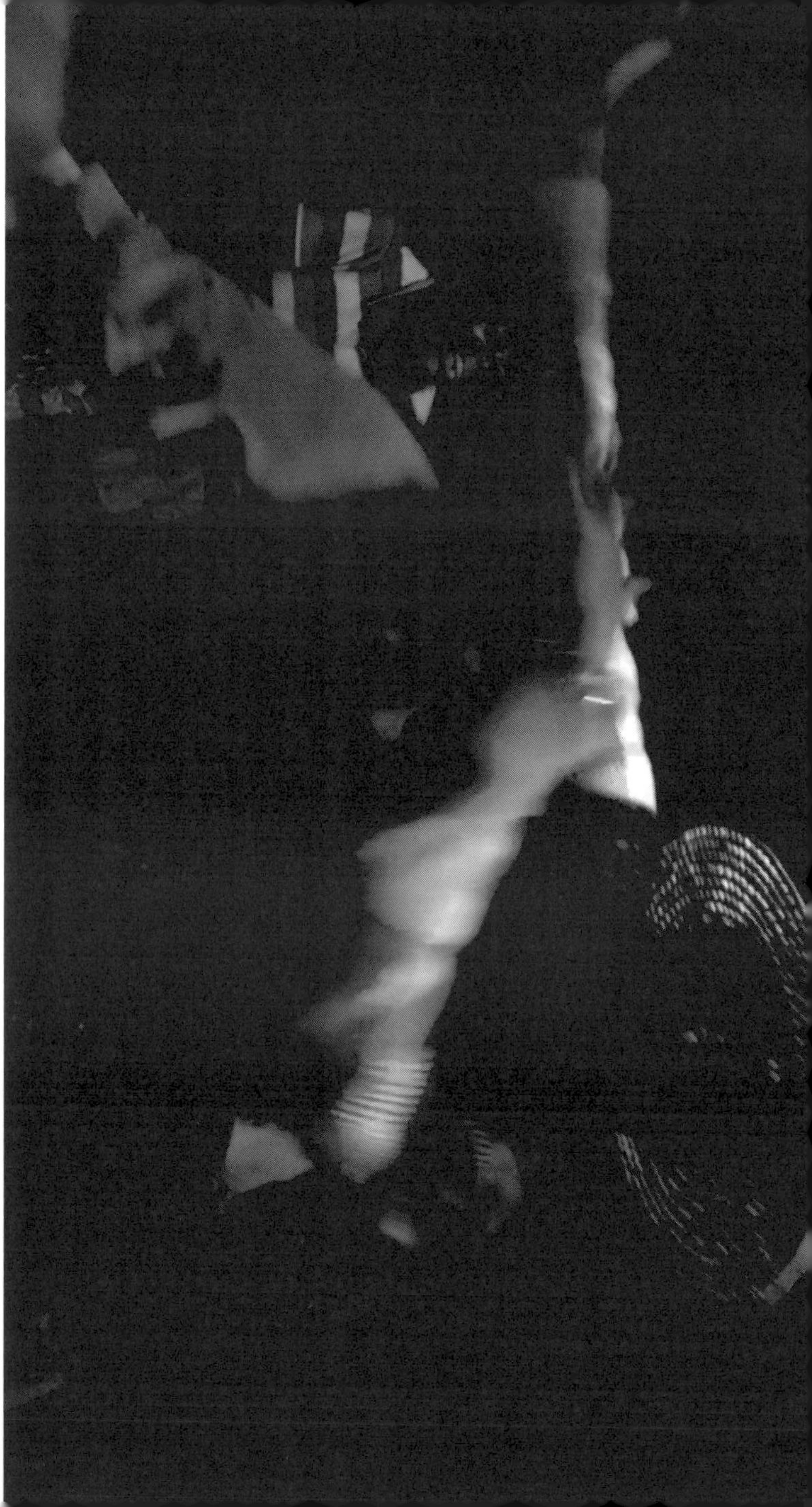

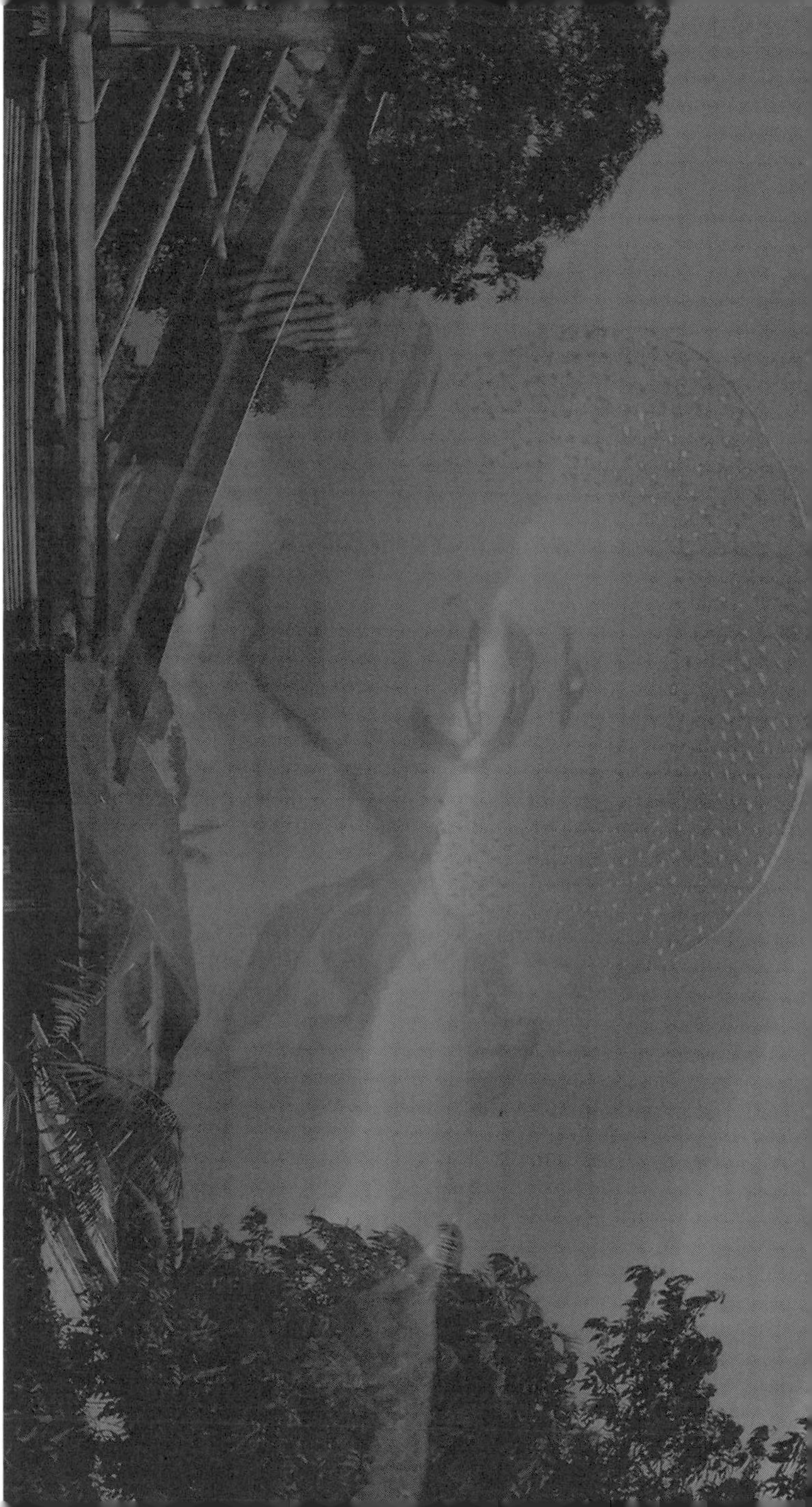

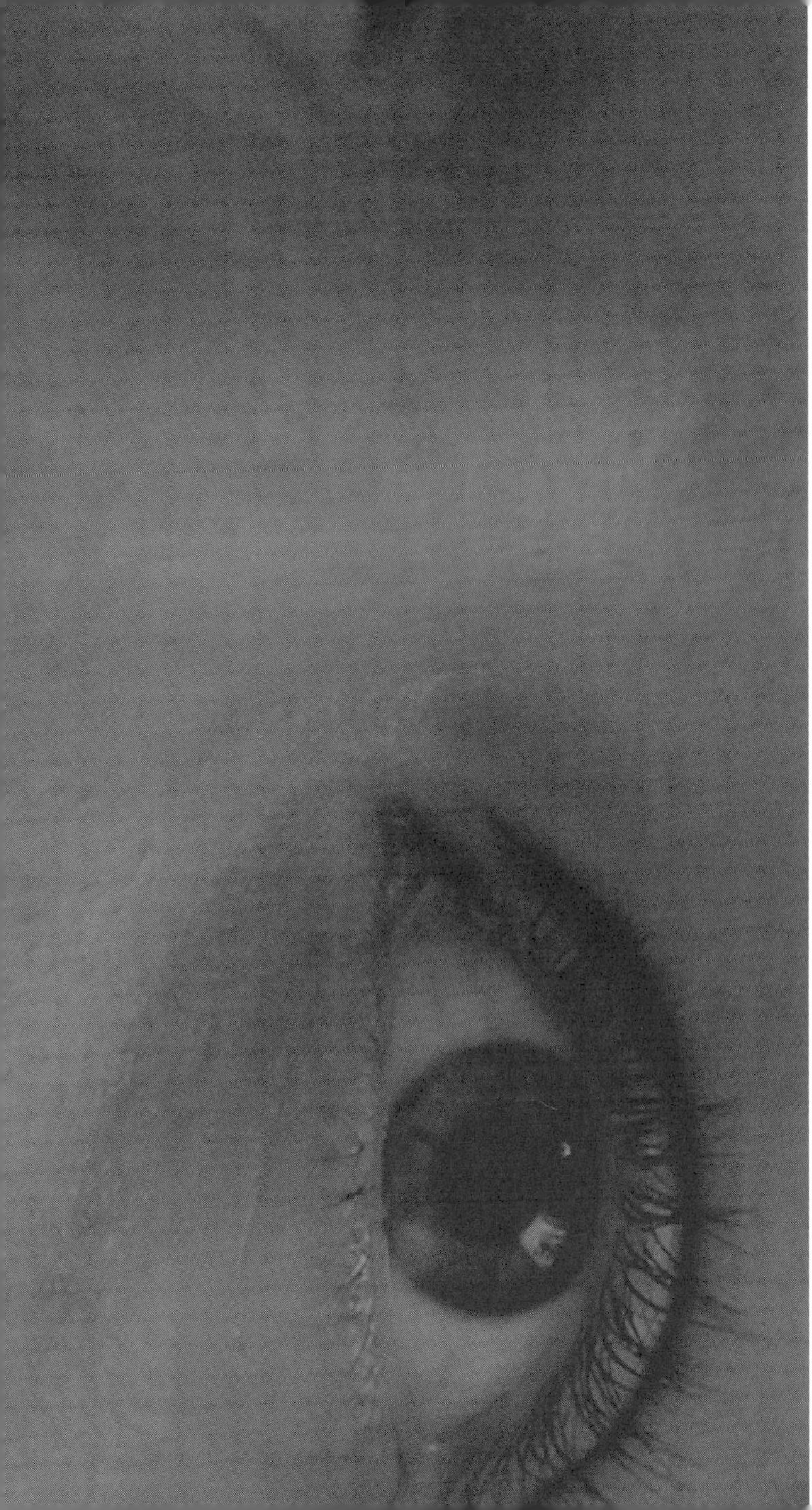

5　まとめ

言語コミュニケーションを分析したバフチン理論を音―イメージ・コミュニケーションに転用することについては慎重さが必要だが、既に見たようにコミュニケーションとしての基本的な構造は同様であり[13]、その中で生起する運動についても、言語とは異なりながら独自の複雑さを摘出できた。映像は音とイメージによって構成されるが、二者は科学的には異なった物質であり、ひとつの映像内の音とイメージが対応している必然性は全くない。モノ、コト、思考、構造という審級で音とイメージは相互に無関係に組織化されており、それぞれの物質的レイヤー（音かイメージか）と審級に応じたコミュニケーションが可能になる。異なった審級[14]同士は、類似から借用に至る基本六関係に加え、背反という音とイメージが矛盾する関係、引用という基本的には全審級を含んだ全映像的な関係、外部という非関係がありうる。以上を図式化すると表1になるが、もちろん、実際の応答はこの類型に明瞭に分類はできず、複数が絡み合い、複雑化する。

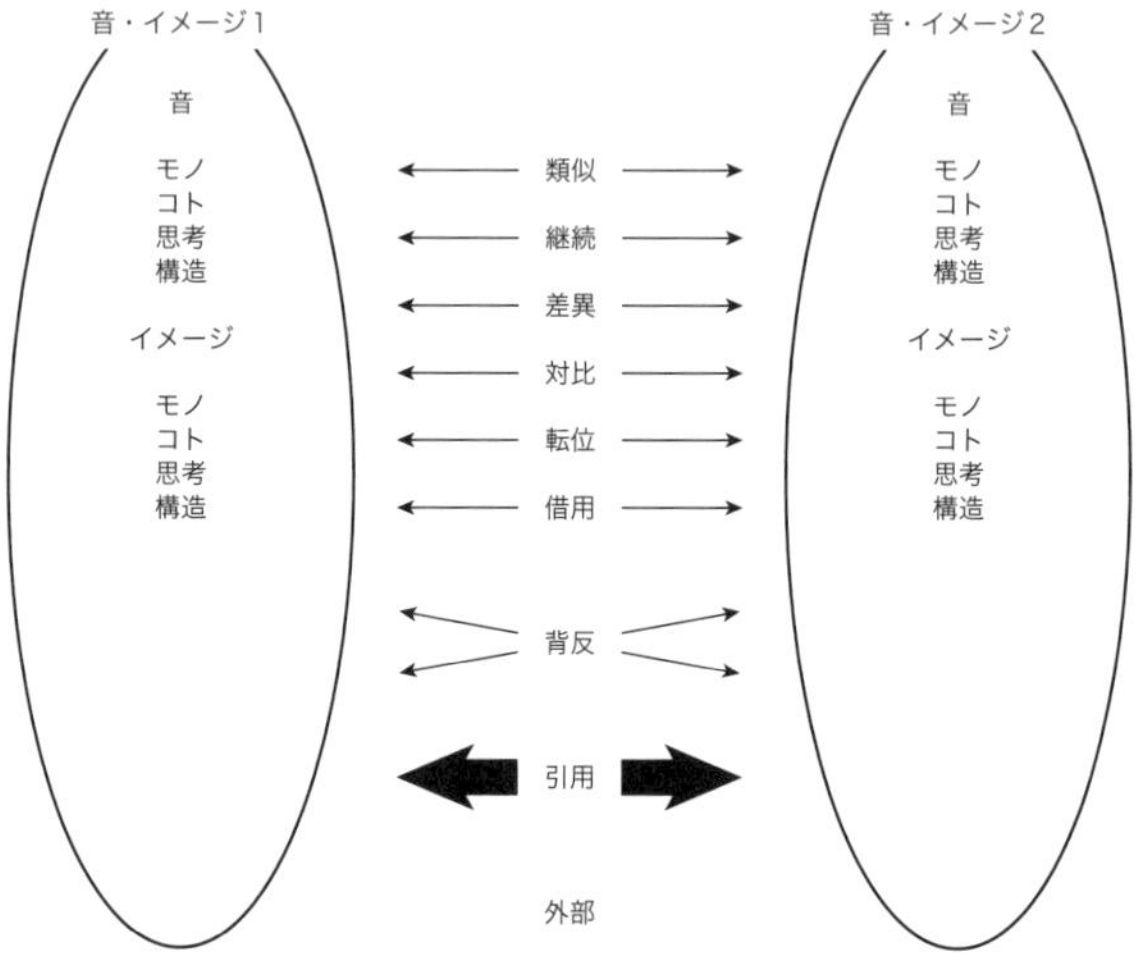

表1

言語に捉われて、映像は曖昧だから知として不適切とする批判があるが、映像の具象を基準にすれば、言語ほど不明瞭で曖昧なものもない。そして言語は対象を概念として裁断するから、暴力的で扁平なモノローグに陥りやすい。対する音―イメージ知の特性は具象であるが故に、単声を拒絶し差異を呼び込むポリフォニックな知「具象のポリフォニー」にあることを見てきた。ダイアローグの過程で、お互いの知的・感覚的リソースである統覚的背景を近づけようと音―イメージを重ねていくと、その過程でナイーブな情動や自明としていた時間感覚が引きずり出され、異化されていく。しかし、具象のポリフォニーである音―イメージは作者の声やナラティブに抵抗するのであり、映像を重ねれば重ねるほど、ふくだはトゥワ、カストゥリジョンはクベオという固有性へと後退し、統覚的背景は遠ざかる。そうした具象のポリフォニーに投降することなく、それでもダイアローグに賭け続けるには、相手への信頼が必要となる。カストゥリジョンの意図がわからず途方にくれたことが何度もあった。それでも映像を見返し、内的ダイアローグを積み上げながら音―イメージを織りなしていくと、積み上げられた音―イメージの種類と数の分だけ、参加者の間に開いた空隙に「仮構された共有」が発生する。仮構された共有はふくだ、カストゥリジョン単独では存在できなかったクロノトポスであり、*RLAP*のケースでは「仮構された人類学的フィールド」と言っていいだろう。それぞれのフィールドについて音―イメージで語っているように見えて、その実、衝突が起こっていた場所はこの仮構された人類学的フィールドであり、交換されていたのはメタ的な人類学知識、知性、感性、想念であろう。音―イメージ

13　正確には、交代でやりとりしていく応答はバフチンよりもバフチンが参照したヤクビンスキーが想定していたモデルに近い。

14　審級内部も細分化可能であるが、ここは議論の簡略化のため無視する。

にも観念にも還元されないコミュニケーションでは、自己のすべてが動員され、予期しない潜在性と向き合いながら、「終わりなき思考のプロセス」として未来を巻き込んでいく。バフチンはダイアローグこそが生と世界であると考えていたが、この全体性と無限性が*RLAP*に私が感じた興奮の正体だったのだろう。

本稿ではマルチモーダルな知の更新の一環として、音―イメージ知を論じてきた。そのダイアローグの類型、知的特質、ひいては可能性を議論した。二十一世紀の知の課題と可能性はマルチモーダル知にあるが、どのようにして、という手法の追求は端緒についたばかりである。本稿も、人類学者同士の音―イメージ・ダイアローグという私とカストゥリジョンにとっても新たな試みを一例あげたに過ぎず、さらなる進展が要請される。冒頭で述べたように、カストゥリジョンとは次の企画を練っているが、その中には先住民同士による音―イメージ・ダイアローグ・プロジェクトもある。人類学的には何よりも、フィールドの人々同士による音―イメージ・ダイアローグの実践に可能性があるだろう。そしてもちろん、本稿を読んで関心を持った学者、映像作家、アーティストの方々には、ぜひ音―イメージ・ダイアローグに挑戦して欲しい。テクストに偏重した知を更新するマルチモーダルの試みはまだ始まったばかりである。

本稿を執筆するにあたって、かわなかのぶひろ＋萩原朔美『映像書簡一―七、一〇、一一』をイメージフォーラムの門脇建路、富山加津江、山下宏洋各氏のご厚意により視聴した。ここに記して感謝したい。

参考文献・映像

ルシアン・キャスティン＝テイラー、ヴェレナ・パラヴェル（二〇一二）『リヴァイアサン』紀伊國屋書店（ＤＶＤ）。

ジェイムズ・クリフォード（二〇〇三）『文化の窮状 二十世紀の民族誌学、文学、芸術』太田好信・慶田勝彦・清水展・浜本満・古谷嘉章・星埜守之訳、京都：人文書院。

後藤正憲（二〇〇九）「民族誌における対話——文化革命期のソヴィエト民族学の変遷にみる通約不能なもの」『国立民族学博物館研究報告』三三巻二号、二六五—二九五頁。

笠原広一（二〇一九）「Arts-Based Researchによる美術教育研究の可能性について——その成立の背景と歴史及び国内外の研究動向の概況から」『美術教育学』四〇巻、一一三—一二八頁。

かわなかのぶひろ・鈴木志郎康（二〇〇六）『映画・日常の冒険』東京：東京造形大学。

かわなかのぶひろ・萩原朔美（一九七九—二〇一一）『映像書簡一—一一』（映画）。

桑野隆（二〇二〇）『増補 バフチン——カーニヴァル・対話・笑い』東京：平凡社。

佐藤信夫（一九九二）『レトリック認識』東京：講談社学術文庫。

田島充士（二〇一九）『ダイアローグのことばとモノローグのことば——ヤクビンスキー論から読み解くバフチンの対話理論』東京：福村出版。

ミハイル・バフチン（一九八二）『叙事詩と小説（ミハイル・バフチン著作集7）』川端香男里・伊東一郎・佐々木寛訳、東京：新時代社。

——（一九九六）『小説の言葉 付：「小説の言葉の前史より」』伊東一郎訳、東京：平凡社。

——（二〇〇一）「小説における時間と時空間の諸形式」『ミハイル・バフチン全著作第五巻』伊東一郎・北岡誠司・佐々木寛・杉里直人・塚本善也訳、東京：水声社。

——（二〇一三）『ドストエフスキーの創作の問題 付：より大胆に可能性を利用せよ』桑野隆訳、東京：平凡社。

ガストン・バシュラール（二〇一六）『水と夢〈新装版〉——物質的想像力試論』及川馥訳、東京：法政大学出版局。

ハンス・ベルティンク（二〇一四）『イメージ人類学』仲間裕子訳、東京：平凡社。

スティーブン・フェルド（一九八八）『鳥になった少年——カルリ社会における音・神話・象徴』山口修・山田陽一・卜田隆嗣・藤田隆則訳、東京：平凡社。

ジョナス・メカス、ホセ・ルイス・ゲリン（二〇一一）『メカス×ゲリン 往復書簡』（映画）。
ジャン・ルーシュ、エドガー・モラン（一九六一）『ある夏の記録』（映画）。
柳沢英輔（二〇一九）『ベトナムの大地にゴングが響く』京都：灯光舎。
Collins, Samuel Gerald., and Durington, Matthew, S. and Gill, Harjant. 2017. Multimodality: An Invitation. *American Anthropologist* 119 (1): 142–146.
Cox, R., Irving, A., and Wright, C. (eds.). 2016. *Beyond text? Critical practices and sensory anthropology*. Manchester: Manchester University Press.
Grimshaw, A. and Ravetz, A. eds., 2005. *Visualizing anthropology: Experimenting with image-based ethnography*. Bristol: Intellect Books.
Gunn, W., Otto, T., and Smith, R.C., (eds.). 2013. *Design Anthropology: Theory and Practice*. London: Bloomsbury Academic
Harvard Department of Anthropology. 2022. Media Anthropology. https://anthropology.Fas.harvard.edu/media-anthropology（最終閲覧日：二〇二二年一月十日）
Henley, P. 2020. *Beyond observation: A History of Authorship in Ethnographic Film*. Manchester: Manchester University Press.
Horst, H. A., and Miller, D. (eds.). 2012. *Digital Anthropology*. London: Routledge.
MacDougall, D. 1972. To Live with Herds. Berkeley Media.（映画）
—　2006. *The Corporeal Image: Film, Ethnography, and the Senses*. Princeton: Princeton University Press.
Morso, G. S., Emerson, C. 1990. *Mikhail Bakhtin: Creation of a Prosaics*. Stanford: Stanford University Press.
Nelson, R. 2013. *Practice as Research in the Arts: Principles, Protocols, Pedagogies, Resistances*. London: Palgrave Macmillan.
Ruby, J. 2000. *Picturing Culture: Explorations of Film and Anthropology*. Chicago: University of Chicago Press.
Schneider, A., Wright, C., (eds.). 2013. *Anthropology and Art Practice*. London: Bloomsbury Academic.

第2部

隔たりなき表現活動——制作と研究

西尾美也

生を変容させるアートプロジェクト
——《感覚の洗濯》の着想から記録方法まで

1　はじめに

筆者はアーティストとして「装いの行為とコミュニケーションの関係性」に着目したアートプロジェクト[1]を国内外で展開している。扱うテーマとその手法ゆえに、「芸術のための芸術」ではなく、「装っている人たち」と協働する表現のあり方を探ってきた。「装っている人たち」とは言うなれば全人類を指すため、活動には子どもから高齢者までいろいろな人が関わっている。本書のテーマに関連して特筆すべきこととしては、二〇〇七年に旅行でケニアを訪れた際に、人々が生き生きと生活し、働く姿がまちの至るところで見られたこと、また、それが筆者にとってはクリエイティビティに満ちたものに感じられ、魅了されたことをきっかけに、二〇〇九年から現在までに述べ二年三ヶ月ケニアのナイロビに滞在し、ケニアとの文化交流を続けてきた点が挙げられる。現代人類学においては、「遠い異国」だけが人類学のフィールドワークではないとしても、[2]筆者のケニアとの関わりは、人類学とアートの交差を語る上で欠かせないキャリアとなっている。

近年では、教育学や社会学、人類学などの学問分野において、アクションリサーチやアートベース・リサーチ、映像人類学といった研究手法に可能性が見出されているが、これらに共通しているのは、世界を客観的に分析・記述することには限界があるという認識だろう。[3]このように学問領域を超えて実践されている「何かをやってみる＝表現してみること」は、まさにアートが得意としてきた方法である。特に「鑑賞者」を「参加者」に変換することを特徴とするアートプロジェクトにおいては、「ともに」という部分が重要となり、突き詰めるとアートの定義として「学び合い」とい

1 アートプロジェクトとは、広く「地域の生活空間において繰り広げられる芸術活動」（谷口二〇一九：二）を指す。

2 佐藤（二〇一三）は、遠い異国を対象にする従来型の人類学の手法を「フィールドワーク1・0」とした上で、グローバル化・メディア化・個人化という現代世界におけるフィールドワークを「フィールドワーク2・0」と名付け、提言した。

3 松田（一九九一）は、フィールドワークおよび文化人類学総体に向けられた根源的な疑問として、「人類学者自身の立場性の問題」「『未開社会』についての懐疑」「調査する者とされる者との関係」「得られた情報の処理の仕方」「記述し分析する枠組の問題」の五点を挙げた上で、これらの問題を乗り越える方法として、岩田慶治の「対象を分析し解釈するのではなく、対象と交わり、ともになにかを創造する主体となるフィールドワーク」のあり方を紹介している。筆者は、岩田の「創造人類学」に共感しながら実践を重ねる立場として、アクションリサーチやアートベース・リサーチ、映像人類学もこの系譜に位置付けられるものだと理解している。

うキーワードが浮上する。まさしく社会人類学者のティム・インゴルドの主張と重なる点である。曰く、「人類学の重要な目的は民族誌的なものではなく、教育的なものであ」(インゴルド 二〇二〇：二〇)り、さらにそれは「アートと同じで、(中略)実験的でもあり、思弁を許されている」(インゴルド 二〇二〇：一四六)。

確かに、アーティストがリサーチベースの表現をするようになり、人類学者が論文以外の方法で研究成果を表現することで、人類学とアートの交差が語られる現状はある。しかし、アートの実践者であるアーティストが、論文という方法で自身の表現をまとめる事例は多くはない。アートワールドでは作品や活動そのものが成果として評価されるため、その必要性がないからだ。インゴルドは次のようにも述べる。「人類学の真の貢献は、文献にあるのではなく、生を変容させる力にある」(インゴルド 二〇二〇：一四七)。アートプロジェクトにおいても「活動」が最も重要な現場であることには違いがない。しかし、だからこそ、そのアーカイブ方法や展示方法について、さまざまなアーティストが模索をしてきた。活動を映像に記録すること、インスタレーションとして表現すること、記録集を作ること……、こうした延長にアーティストが論文を書くというアプローチがあってもよいのではないか。

評価や批評という点に関して補足すれば、一方で職業的な批評家の立場から、あるアートの動向を言語化したり理論化したりする行為があるが、他方でアートの実践はそうして語られ文脈化されたものを、また実践によって逸脱することを繰り返してきた歴史でもある。そのように考えると、常にある枠組みを逸脱しようとする現代アートは、職業批評家と作り手という閉じた関係をも相対化し、新しい批評のあり方を求めている。つまり、筆者がさまざまな方法で一回性の活動をアーカイブし、さらに論文にまでしようとするのは、今はまだ顕在化していない「批評家」や「鑑賞者」という新たな受け手との出会いを求めているからだと言える。

本章は、以上の問題意識をもとに、筆者がケニアでの滞在からインスピレーションを得て、二〇一六年から日本各地で継続的に行っているアートプロジェクト《感覚の洗濯》の着想から記録方法までを、実践者の立場から記述するものである。《感覚の洗濯》は、参加者が洗濯物を持ち寄って公園などの屋外空間で手洗いし、その場にワイヤーを張って干すというワークショップの実施から、それを記録したインスタレーションや映像作品、記録集の制作までを含む一連の取り組みである。

2 「アートインフラ」と「行為がアートになる」という考え方

日常的な行為に過ぎない洗濯がアートプロジェクトとして（あるいは芸術活動として）成立する理由を、まずは着想の背景にある「アートインフラ」と「行為がアートになる」という考え方から説明したい。

アートインフラとは、もともと作品を展示するための場所でなくとも、その場所の特性を読み替えることで、作品を展示する環境がすでに整っていると考える発想だ。例えば、商店街のアーケードの梁は、何かの作品を吊り下げるための支持体になり得る。こうしてまちの中からアートインフラを探す行為は、ホワイトキューブを飛び出して活動するアーティストの、あるいはアートプロジェクトや芸術祭の常套手段と言える。いわゆる空き家をギャラリーにすることも、空き家をアートインフラに読み替えているからだ。その読み替えのセンスと交渉力が、作家の代表作になっている例もある。中村政人を中心にしたコマンドNによる《秋葉原TV》(一九九九、二〇〇〇、二〇〇二)は、秋葉原電気街の販売用のテレビ約千台を使って大勢のアーティストの映像作品を上映したアートプロジェクトだが、秋葉原電気街がまさにアートインフラとして読み替えられている。

もうひとつの「行為がアートになる」では、台湾出身のアーティスト謝徳慶を例に挙げよう。《One Year Performance 1980–1981 (Time Clock Piece)》(一九八〇—一九八一)は、一年間、毎日一時間に一回同じ場所にあるタイムカードを押す、という作品だ。展示ではその記録としての一年間のタイムカードが並べられ、鑑賞者はその物量に圧倒される。所々「sleeping」と、押せなかった理由が示されていることで、機械による記録の中にも生身の人間の姿が浮かび上がる。また、タイムカードを押すたびにポラロイドによるポートレートも撮影しており、髪の毛や髭が少しずつ伸びてゆく様子が記録されている。いずれも行為の部分だけを抜き出せば日常的なことでも、過剰に制約やルールを課して続けることが、日常生活批判としてアートになっている。

上述の先行事例に共通するのは、鑑賞者に新しい物の見方を提供している点であり、それが現代アートの役割のひとつであることには異論がないだろう。日本におけるアートプロジェクトの第一人者として知られる川俣正[4]は、著書『アートレス』の中で、ランドアートよりも工事現場の方が、メディアアートよりゲームセンターの方がダイナミックで生き生きしている、とアートを揶揄する反面、それらが面白いと感じられるのは、すでにランドアートやメディアアートを知っているからであって、けっしてその逆ではないと、アートの可能性も認めている（川俣 二〇〇一：二一）。

筆者ははじめてケニアを訪れた時から、途上国という異文化の中で目の当たりにするたくさんの「アートインフラ」と「行為がアートになる」事例に圧倒された。例えばスペースガードとして機能しているポールがある。行商人がある時間になるとここにやって来て、とうもろこしをこのポールの上に置いていくのだ（図1）。実際には、行商人がとうもろこしをポールに置く行為は、単に物を見せる「陳列」という行為であり、メッセージや何らかの意図を込めて工夫をしたり配置したりする「展示」とは異なる。つまり、厳密に言えば、行商人はポールを「陳列インフラ」とは捉えていても、「アートインフラ」と捉えているとは言えない。しかし、ポールに並べられたとうもろこしという視覚的情報から、売られている商品という認識以上に、何らかのメッセージを感じてしまう場

4　川俣自身も、美術家になった理由を「何かモーレッツに体を動かしたかった」（川俣二〇〇三）からと述べており、氏の代表的なスタイルである廃材を用いた仮設的なインスタレーションは、まさに肉体労働という「行為がアートになる」作品事例として捉えることができる。

図1 ポールの上に置かれたとうもろこし（筆者撮影）

図2 ケニアの頭上運搬の様子（筆者撮影）

合、受け手である筆者がそれを「ポールがアートインフラに読み替えられている」と認識することもまた可能となる。つまり、ストリートアーティストたちがアートワールドの外で表現するのとは逆の仕方で、筆者はアートワールドの外で、現地では普通の生活行為として実践されていることからある種のメッセージを受け取り、能動的に「鑑賞者」になる自分を発見したと言える。

他にも、ケニアでは建築資材や生肉、家具など、どんな物でも人が人力で運んでいる姿を目にすることが多い。日本では物流が発達し、必死に何かを運ぶ人の姿も、運ばれた物を梱包なしに見ることもほとんどないために、こうした姿が筆者にはパフォーマンスのように見えてしまうのだ。「行為がアートになる」というのは、謝徳慶のようにアーティストにしかできない過酷な表現だけでなく、先述したように、そこに何らかのメッセージを感じとる「鑑賞者」を得ることで成立するものでもある。ケニアで頭上運搬をする一般女性と出くわした際には（図2）、そこに思わず目がいってしまうという点で、頭上ほど最適なアートインフラはないとさえ筆者は思うようにもなった。[5] こうした筆者の発想は、まさに「アートインフラ」と「行為がアートになる」という現代アートから得た新しい物の見方が可能にしたものと言えるだろう。

5　こうした発想から、二〇一五年に「頭の上の展覧会」と名付けたワークショップを考案し、奈良県立大学および神戸芸術工科大学の学生を対象に実施した。「頭の上の空間を、何かを見せる展覧会場や何かが起こる場として捉えて、アート作品やワークショップを企画・制作してみよう」。こうしたお題を元に学生がグループにわかれて制作した。詳細は、西尾（二〇一六）を参照されたい。

3　自分たちの空間と生きる技術、謙虚さを取り戻す

《感覚の洗濯》発案の直接的なきっかけになったのも、ケニアで見た洗濯物の風景だった（一〇八ページ、図3）。それは筆者の目には美しいインスタレーションとして映った。掘っ建て小屋の間をアートインフラとしてロープで結び、服を干す。ハンガーを使用していないことで面として洗濯物が見えることや、舗装されていない地面やトタン屋根にカラフルな洗濯物が一層映えるということも展示に見えてくる理由であるが、何より、個人的な洗濯物が、外に干して乾かすという目的を持つことで人の目にさらされるパブリックなものになっているという状況が面白い[6]。「展示」という観点で言えば、家の中というのは生活に必要なものからそうでないものまで集まってくる場所であり、アートに縁がない家庭でもポスターやちょっとした置物など何かを飾るという行為は自然としているものだ[7]。そういう意味で、家の中はモノが収集され展示されたり保管されたりしているミュージアムのような場所だと言えるが、赤の他人がそれを展示として鑑賞することはない。一方で洗濯物は家族構成や趣味を表象しながら、家の外へと展開されることで、生活文化の展示を体現している[8]。

洗濯物がインスタレーションとして見えてくるというのは、日本で洗濯物の光景が見られなくな

ってきていることも背景にある。実際に都市部のマンションでは景観保護を理由に洗濯物を隠すことが当たり前になっていたりする。筆者はこの状況から、単なる洗濯物が「グラフィティ」になる可能性を見出す。社会学者の毛利嘉孝は、「日本の都市にグラフィティが少ないということは、決して誇るべきことではないかもしれない」（毛利 二〇一九：二九七）とし、その理由を次のように述べる。「落書きが一つもない整然とした空間に対する志向は、管理する側の視線を管理される側が内面化してしまった結果でもある」（毛利 二〇一九：二九七）からだ。それがもたらすのは均質化・同質化した社会であり、必然的にある人々を排除することになる。グラフィティとしての洗濯物は、そうして排除された人々がまるで再び自分たちの空間を取り戻すかのように、表現の自由を担保し、民主化の度合いを測る。実際に、公共空間で行う《感覚の洗濯》では、各所への申請・届出や交渉を

6　そもそも「洗濯物は個人的なものである」という認識は、日本で生まれ育った筆者の感覚によるものである。ケニア人の友人によれば、子どもの頃は親戚の子どもたちと服を共有するのが当たり前で、「自分の服」というものはなかったという。

7　筆者がこのことに関心を抱いたのは、ケニアに滞在していた際に、住人がアートに関心があるかないか、スラム街か高級住宅街かにかかわらず、訪れたいずれの家庭にも何かが飾ってあることに気がついたからだ。その後、芸術系の学部・学科のない奈良県立大学で学ぶ学生を対象に、「Art in the House」と題して、「家にあるアート作品（的なもの）を撮影し、コメントまたはタイトルを付けて提出」させたところ、実に多様な解釈による家の中での「展示」が見られた。

8　その他に、ガーデニングやクリスマスの電飾なども同様と言えるが、これらはケニアでは見られなかった。あくまでも洗濯物は、生活の必要に迫られて家からはみ出す展示と言える。

図3　ケニアの洗濯物の風景（筆者撮影）

しながら、あるいはゲリラ的に、展示を実現している。ワイヤーを張るためのアートインフラとしては、公園の木々や建物の手すり、室外機の架台などを利用してきた（図4）。

ケニアでは、洗濯物が干された状態に加えて、それを手洗いで洗っている光景も見られた。女性や子どもの過酷な労働として問題視することもできるが、そこには手芸や編み物をしている時のような、緩やかで豊かな時間が流れているようにも感じた。全自動の洗濯乾燥機が普及する日本ではなくなってしまった時間と言えるだろう。これは単なる懐古主義ではない。哲学者の鷲田清一は、人が生き物として生きるためにしなければならないこと（鷲田はこれを「いのちの世話」と言う）を、「税金やサーヴィス料を払って社会のシステムに委託することを幾世代かにわたりくり返しているうち、みずからそれを担う能力をすっかり失ってしまっ」

たとし、「消費」ではなく「つくる」ことの必要性を訴える（鷲田 二〇一七）。便利な家電に依存しすぎることも同じ問題を孕んでいると言えるだろう。私たちの身体に最も身近な装いを手入れするという意味で、洗濯という行為もまた、「いのちの世話」であると筆者は考える。

また、同じ問題を、小さな焚き火を核とした場づくりを行う美術家の小山田徹は、自然や世界に対する謙虚さの必要性という観点から指摘する。現代は「効率的な右肩上がりの欲望とシステムが社会に浸透し、私たち個人の存在や身体性までもが脅かされ」、人は「その辛さをごまかすために尊大になる」（小山田 二〇二〇：四五）。だから小山田は謙虚さを取り戻すことの必要性を訴える。それは自然の変化や手仕事などの身体的な経験、共同作業などの集団の経験、食事や挨拶の作法など、プリミティブなモノやコトの中に契機がある。《感覚の洗濯》における洗濯行為もまた、天候の様子を見ながら、水に触れて身体を動かし、他の参加者との共同作業とその場で築かれてゆくある種の作法によって成立する。

以上、日常的な行為に過ぎない洗濯がアートプロジェクトとして成立する理由を見てきた。《感覚の洗濯》は、「アートインフラ」と「行為がアートになる」という現代アートの先行事例を踏まえつつ、現代において、自分たちの空間と生きる技術、自然や世界に対する謙虚さを取り戻すことを志向したアートプロジェクトなのだ。

図4　西尾美也《着がえる公園》2019年　展示風景：六本木アートナイト2019
©六本木アートナイト実行委員会

4 《感覚の洗濯》におけるワークショップの実践

本節では《感覚の洗濯》のワークショップの設計について、その概要と意図、実際の様子について記述し、次節ではその記録としてのインスタレーション、映像作品、記録集の制作について述べる。

ワークショップの概要はおおむね次の通りである。開催時間は十時から十六時まで。小雨決行、荒天中止。実際ににわか雨のため途中でみなで雨宿りをしたり、小雨が降る中、洗濯物を干すならぬ濡らしたこともある。持ち物として、「手洗いしたい洋服やタオルなど十点程度、お弁当（コンビニ等で購入も可）、水筒、帽子、レジャーシート、自前のものがあれば写生用の道具（鉛筆、消しゴム、水彩絵の具セットなど）」と指定している。主催側で洗濯用の服も準備はしているが、参加者が持ち寄った洗濯物という要素が重要だ。空間を自分たちのものとして獲得する感覚を得るためには、自分たちの洗濯物であることが有効なことと、当日偶然集まった参加者の洗濯物が順序もバラバラに一同に干されるという表象を通して、参加者同士に大家族のような連帯感が生まれるからだ。地域にゆかりのあるハッピやユニフォームを持参したり、《感覚の洗濯》の常連の参加者は、過去に洗濯した服を旅させるように持参するなど、それぞれの持ち寄り方が見られるのも興味深い。

《感覚の洗濯》のタイトルには二つの意味を込めている。五感を使って洗濯行為を楽しむということと、機械化やサービスへの委託で鈍った自分たちの感覚自体を洗うという意味である。ワークショップの具体的な設計においても、参加者の「行為がアートに」見えてくるように、洗濯の工程ひとつひとつにタイトルを付け、行為の意味付けを行った。

順に説明すると、たらいに水を入れ、洗濯板を使って手洗いで洗濯する行為を、「洗濯の音楽」(十時十五分から十一時ごろまで)と名付け、音楽を奏でる行為だと捉えてみる(図5)。手洗いで服の汚れを落としつつ、水遊びをするように、服を手洗いする過程でどのような音が出るか、出せるか、いろいろと試しながら洗ってみるというものだ。参加者にこの意図をより伝えるために、映像人類学者の分藤大翼が撮影したバカ族の「水太鼓」の YouTube 動画をそので

図5「洗濯の音楽」の様子(映像からのキャプチャー/撮影:樋口勇輝)

図6「洗濯の展示」の様子

図7「洗濯の花見」の様子

図8「洗濯の写生会」の様子

図9「洗濯の試着」の様子

（図6〜9 映像からのキャプチャー／撮影：西野正将）

見せることが多い。[9] 実際に感覚が開かれた参加者の中には、指示することなく靴下を脱いで足踏み洗濯を始める人もいた。その楽しそうな様子はすぐに周りに伝播する。

干す作業は「洗濯の展示」（十一時ごろから十一時半ごろまで）と名付けている（図6）。途中参加、出入り自由とはしているが、一度自分の洗濯物を干すと、それが乾くまでワークショップの参加者は基本的には帰ることができないというのがこのワークショップの最大の特徴になっている。それを口実に時間をデザインする。

「洗濯の花見」（十一時半ごろから十二時半ごろまで）と名付けた時間には、自分たちがつくった洗濯物の光景を眺めながら、時にレジャーシートを敷いてランチをする（図7）。それでもまだ服は乾かないため、「洗濯の写生会」（十二時半ごろから十五時ごろまで）として、小学生の時に経験した写生会のように、自分たちがつくり出した風景をスケッチで記録する（図8）。まちの風景を写生する人の姿は、筆者が生まれ育った奈良ではよく目にする光景だ。同好会の人たちや子どもたちによる写生会が、東大寺や浮見堂などの観光名所で行われており、自分たちのまちや歴史に向き合う方法として興味深い。今は誰でもデジカメやスマホで簡単に撮影できてしまうが、スケッチであれば時間をかけて風景と向き合うことになる。利便性を追求した現代社会では、こうした時間もまた失われつつあるものだろう。休憩の際に参加者の絵を並べれば、その場が即席の絵画展のようにもなる。年代もさまざまな参加者によるスケッチは、風景全体を描いたものや、洗濯物にクローズアップして描いたもの、複数視点を混ぜた非現実的な世界を描いたものなど、描き方もまた多様なものとなる。

そして最後は、乾いた服を単に持って帰るのではなくて、「感覚の試着」（十五時ごろから十六時ごろ

9　「水太鼓」は、カメルーンの先住民であるバカ族が、水浴びや洗濯のついでに水面を叩いて演奏する一種の遊びであるとされる。映像は、以下のURLで視聴できる。https://www.youtube.com/watch?v=iVStKVoadO4（最終閲覧日：二〇二一年十一月十五日）

まで）と名付け、取り込んだ服にその場で着がえる体験をしてもらうようにしている（図9）。

子どもたちはいずれのプロセスも遊び感覚で率先して参加するし、洗濯しているだけと言えるのに、大人も最後は充実した表情になっている。屋外空間で洗濯をしているため、参加者以外の人との対話のきっかけになることも多い。年配の方々が昔を懐かしがるように話しかけてくれたり、洗い方を教えてくれたりする。福島県のいわき市で実施した際には、震災の時に家の中で洗濯物を干していたことや、支援物資としての大量の服の行き場がなくて困ったこと、子どもたちが公園から姿を消したことなどを自然と思い起こす人もいて、洗濯物によって一時的につくられた空間は、参加者だけでなく、周りの人も誘い入れる共有空間として機能した。

5 ワークショップを記録する二次的な語り直し

《感覚の洗濯》ワークショップをはじめて実施したのは、「さいたまトリエンナーレ２０１６」の出品作家としてである。ワークショップの成果を展示する場所としてキュレーターから提案されたのが、岩槻にある旧民俗文化センターだった。実際の展示物はひとつも残っていなかったが、巨大なジオラマを展示していたであろうガラスケースや、映像資料が流されていたであろう上映ブースがあり、大阪にある国立民族学博物館の常設展を想起した。各国のさまざまな文化にまつわる資料を、キャプションとともに紹介する展示である。歴史から同時代文化まで幅広い内容で構成されており、その中には実物の車もあれば、ジオラマ展示で洗濯物の風景が再現されたものもあることを思い出した。改めて博物館を訪れると、生活道具のバケツでさえもきちんと展示されていて面白い。

生活都市を舞台にした「さいたまトリエンナーレ2016」では、「未来の発見!」をタイトルに、「共につくる、参加する芸術祭」がテーマとして掲げられたこともあり、「洗濯」をモチーフとした古くて新しい文化の展示をつくり出すことをしたいと考えた。《感覚の洗濯》ワークショップを実施するために必要だった軽トラ（さいたまでの実施の際には、給排水用のタンクと道具一式を積んで移動する必要があったため）、ワイヤー、タライ、バケツ、洗濯板、石鹸、スケッチ用の椅子と、ひとつひとつは単なる生活道具に過ぎないが、《感覚の洗濯》において重要な役割を果たした小道具としてインスタレーションの素材にした。ガラスケースには、ミニチュアの洗濯物とともにワークショップを実施した周辺環境を再現するジオラマを展示した。映像資料も作り、軽トラの座席に座ると、ちょうど見られる位置に投影した。従来の民俗資料館や民族博物館では、過去から同時代まで、自文化や異文化が資料によって表象されているわけだが、ここでは、《感覚の洗濯》ワークショップで生まれた一時的な共有空間を、架空の文化として表象することを試みた（図10）。

このことを最も象徴しているのが、上述の映像資料である。博物館学においては、資料収集の限界や倫理ということが指摘されて久しい。博物館人類学が専門の吉田憲司に言わせれば、有形の文化遺産は「本来、それを作り出す技術や知識、その用法、流通のあり方、さらにはそれらを背後で支えている信念や制度など、無形の側面と一体になって存在するものである」（吉田 二〇一一：七九）からだ。こうした収集の問題を乗り越えるための方法として、あるいは無形文化遺産の記録と伝承の方法として、近年では映像記録が注目されている。「はじめに」でも述べたように、アートプロジェクトを手法に表現を行うアーティストもまた、同じような道筋をたどっている。一回性の出来事を捉えるために、アートプロジェクトにとって映像記録はつきものの手法となっているが、一方で飽和状態を迎えている実感を筆者は抱いてきた。あるいは、それがある種の定型化したスタイルになってしまったことに対して興味を抱けなくなった。

　こうした課題を乗り越えるためには、現場とその記録である映像は別物であるという「割り切り」が必要だっ

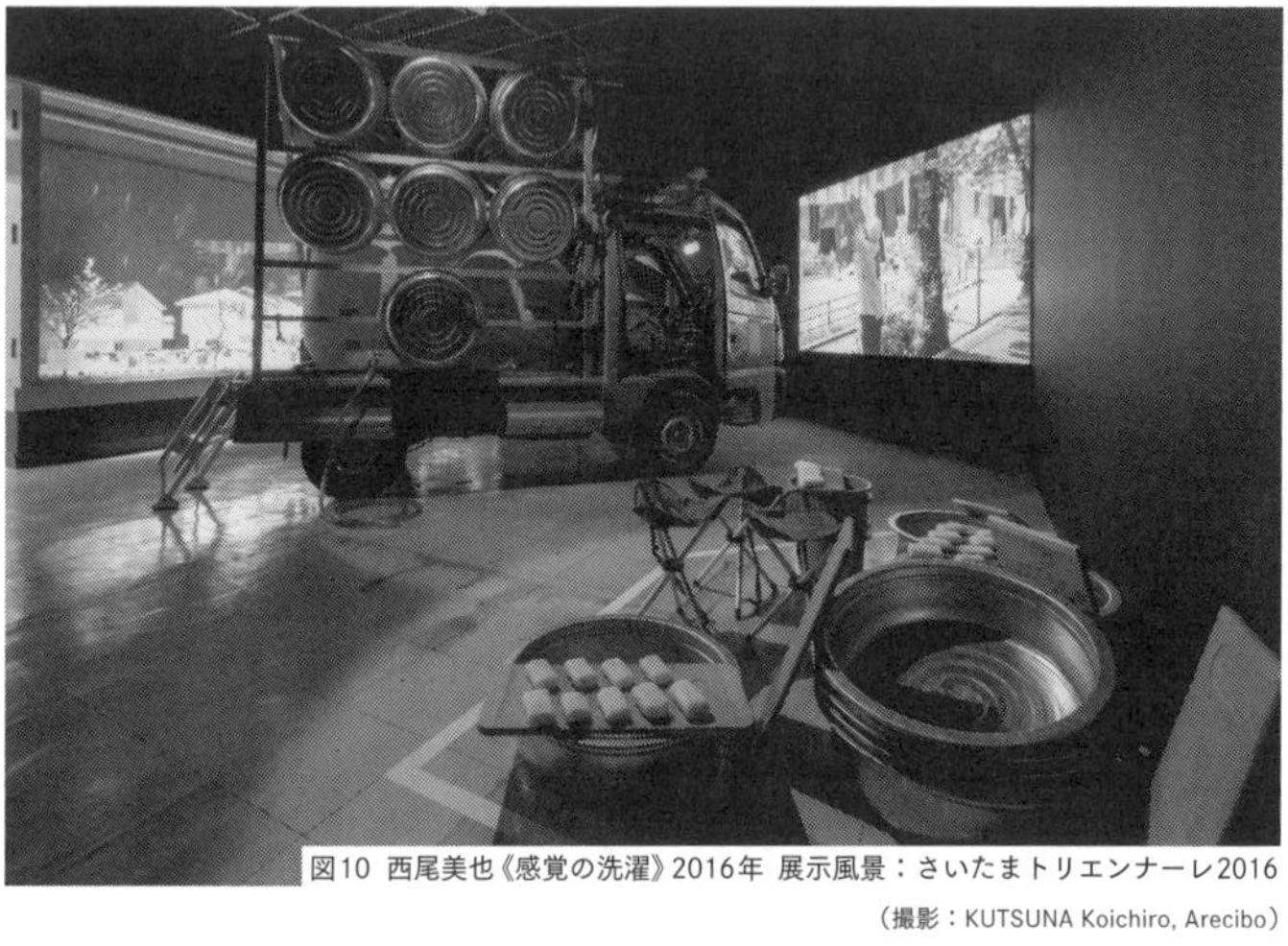

図10 西尾美也《感覚の洗濯》2016年 展示風景：さいたまトリエンナーレ2016

（撮影：KUTSUNA Koichiro, Arecibo）

た。博物館学における映像記録においても、吉田（二〇一一：八〇）は、「（映像の）製作者の意図によって、同じ現象がまったく異なった形で記録されることは、ごく普通にみられる」が、それが他者の表象に関わる問題であるからこそ「どのような立場からどのような目的をもって製作したものであるかを、製作者は常に明確に意識するとともに、それを視聴者に対して明示する必要がある」と主張する。

一方で《感覚の洗濯》ワークショップは、参加者と「ともに何かをやってみる＝表現してみる」という共創であるから、「これは映像作品である」という意図のもとワークショップの様子を切り取り、編集することには倫理的な問題は発生しない。[10]

現場とその記録である映像は別物である。こうした「割り切り」に、旧民俗文化センターの場所性から着想した「映像資料」を巡る自身の記憶が重なってきた。ナレーションの要素や映像の古さからくるタイムスリップ感。さらに映像ブースで視聴するという設えからも記憶は引き伸ばされ、映画やテレビゲームの世界に入っていくようなＢＧＭや、より世界感を演出するような俳優や声優によるナレーション。自身の記憶とは言え、こうした映像資料のイメージは、撮影・編集を依頼した映像ディレクターの西野正将やＢＧＭ制作を依頼した石田多朗とも難なく共有することができた。あくまでも現実を捉えた映像記録に、上述のような要素を掛け合わせて編集することで、《感覚の洗

10　こうした想いを反映し、「さいたまトリエンナーレ２０１６」の公式カタログでは、作品リストのクレジットに全参加者名も記載した。

濯》という世界観を演出できるのではないかと考えた。それはワークショップの記録映像であることを超えて、映像作品になり得る。[11]

いわき市で実施した際に制作した記録集においても同様の考え方を採用した。アートプロジェクトの記録集もまた定型化したスタイルが広まっているからだ。上述の映像作品はまだ定型化されていないため、同じく西野監修のもと制作された映像をそのまま記録集に変換することを考えた。先行事例としては、二〇〇五年に発行された『アンリミテッド：コム デ ギャルソン』を意識した。もとはNHKのドキュメンタリー映像で、ハイビジョンカメラが撮影したビデオの一フレームをキャプチャーした静止画をベースに、デザイナー川久保玲や関係者の言葉を再構成した二百八十八ページに及ぶ写真集になっている。あえて映像だけのキャプチャーを使うことで、コム・デ・ギャルソンの既存イメージとはまた別のオルタナティブなパッケージとして成立している点が、時を経た今見ても秀逸である。映像作品をカタログにする際にも、この手の手法は他にあまり例が見つからず、映像作品のアーカイブのあり方として、まだまだ可能性のある手法だと考えた。

《感覚の洗濯》の記録集においても、カラーページに収録した画像はすべて映像作品のキャプチャー画像で構成した。[12] プロジェクト自体の記録というよりも、プロジェクトが映像作品に変換されたものをさらにカタログ化したものになっている。そうすることで、性別や年齢まで想像できるような手洗いする手の表情や水のなめらかな動き、風に揺られる洗濯物の動き、そこから滴り落ちる雫など、映像とはまた違った仕方で出来事を再発見できることがわかった（図11）。

以上、ワークショップの記録としてのインスタレーション、映像作品、記録集の制作について概観した。これら二次的な語り直しの背景には、「活動」の作品化はいかようにも可能であるという筆者の態度がある。[13] 分野に限定されない多様な作品化を志向することで目指しているのは、新たな受け手、対話者を生み出すことである。

11 「さいたまトリエンナーレ2016」ではインスタレーションの一部として映像作品を上映したが、実際にその後、二〇一九年に京都市立芸術大学ギャラリー@KCUAで開催された京都市立芸術大学芸術資料館収蔵品活用展「still moving library」（企画：藤田瑞穂）において、独立した映像作品として上映する試みも行った。

12 グラフィック・デザインは、《感覚の洗濯》ワークショップのすべてのフライヤーデザインを担ってくれている刈谷悠三＋角田奈央［neucitora］によるものである。

13 他にも、《感覚の洗濯》ワークショップをいつか絵本にしたいという野望もある。

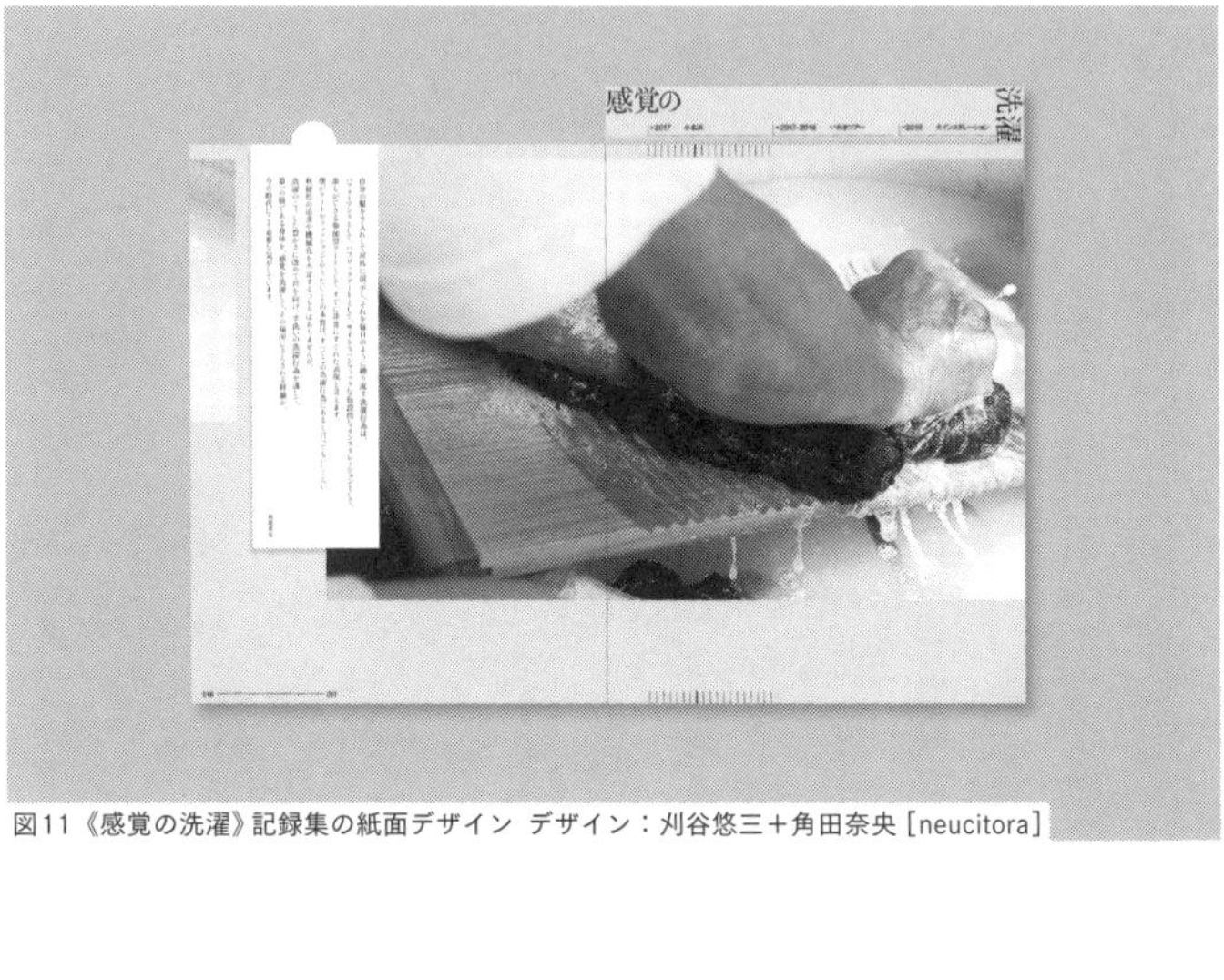

図11《感覚の洗濯》記録集の紙面デザイン　デザイン：刈谷悠三＋角田奈央［neucitora］

6　おわりに

「さいたまトリエンナーレ２０１６」で《感覚の洗濯》を見てくれた人の中に、いわき芸術文化交流館アリオスの長野隆人さんがいる。施設の愛称であるアリオス（Alios）は、Art（芸術）、Life（生活）、Information（情報）、Oasis（憩いの場）、Sightseeing（観光）の頭文字からなるという。この五つの要素をひとつの事業で体現する企画として、《感覚の洗濯》のいわき市内での実施を実現してくれた。アウトリーチにも力を入れる施設として、長野さんは洗濯道具一式を搭載したリヤカー、通称「モバイルランドリー」を考案し、平から小名浜まで半日かけて自ら引いて歩いたこともあった。三年にわたる企画で、洗濯物のある風景を求めて市内を観光しながら、特徴的なロケーションでワークショップや展示を行い、最後は、開館十周年を迎えたアリオスと、隣接する平中央公園を会場にした《感覚の洗濯》大インスタレーションを実施。

さらにその後、世界中がコロナ禍に見舞われ、外出自粛が続く中で、「おうちでアリオス」というウェブ上の企画で、家にいながら外の空気を吸って身体を動かし、生活空間をアートに変換することができるプログラムとして、《感覚の洗濯》を取り上げてくれた。

長野さんは言う。「西尾さんの作品なのに、まるで自分の作品のような気持ちが育っていた。その意識こそが、感覚が洗濯されたことで得た一番の恩恵なのかもしれない」(長野 二〇二一：三)。まさにアートプロジェクトの、「生を変容させる力」が働いたひとつの結果がここに見出されるだろう。《感覚の洗濯》に対する長野さんのリアクションは代表的なものであって、他の参加者や目撃者への影響まで追うことはできていないし、それについて質的研究をするつもりもない。多かれ少なかれ、各自が日々の洗濯行為の中でこの体験を思い出したり、新たな日常的実践に繋げてくれていることを想像するので十分だ。

他にも《感覚の洗濯》は、ファッションのまち銀座でも実施された。表通りを象徴する煌びやかなファッションに対抗する、あるいはそうした銀座のイメージを更新する文化実践として、《感覚の洗濯》が求められ、銀座の全体自治組織である「全銀座会」協力のもとで銀座のいくつかの路地裏を舞台に洗濯物を干して巡ったのだ。また、神田須田町にある看板建築の海老原商店では、「東京ビエンナーレ2020／2021」の期間中、毎週末に《感覚の洗濯》を行った。協働したオーナーの海老原義也さんは、次は近隣にかろうじて残るいくつかの伝統的建築物を舞台に、一斉に洗濯物を干す企画をしたいと言ってくれている。

出来事を生成するアートプロジェクトにとって本来的なアーカイブは、参加者や二次的な語り直しに触れた人が、生の変容を伴いながら紡いでいく、こうした無形の継承にあると言えるだろう。[14]

14 筆者の個人的な課題としては、《感覚の洗濯》をケニアで実施する可能性についても検討してみたいと思っている。

本章もまた、《感覚の洗濯》の作品化のひとつの方法として、プロジェクトが文章というかたちに変換されたものだ。これが人類学とアートの交差に限らず、さまざまな対話を生み出していくきっかけになることを期待したい。

参考文献

川俣正（二〇〇一）『アートレス――マイノリティとしての現代美術』東京：フィルムアート社。

川俣正（二〇〇三）「著者紹介」東京芸術大学先端芸術表現科編『先端芸術宣言！』東京：岩波書店、二二五頁。

小山田徹（二〇二〇）「不可能性の可能性」森司監修『TURN JOURNAL SPRING 2020――ISSUE03』東京：公益財団法人東京都歴史文化財団／アーツカウンシル東京、四四―四五頁。

佐藤知久（二〇一三）『フィールドワーク2・0――現代世界をフィールドワーク』東京：風響社。

清水早苗・NHK番組制作班（二〇〇五）『アンリミテッド：コム デ ギャルソン』東京：平凡社。

谷口文保（二〇一九）『アートプロジェクトの可能性――芸術創造と公共政策の共創』福岡：九州大学出版会。

ティム・インゴルド（二〇二〇）『人類学とは何か』奥野克巳・宮崎幸子訳、東京：亜紀書房。

長野隆人（二〇二一）「はじめに」西尾美也編『西尾美也「感覚の洗濯」いわきツアー2017–2019』福島：いわき芸術文化交流館アリオス、二―三頁。

西尾美也（二〇一六）「アートとアクティビティの境界がない新しい表現活動」『情報科学芸術大学院大学紀要』七号、七九―九八頁。

松田素二（一九九一）「方法としてのフィールドワーク」米山俊直・谷泰編『文化人類学を学ぶ人のために』京都：世界思想社、三二一―四五頁。

毛利嘉孝（二〇一九）『バンクシー――アート・テロリスト』東京：光文社新書。

吉田憲司（二〇一一）「博物館における収集」吉田憲司編『改訂新版 博物館概論』放送大学教育振興会、五九―八一頁。

鷲田清一（二〇一七）「平成二十九年度 京都市立芸術大学入学式 学長式辞」京都市立芸術大学。https://www.kcua.ac.jp/entrance-ceremony2017/（最終閲覧日：二〇二一年十一月十二日）

エオリアン・ハープの実践を通して再構築される身体と環境の関係性

柳沢英輔
YANAGISAWA Eisuke

1 はじめに

私はこれまで主にベトナム中部高原で金属打楽器「ゴング」をめぐる音の文化について映像人類学、民族音楽学、音響学などの手法を用いて研究を進めてきた。またその研究と並行して、さまざまな場所の特徴的な響きに焦点を当てたフィールド・レコーディング作品を制作し、国内外のレーベルから出版してきた。本章では、自然の風で音を奏でる楽器「エオリアン・ハープ（Aeolian Harp）」を用いたフィールド・レコーディング、映像作品の制作、ワークショップの実践を事例に、この楽器が喚起する多様なイメージを通して、この楽器を使用する者の身体と環境との関係性がどのように再構築されていくのかを考察する。これは音の文化（「音楽」を含む）や環境音を対象とする研究者／アーティストの立場から、風という目には見えない自然現象を可聴化するプロセスを通して、フィールドにおける我々の身体と環境のイメージを拡張する試みである。

イメージという言葉は、画像や映像、あるいは心の中に思い浮かぶ像、いずれにしても視覚的な印象が強い。一方、箭内匡（二〇一八：二一）が指摘するように、聴覚的イメージ、嗅覚的イメージ、触覚的イメージなどの感覚イメージ、また無意識下に起きている身体感覚のイメージなど、身体や精神に対するあらゆる「現れ」をイメージとして考えることもできる。

風や空気は、目に見えず、具体的なかたちを伴わないが、我々の身体に直接働きかけ作用するという点から、マテリアリティを有するモノとして捉えることができる（Anderson & Wylie 2009、河合 二〇一二）。[1] 一方、人類学者のティム・インゴルドによれば、空気とは相互作用するモノではなく、その中で移動、呼吸、知覚を可能せしめる媒体、いわば相互作用の条件である（インゴルド 二〇一八：一三八）。このように、空気それ自体はモノとして実感することは難しいが、それが動いたり（風）、空気中の水蒸気が変化する（霧、露など）ことによってモノとなるのだ。

風のモノ性を日常生活で感じることは少ないかもしれない。しかし、例えば、大型の台風が接近すると、屋外ではあらゆる軽いモノが風に巻き上げられ、飛ばされ、看板や木が倒れ、窓ががたがたと揺れ、電線が鳴り響く音を通して、我々は風のマテリアリティを強く実感するだ

1　ただし、インゴルドは、マテリアリティの概念を用いた多くの研究は、素材そのものから遠く離れて抽象的な議論に終始していると批判的である（Ingold 2007: 2）。

ろう。風は空気の流れであり、モノや身体に直接働きかけることでその存在が可視化、可触化されるだけでなく、モノの振動を通してその存在が可聴化される。さらに、風は風上から風下へと様々な匂いを伝えるし、肌に風が当たることで温度感覚が刺激されて、寒い、涼しい、暖かいといった感覚が生じる。このように風はモノ性（マテリアリティ）を有し、我々のさまざまな知覚に働きかけるマルチモーダルな現象と言える。

2　エオリアン・ハープのイメージ

エオリアン・ハープ（しばしばウインド・ハープとも呼ばれる）とは、人間の手ではなく、自然に吹く風により音を鳴らす弦楽器である。従って、その音は予測不可能であり、人間がコントロールできない点に特徴がある。なお音が鳴る原理は、弦を通過した空気がカルマン渦を発生させ、それを加振力として弦がその固有振動数に近づくと共振を始め、さらに筐体で共鳴させるというものである（杉山 二〇〇八）。

エオリアン・ハープの名前は、ギリシア神話に登場する風の神アイオロス（Aeolus）の琴に由来する。自然の風が弦を振動させて音を奏でたという記録は古くからある。古代ギリシアの哲学者アリストテレスは、エオリアン・ハープの音を、天球の音楽、すなわち風の精霊によって地上に降ろされた天界のミューズが子供たち（人間）に歌う歌とみなした（Blesser and Salter 2012: 188）。また十世紀頃、イギリスのカンタベリー大司教ダンスタンの持っていたハープを風の神が奏で賛美歌を演奏したという記録があり、十七世紀中頃にイエズス会司祭でエジプト学者のアタナシウス・キルヒャーが現在のエオリアン・ハープの原型となる楽器Machinam harmonicam automatam（self-operating harmonic device）（図1）を考案した（Hankins and Silverman 1995: 88–90）。当時はまだエオリアン・ハープがどのような原理で音が鳴るのかは解明されていなかった。従って、その独特の音色と、人間ではなく自然に吹く風が音を奏でるという特殊な奏法から、神など超自然的な存在と結びついた楽器として捉えられていたと考えられる。

十八世紀末になると、ドイツやイングランドでは、エオリアン・ハープを公園や家の開き窓に設置してその音を楽しむことが流行した。[2] さらにエオリアン・ハープはロマン派の自然観、人間観を象徴するものとして、十八世紀、十九世紀の多くの詩に登場する。例えば、イギリスの詩人ジェームズ・トムソンは『アイオロスの竪琴によせる頌歌（An Ode on Aeolus's Harp）』（一七四八年）、『怠惰の城（The Castle of Indolence）』（一七四八年）などの作品で、エオリアン・ハープを描写した（トムソン 二〇〇二）。またイングランドのロマン主義を代表する詩人であるパーシー・ビッシー・シェリーは、エッセイ『詩の弁護（A Defence of Poetry）』（一八二一年）の中で、エオリアン・ハープを例に人間の存在を楽器にたとえて以下のように表現している。「人間は、一

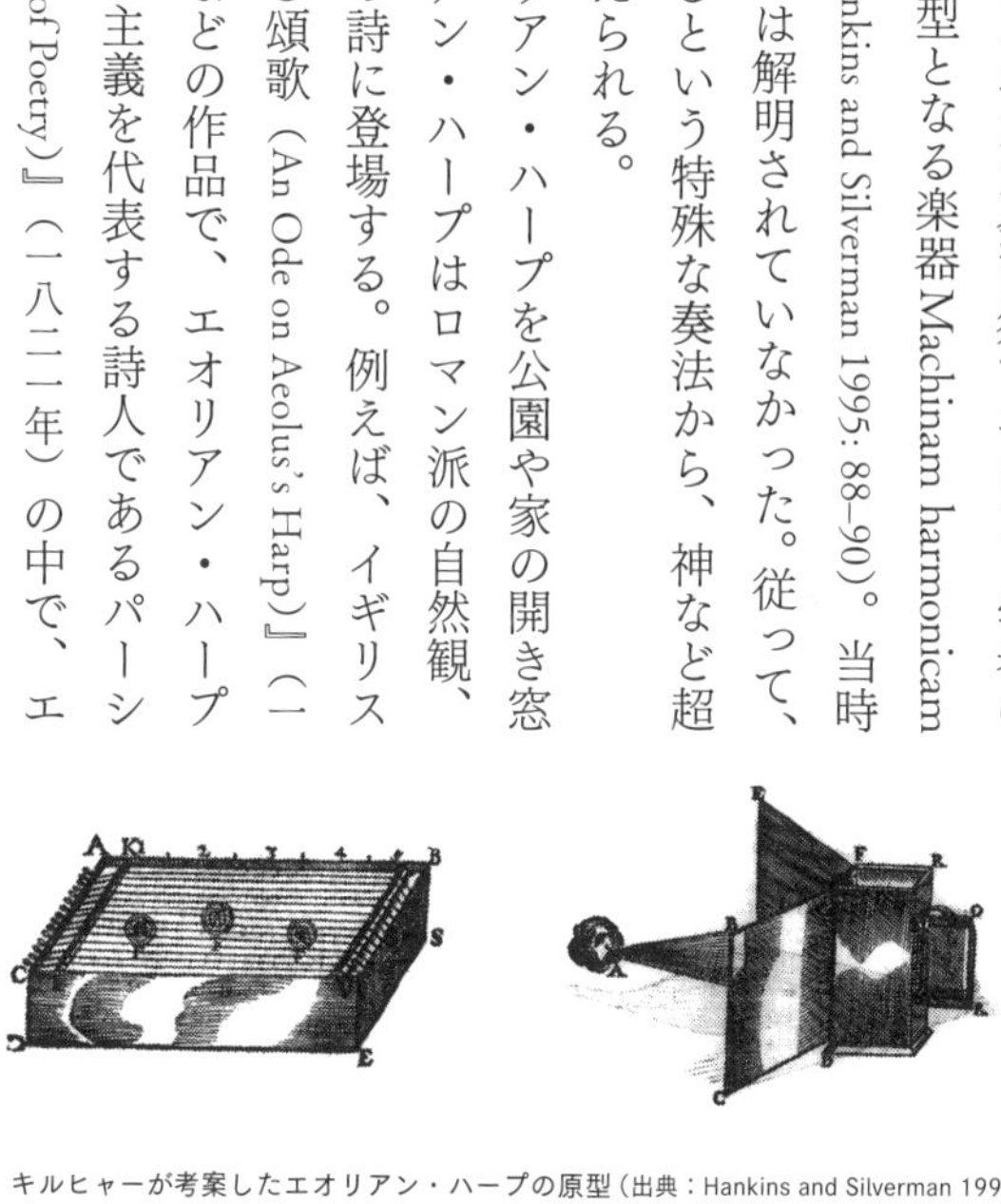

図1　キルヒャーが考案したエオリアン・ハープの原型（出典：Hankins and Silverman 1995: 90）

連の外的内的印象がかすめてゆく楽器である。それはちょうどアイオロスの竪琴のうえを常に吹く風が、いれかわり吹いては竪琴を動かし、そのたびごとにいつも違う旋律を奏でる様に似ている」（エイブラムズ 一九七六：五一）。このようにエオリアン・ハープは、ロマン主義的な自然観と科学的な自然観をつなぐモノとして、著名な作家や詩人に大きなインスピレーションを与える存在となったのである。

その後、エオリアン・ハープは十九世紀末までに消えていくことになる。その理由は諸説あり明らかになっていないが、蓄音機の登場、ピアノなどの楽器が一般家庭にも普及し始めたことなどにより、人間がコントロールできず、音の表現に乏しいエオリアン・ハープには時代遅れの楽器としてのイメージが付与され、使われなくなっていったのではないか。

その後、二十世紀後半になると、実験音楽家ジョン・ケージの作品や思想、カナダの作曲家、理論家のレイモンド・マリー・シェーファーによるサウンドスケープ概念の普及、エコロジー運動の高まりなどを背景に、さまざまなアーティストが自然環境との相互作用で音を奏でる作品としてエオリアン・ハープ（あるいはそれに着想を得た作品）を制作し、野外に設置するようになった。

例えば、ゴードン・モナハンは、エオリアン・ハープに着想を得て、野原や公園、山の上などに設置したピアノの響板を通して数十メートルほど張ったピアノ線を風で共鳴させる〈Long

2 イギリスの聖職者で著述家のウィリアム・ジョーンズは、『生理学論考、あるいは元素の自然哲学に関する論文（Physiological Disquisitions; or Discourses on the Natural Philosophy of the Elements）』（一七八一年）の中で、エオリアン・ハープの歴史や発音原理などについて詳述しており、この楽器が多大なる人気を得るきっかけとなった（Hankins and Silverman 1995: 93）。

Aeolian Piano〉（一九八四年）を制作した（リクト 二〇一〇：八七―八八）。またビル・ブッヘンとメアリー・ブッヘンは、丘の地形を利用して七十六メートルもある巨大な音響彫刻を調律するシステム〈Harmonic Compass〉を制作し、ダグラス・ホリスは風によって動きが起こる音響彫刻〈Sound Site（音の場所）〉（一九七七年）をナイアガラ川沿いに設置した（リクト 二〇一〇：八八）。このように二十世紀後半のエオリアン・ハープは、その土地のさまざまな脈絡とも呼応して響く巨大な音響彫刻として、主に現代美術のアースワーク（ランド・アート）、サウンド・アートの中に位置付けられるようになった。

このようにエオリアン・ハープは時代ごとに異なる文脈と結びついて、そのイメージを変化させてきたと言えるだろう。

3　エオリアン・ハープの制作と試奏

筆者がエオリアン・ハープを作ろうと考えたのは、風を可聴化する一種の装置としてフィールド・レコーディング[3]に活用したいと考えたからである。従って、ロマン派を象徴するエオリアン・ハープを復元したいと考えたわけでも、野外に設置する音響彫刻を作りたいと考えたわけでもない。

3　フィールド・レコーディング（Field Recording）は、広義では、レコーディングスタジオ以外の場所で音を録音する行為、またはその録音物のことを指す。

また制作にあたりＷｅｂ上の画像などを参考にして、直方体の木製の箱の表面に丸いサウンドホールをあけて、ボディの上部に弦を張るというごくシンプルなデザインならば比較的容易に作ることができるのではないかと考えた。本来ならば、蓋をつけた方が、その隙間を通ることで風が整流され、効率的に弦を振動させることができる（杉山 二〇〇八：一七二）。しかし、蓋をつけると持ち運びの際に重くなり、可動部分が壊れることへの懸念もあり、今回はつけないことにした。

ハープのボディに用いる木材は安価で軽く、加工しやすいファルカタ材を選定し、弦はポリエステル製の水糸やギターのナイロン弦など異なる素材・径の弦を組み合わせることにした。異なる素材の弦を組み合わせたのは、その方が音色がより複雑になると考えたからである。また弦を張るピンはアルミ製のヒートンを使い、木材の余りでブリッジを作り弦を張った。ボディの表面にはサウンドホールを二つあけた。二つあけた理由は、それぞれのホールに小型のラベリアマイクを入れてハープ内部の共鳴音をステレオで録音しようと思ったからである。また三脚の上に立てられるよう、止めネジをボディ下部に取り付けた。果たしてこれがエオリアン・ハープと呼べるものなのかはよく分からなかったが、制作自体はそれほど難しくはなかった。サウンドホールを糸鋸であけるのに苦労した位である。

制作したハープ（図2）を早速近所の公園に持って行って鳴らそうとしたが、風があまり吹い

図2　制作したエオリアン・ハープ
（2014年9月11日 筆者撮影）

ていなかったためか音が鳴らなかった。一瞬鳴ったかなと思って耳を近づけるとすぐに音は止まってしまった。それから、弦の張り具合、風向きに対するハープの向きなど色々と試行錯誤した結果、はじめて倍音豊かな厚みのある音が出た時はとても感動した。弦はかなり強めにかつ同じぐらいのテンションで張る必要があること、風が弦とボディとの間を通過するようにハープを設置すると鳴りやすいことなどが経験的に分かってきた。

また風が通りやすい場所というものがあり、それは周囲の地形や植生、建物の有無などの物理的な環境によっても左右されるようだということ、同じ場所でも風は常に変化しているため、時間帯によって風が強い時と、無風に近い時があることなどが分かってきた。今まで試した中では、川沿いや海岸沿いでは、比較的に安定して風が吹いており、音が鳴りやすかった。それは、海岸は陸上と海上の温度差から風が生まれやすく、また川は川面が平らで風を遮る障害物が少ないため「風の通り道」となっていることが多いためである。

4　エオリアン・ハープの録音

制作したエオリアン・ハープをさまざまな場所に持ち運んで、フィールド・レコーディングを行った。風を可聴化するハープの響きを周囲の環境音も含めて録音したら面白いかもしれないと思ったのである。筆者は、例えば、以下の場所でエオリアン・ハープを用いて録音を行った。[4]

・気比の松原（福井県敦賀市松島町）
・成ヶ島（兵庫県洲本市由良町由良）
・野田川親水公園（京都府与謝郡与謝野町滝）
・滝の千年ツバキ公園（京都府与謝郡与謝野町滝）
・加悦双峰公園（京都府与謝郡与謝野町与謝）
・巌門（石川県羽咋郡志賀町）
・舳倉島（石川県輪島市海士町）
・金生山（岐阜県大垣市赤坂町）

次に録音方法について説明する。まずハープの外からマイクを近づけて録音しようとしても、風の音の方が大きく、ハープの音はうまく拾えなかった。そこでエオリアン・ハープのサウンドホールからボディ内部にウインドジャマー（風防）をつけたラベリアマイクを二つ入れてサウンドホールをテープでふさいだ。このようにすることで、マイクが風に吹かれずにハープの共鳴音を綺麗に録音することができた。

4　録音は二〇一四年九月から二〇一七年十一月にかけて行った。また録音した音を編集し、フィールド・レコーディング、サウンド・アート作品を出版するレコード・レーベルのGruenrekorder（ドイツ）からCD《Path of the Wind》としてリリースした（Yanagisawa 2018）。

録音の際は、三脚にハープを固定し、ヘッドフォンでモニターしながらレコーダーの録音レベルを調整する。風の強さや風向きは常に変化するため、ハープの音も無音に近い音から大音量まで変化が著しい。そのため、突然の大音量でクリップしないようある程度余裕を見て録音レベルを設定した。また三脚にハープを立てるときは、風向きなどを考慮して最も鳴りやすい角度にハープを立てる必要がある。ただし、とくに風が強いときはハープが風を受けて倒れてしまうことがあるため、その場合は図2のようにハープを横向き（地面に対して水平）にするなど設置方法を工夫した。ハープを設置して録音レベルを決めたらその場を離れて十分～二十分位録音し、また他のポイントを探して同じように録音していった。

エオリアン・ハープの響きには、これらの場所がもつ生態・地形・歴史といった固有の文脈と、録音した場所、時間帯の気象情報などが内包されているように感じる。その土地ごとに堆積した歴史の層がエオリアン・ハープの響きを通して現前されるのである。

例えば、上述の舳倉島は、能登半島の輪島港の北五十キロメートルに位置する小島であり、この島は古くから神の住む聖地とされている。島内には、総本社である奥津比咩《おきつひめ》神社をはじめとする計八社が建立されており、神社や海岸には七十程の石積み（ケルン）が見られる。島を散策しながら風を探していると、防疫神が祀られている八坂神社のケルンの近くが比較的に風が安定して吹いていたため、そこにハープを設置して録音した。録音したハープの音は、その場所のさまざまな自然、モノに宿る無数の神霊が奏でているかのような、重層的で幽玄な調べであった。

また滝の千年ツバキ公園では、推定樹齢千二百年の大椿の近くにハープを設置して録音したが、ゆったりとしたハープの響きと近くを流れる小川の緩やかな音や椿の葉擦れ音が、風の状態によって地と図が入れ替わるように、前景化されたり、背景に退く様は、その場所に堆積した歴史の深さを思い起こさせた。

ティモシー・モートンは、コウルリッジの詩を通して、エオリアン・ハープをアート作品としてよりもセンサーや地震計に近い科学的な一種の録音、測定装置として捉えている（Morton 2008: 313）。このように、環境との相互作用で音が鳴るハープの響きを録音するということは、特定の場所、時間と結びついた生態・地形・歴史・気象的側面を記録することであるとも言えるだろう。エオリアン・ハープは環境との相互作用で音を奏でるため、その土地の文脈を響きとして現前させる装置としても活用できるのである。

5 映像作品の制作

淡路島の由良港から定期船で二分の成ヶ島という無人島でエオリアン・ハープを録音した時

図３（上）・図４（下）三脚に立てたエオリアン・ハープ
（図３　撮影場所：野田川親水公園、2014年11月22日／
図4　撮影場所：加悦双峰公園、2014年11月23日　いずれも筆者撮影）

のこと。浜辺に設置した録音中のハープから少し離れたところで周りの風景を写真に撮っていた。沖の方を見ると、数キロメートル先に島影（友ヶ島）がぼんやりと見える。そして、その手前の海（友ヶ島水道）を船が行き来する様子が目に入った。直感的にこれは動画で撮影した方がよさそうだと思い、ビデオカメラは持っていなかったので、手持ちの一眼レフカメラでの撮影を考えた。三脚は既にハープの録音に使用して使えなかったため、浜辺に転がっていた木のブロックの上に壊れたポリバケツを逆さに置いて三脚代わりにして撮影を始めた（図5）。沖には黄色と緑の灯浮標（ブイ）が立っていて、その前後を形や速度の異なるさまざまな船が横切っていくのだが、遠くから見ると、船がそのブイを通過する時や、船同士が通過する時に、どちらが手前でどちらが奥を走っているのか分からなくなるような、遠近感が消失したような風景が興味深く感じられた。

その後、撮影した動画と同じ場所で録音したハープの音を加工せずに編集で合わせて、ワンショットによる映像作品《Ferry Passing》を制作した。[5] これは結果的に五分強の短編になったが、エオリアン・ハープの響きを通して時間と場所が異化され、自然（波、カモメ、雲、島）とモノ（船、灯浮標、飛行機）の新たな関係性が立ち現れてくるような世界を表現した。この作品では、音は映像の「本物らしい」印象を補強するサウンドトラックとしてではなく、映像の持つ意味を宙づりにし、非現実的なイメージを創りだすことで、ドキュメンタリー的な映像話法に囚われ

5　この作品は、以下で公開している。https://youtu.be/xZyDxtc5rLY

図5　撮影の様子

（撮影場所：成ヶ島、2014年9月19日　筆者撮影）

ないナラティブを創造しようとした。

同様の方法論（固定ショット、長回しの映像、映像と同じ場所で録音したハープの音を合わせる）で更に二つの短編を制作した。『Ridge Line』という作品では京都府与謝郡与謝野町の加悦双峰公園（大江山の登山口にある標高五百メートルの公園）でハープの録音とその場から見える山の斜面（稜線）をロングショットで撮影した映像を合わせて制作した（図4）。[6] ここでは、山の斜面が画面左から右にゆっくりと太陽に照らし出されて徐々にその姿を現す様子を撮影した。七分弱のワンショットの映像の中に、驚くべき変化が映し出されていた。例えば、最初のうちは暗いために見えなかった電柱が、陽の光に当てられ画面の右下に出現する。それはまるで「自然」の中に隠れていたアクターとしての人工物（電柱）がスポットライトを浴びて世界に現れる瞬間を捉えたかのようである。

次に制作した作品《Kinshozan》は、岐阜県の大垣市にある金生山で撮影、録音を行った。金生山は良質な石灰岩、大理石が採れることから、江戸時代から現在まで採掘が行われており、世界的には古生代の生物の化石が多く産出していることから、化石の山として知られている。山はこれまでの採掘で幾重にも削られ、その景色は上から見るとまるでペルーのマチュ・ピチュ遺跡のようである（図6）。山頂に採掘現場全体を見下ろすことができる展望台のような場所があり、そこにエオリアン・ハープを設置して、大きなショベルカーやダンプトラックがまる

6　この作品は、以下で公開している。https://youtu.be/y4YIcUmlLcs

図6　金生山の採掘現場

（撮影場所：金生山、2017年8月12日 筆者撮影）

でジオラマの世界のように動いている眼下の風景を撮影した。[7]

これらの映像作品では、映像内の人、モノ、自然をそれぞれがエージェンシーをもつ行為主体として捉え、こうしたアクターが相互作用する場としての世界を俯瞰的な視点から描いた。そして制作者のエージェンシーは、撮影（録音）機材の選択とその設置ポイント、カメラの画角（およびマイクロフォンの指向性と向ける方向）、撮影（録音）時間、編集方法（どの部分をどれ位の長さ使うか）など、準備、ロケハン、撮影、編集などのプロセスにおける無数の行為によって規定される。従って、固定したカメラが捉えたワンショット（モンタージュを行わない）のイメージであっても、それは制作者が捉えた主観的なイメージであり、世界の眺めである。そしてエオリアン・ハープの響きは、その場所の固有性を内包しながら、映像によって捉えられた自然やモノのイメージを異化するとともに、それらと共振しているのである。

またカメラとエオリアン・ハープはそれぞれ三脚の上に設置して撮影（録音）したが、強風に煽られて常に振動が生じており、筆者は撮影（録音）のモニターをしつつ、状況に応じて三脚が倒れないよう体重をかけて支えていた。従って、その映像（録音）には撮影者（録音者）の身体性が物理的にも刻印されている。その時、撮影者（録音者）の身体はカメラのフレーム外にある無色透明な存在ではなく、その場の響きを作り出し、映像（録音）に記録されたイメージを構成する要素となっているのだ。

7　この作品は、情報科学芸術大学院大学の二〇一八年プロジェクト研究発表会「金生山プロジェクト二〇一八」（前林明次、具志堅裕介、湯澤大樹との共同プロジェクト）において展示された。

6　ワークショップ

二〇一七年四月～五月に、サウンドアーティストのヨハン・ディートリッヒと共同で「Quiet Music, Weak Sounds――静かな音楽、小さな音」と題する一連のサウンド・アートに関するワークショップ、講演を京都で行った。[8] ワークショップの内容は、ディートリッヒによる、小さな音、弱い音を収集するための特別キット（マイクアンプとヘッドフォン出力の基盤を作り、ウエストポーチに組み込む）を制作する「音を拾う装置をつくる」ワークショップ、そのキットや筆者が用意した超小型ステレオマイクとハンディレコーダーを用いたフィールド・レコーディング、録音した音の編集、編集した音の発表を行う「小さな音に耳を傾ける」ワークショップ、そして参加者各自がエオリアン・ハープを制作して、その音を鳴らす体験をする「風の力で音を奏でる」ワークショップである。[9]

「風の力で音を奏でる」ワークショップの内容は、参加者が各一台のハープを組み立て、それを屋外（鴨川）に持っていき、ハープが奏でる音を聴くというものである。ハープの材料は事前に筆者らがホームセンターで用意した（図7）。[10] ＤＩＹの経験がある者、経験がない者によって、作業の進み具合に差は出たものの、三時間ほどで参加者全員が各自のエオリアン・ハープを組

8　ディートリッヒはアジアン・カルチュラル・カウンシルの助成を受けて来日した。ワークショップは全部で三日間行った。参加者は各回七名で、学生のほか、三十代～四十代位のアーティスト、研究者などが多かった。ワークショップのプログラムは以下を参照のこと。http://hanareproject.net/event/2017/04/quietmusic-weak-sounds---.php

み立てることができた（図8）。そして各自ハープを持って鴨川に移動し、川沿いで一斉に鳴らそうとしたのだが、なかなか思うように鳴らなかった。その理由として、風のコンディションもあったと思うが、ハープの材料として使用したベニヤの合板が私が制作したハープに使用したファルカタ材に比べて重く、また長さも私が制作したハープより短かったので、ボディが共鳴しにくかった可能性がある。参加者それぞれが、風の通り道を探して、色々と場所を変えてためしてみたところ、橋の上（つまり川の上）がもっとも安定して風が吹いていることが分かった。そこにハープを持っていったところ参加者全員が綺麗な音を鳴らすことができた（図9）。

参加者の一人から以下の感想をいただいた。

エオリアンハープのもっともわかりやすい面白さは「奏者がヒトではない」という点かもしれない。……エオリアンハープが鳴るために必要なのは、一定の時間、同じ角度で安定した風量が弦を震わせること。しかし、その日はそれほど風が強くなく、しかも風向きがころころと変わる日で、なかなかに鳴らない。それでも「（楽器なのだから）鳴らしたい」「どんな音がするだろう」という素朴で無邪気な好奇心が、私たちをそう簡単に諦めさせることはなかった。風をさがして川のすぐ側まで来たとき、川の流れに伴うように空気が移

9　エオリアン・ハープを制作・聴取するワークショップの先行事例として、城一裕、金子智太郎を中心とする「生成音楽ワークショップ」が二〇一一年、二〇一二年に杉山紘一郎をゲストに迎えて行った〈「聴く」装置としてのエオリアン・ハープ〉がある。

10　エオリアン・ハープの天板に穴をあける加工は、ホームセンターでは難しかったので、中川弦楽器製作所（代表：中川浩佑）に協力を依頼した。中川氏はエオリアン・ハープの制作も手掛ける弦楽器の職人である。

動していることに気づいた。風は水の流れとともに行動していたのだ。そこで川にかけられた橋の上に移動したところ、しっかりした風が一斉にみんなのハープを演奏してくれた。街並みの向こうまで伸びてゆく鴨川の景色と、それぞれにひとつひとつ違うハープの音々の共鳴と。それはそれは美しい特別な時間だった。ふだん意識することも少ない「風の流れ」というものを、感覚をいっそう澄ませて探しもとめること。エオリアンハープは今、自分自身が立っているその場所の地形、植生、日なたと日陰、水の流れなど多様な自然環境へと私たちの意識をいざなう。私たちはそんな風にして、このなんとも魅力的な楽器の奏者を探すのだ。

エオリアン・ハープを手に屋外を右往左往しながら歩き回り、周囲の環境の変化をハープの震えを通して感じ取り、「魅力的な楽器の奏者」を探す。このようなプロセスを通して環境への意識化がなされたことから、この楽器には持つ者の身体変容を促し、世界に対する新たな見方=聞こえ方を獲得させる力があると言えるだろう。そして試行錯誤の末に訪れた「美しい特別な時間」、すなわち、複数の異なるハープの響きが重なり合い、共鳴することで環境と我々の身体との境界が曖昧になり、響きとして一体化する時間を皆で共有すること、これはこの楽器が作り出した新たな「身体イメージ」を共有するような体験であったと言えよう。

図7（上）エオリアン・ハープの材料（2017年4月30日 筆者撮影）
図8（中）ワークショップの様子（2017年4月30日 筆者撮影）
図9（下）鴨川の橋の上でハープを一斉に鳴らす参加者（2017年4月30日 撮影：岩城良平）

ワークショップを実施して改めて興味深く感じたのは、通常の楽器のように、楽譜が読めるとか、作曲ができるとか、演奏技術の巧拙とか、そういった音楽に関わる知識や技術が無効化されて、誰もが初心者、素人とならざるを得ないということである。ではこの楽器はその時の天候次第、いわば運任せであり、演奏技術なるものは存在しないのだろうか？ もし存在するとすれば、それはおそらく「風を摑む技術」のことであろう。周囲の地形や環境をさまざまな感覚を通して観察し、常に変化し続ける風の通り道を探し出し、風向きや風の強さを全身で感じとりながら、ハープを適切な角度に保持し、弦の張り具合を調整し、ハープを共鳴させる技術のことである。それは、言い換えれば、環境を読む、環境と一体となる技術のことでもある。そして、特定の条件でハープがうまく鳴った（あるいは鳴らなかった）経験を積み重ねて、ハープの形状、使用する材料、弦の種類と組み合わせ方、加工方法といった制作面における試行錯誤を繰り返すことによって、より多彩な音色を奏でることができるようになるのだ。

7　おわりに

エオリアン・ハープを使用する者は、風の通り道を探し、ハープの向き、立て方、弦の張り具合を調整するなど、試行錯誤を繰り返しながら風を捉えようとする。そしてハープが振動を始めると、その振動を身体で感じるとともに、ハープから零れる音色に耳をすます。その過程で、風向きや風の強さ、風の通り道といった普段あまり意識しない身の周りの環境に自ずと身体が開かれることになる。また周りの環境の小さな音にも無意識のうちに耳を傾けることになるだろう。エオリアン・ハープは、それを使用する者に周囲の環境や地形の変化を発見したり、観察したりするきっかけを与えてくれる。またそうした経験を重ねていくことで、自身が日常を過ごしている環境の捉え方が変わっていくかもしれない[11]。

先述したように、風が我々の身体に与える作用は日常生活の中でも経験しているが、風の持つマテリアリティはエオリアン・ハープの音を通して、より顕在化、意識化されるといえるだろう。ジェームズ・ギブソンは、知覚の対象としての環境は、媒質、物質、面から構成されると指摘する（Gibson 1986）。エオリアン・ハープは「媒質」である空気の動き（風）により、「物質」であるハープ自体（弦、ボディ）が振動することで、音響を放射する「面」を作り出す。そして放射された振動が再び「媒質」である空気を伝わり、我々の身体に作用する。つまり、エオリアン・ハープは、その音＝振動の変化を通して、風のマテリアリティを強めたり、弱めたりすることで、新たな風の「イメージ」を我々に知覚させるのだ。

通常の楽器は、モノ（楽器）を人（身体）が操作することによって音が出る。一方、エオリアン・ハープは、モノ（楽器）と自然（環境）が共振することによって初めて音が生まれる。演奏

11　岡崎（二〇一六：一六）は、環境の可聴化のプロジェクトにおいて、聴取者は得られた音と現象との対応関係を新たに知識や記憶として追加し、それを起点とするアナロジーや想像力をもとに環境への新たな見方を得ることが可能である、と指摘する。

の巧拙はあれども、大抵の場合音を出すことは容易にできる一般的な楽器とは異なり、自然の風によって音を奏でることがいかに困難であり、だからこそ奏でられる音がいかに得難く、美しく感じられるか。日々スマートフォンやPCなどの電子機器を通して得られる大量の視覚情報に依存し、アンプリファイされた「大きな音」に慣らされ、常に時間に追われ続けている現代社会において、我々は環境の中に響く「小さな音」を発見し、その音色に耳を澄ませるという創造的な楽しみを忘れてしまっている。エオリアン・ハープはそれを使用する者にそうした「小さな音」に耳を傾けさせ、環境の変化に対する気付きを促し、世界に対する想像力を拡大させることを通して、身体と環境との関係性を再構築するインターフェースとしての楽器なのである。

謝辞

本稿の一部は、国立民族学博物館若手共同研究「演じる人・モノ・身体――芸能研究とマテリアリティの人類学の交差点」（研究期間：二〇一四年十月―二〇一七年三月）で発表し、研究代表者の吉田ゆか子氏をはじめ、共同研究メンバーから有益なコメントをいただいた。記して感謝したい。

参考文献

ティム・インゴルド（二〇一八）『ライフ・オブ・ラインズ――線の生態人類学』筧菜奈子・島村幸忠・宇佐美達朗訳、東京：フィルムアート社。

M. H. エイブラムズ（一九七六）『鏡とランプ――ロマン主義理論と批評の伝統』水之江有一訳、東京：研究社出版。

岡崎峻（二〇一六）「音響芸術における振動現象の可聴化に関する考察」『芸術工学研究』二五号、一一―二二頁。

河合香吏（二〇一一）「チャムスの蟬時雨――音・環境・身体」床呂郁哉・河合香吏編『ものの人類学』京都：京都大学学術出版会、三四三―三六二頁。

杉山紘一郎（二〇〇八）「風の響きにふれる～エオリアン・ハープの実践」『芸術科学会論文誌』七巻四号、一七〇―一八〇頁。

ジェームズ・トムソン（二〇〇二）『ジェームズ・トムソン詩集』林瑛二訳、東京：慶應義塾大学出版会。

箭内匡（二〇一八）『イメージの人類学』東京：せりか書房。

アラン・リクト（二〇一〇）『SOUND ART――音楽の向こう側、耳と目の間』荏開津広・西原尚訳、木幡和枝監訳、東京：フィルムアート社。

Anderson, B. and John Wylie. 2009. On Geography and Materiality. *Environment and Planning A: Economy and Space*, 41(2): 318–335.

Blesser, B. and L.R. Salter. 2012. Ancient Acoustic Spaces. *In The Sound Studies Reader*, Jonathan Sterne (ed.). London and New York: Routledge, pp.186–196.

Gibson, J. J. 1986. *The Ecological Approach to Visual Perception: 2nd ed.* Hillsdale, NJ: Lawrence Erlbaum Associates.

Hankins, T. L. and R.J. Silverman. 1995. *Instruments and the Imagination*. Princeton, INJ: Princeton University Press.

Ingold, T. 2007. Materials against materiality. *Archaeological Dialogues*, 14(1): 1–16.

Morton, T. 2008. Of Matter and Meter: Environmental Form in Coleridge's 'Effusion 35' and 'The Eolian Harp'. *Literature Compass*, 5(2): 310–335.

Yanagisawa. 2018. Path of the Wind. CD. Frankfurt: Gruenrekorder. https://www.gruenrekorder.de/?page_id=16674 音源の試聴可

鼎談

芸術実践と学術研究をつなぐために

西尾美也 Nishio Yoshinari
柳沢英輔 Yanagisawa Eisuke
藤田瑞穂（聞き手・構成） Fujita Mizuho

藤田　自らの芸術実践を論じるという点が、西尾さん、柳沢さんの今回の論考の共通点の一つとなっています。西尾さんが本書掲載の論文でもおっしゃっている通り、美術家が自らの実践を作品としてだけでなく、論文としても発表するというケースはあまり多くありません。作品制作と学術研究とはひと続きのものではなく、別の領域として捉えられているということになるでしょうか。学術研究の世界で評価を受けるためには論文のフォーマットに落とし込むことが必要なのだとすると、今回のお二人の論考は、ひと続きの活動によって芸術実践と学術研究との領域を渡り歩こうとする非常に意欲的な取り組みの例になるかと思います。

柳沢　私は研究と作品制作のいずれにもフィールド・レコーディングの手法を用いているのですが、以前は自分のなかで、それらを別々の活動として捉えていたように思います。それが変わってきたのは、二〇一八年に、音風景研究家の岩田茉莉江さんと共作した南大東島でのフィールド・レコーディング作品『うみなりとなり』からです。制作中はそこまで意識していなかったのですが、結果的に人類学的なフィールドワークに基づいた作品になりました。そこでふと、もしかしたら作品としてだけでなく学術研究としても位置づけられるのではないか、と思ったんですね。それでも、実際に論文[1]を書くまでは半信半疑でした。

川瀬慈さんなどはずっと、映像制作を研究活動の中心に据えてこられたと思うのですが、現状では、特に音の作品はまだ事例も少なく、学術の世界で研究実績として評価対象になり難い。実際、研究業績書に業績を記載するとき、著書、論文、口頭発表……とカテゴライズしていくなかで、作品は「その他」に書くしかない。私の場合、この「その他」の欄がとても長くなってしまうんです。

しかし最近、研究と作品制作とを分けて考えるのではなく、学術的に位置づけられるものに関しては位置づけていくことを意識的にやっていきたいと考えるようになってきました。ティム・インゴルドが指摘するように、音に限らず、いろいろなジャンルでアートと人類学のコラボレーションが増えていけば、人類学はもっとおもしろいものになるんじゃないでしょうか。

たとえばフィールド・レコーディングは、もちろん作品としてリスナーに楽しんでもらえるものですが、自分でマイクを持って環境の音を観察し、録音するという行為のおもしろさは、CDを聴くだけでは体験できません。調査対象者にフィールド・レコーディングを体験してもらうワークショップを実施してみると「こういうことをやっていたんだ」とプロジェクトについて体感的に理解してもらえることがある。そうすることで、プロジェクト自体も開かれますし、コラボレーションや共同制作という意味でも重要なアプローチだと思うようになりました。

あるプロジェクトの成果を論文だけでなく、映像・音響作品、あるいは展示やワークショップという形で

1 柳沢英輔（二〇二一）「フィールドレコーディングを主体とする実践的な研究手法としての音響民族誌の方法と課題」『文化人類学』八六巻二号、一九七―二一六頁。

社会と共有することは自分にとって自然なことですし、さまざまな領域にまたがりながら活動することで、思いがけず対話の場が生まれることもある。そうした積み重ねが、コラボレーションや新たな手法の開拓に繋がっていくのではないかと思っています。アカデミックな世界の多くは閉ざされた印象を持ちますが、一方で、人類学は社会に開かれたものであるべきだと思っているんです。実際、いま一般社会でも人類学への興味関心がすごく高まっていますし。

西尾　共感する部分が多く、とても親近感が湧きます。本書掲載の論文でも「活動を映像に記録すること、インスタレーションとして表現すること、記録集を作ること……、こうした延長にアーティストが論文を書くというアプローチがあってもよいのではないか」と書いたのですが、論文も、アートプロジェクトと同じように、さまざまな人と出会い、対話するための手段の一つだと捉えています。

私は「装い」をテーマに制作していますが、世界中の誰もが「装う」ことを日常的に行っているので、その人がアートを好きかどうかに関係なく、さまざまな人との共通言語になり得るんです。教える、教えられるということではなく、ともに学んでともに変なことをする、というのがアートプロジェクトだとして、人々をそこに上手に巻き込んでいくにはさまざまな方法でコミュニケーションを図る必要があります。論文も、それらの方法の一つ、という考え方です。

私が長年手がけているプロジェクトの《Self Select》は、街ですれ違う人と着ている服をその場で交換して一時的に着用し合うというもので、これまで世界各地の複数の都市で実施してきました。一つの都市を一週間程歩き続けながら、現地の言葉をフレーズだけ暗記して、道行く人に声をかけて「言葉のコミュニケーションが苦手だから、服を交換してほしい」と交渉していきます。承諾してくれる人は、はじめは戸惑ったり不思議がっていたりすることがほとんどですが、衣服を交換した途端に打ち解けてくれる。こうして、非言語のコミュニケーションが成立するんですよね。

以前、この《Self Select》について口頭発表のために文化人類学会に参加したことがあるのですが、学会で他の発表を聞くと、アートの世界とは直接的に関係はないけれど、それらの着眼点の多くは私の活動に近いと感じました。はじめて同志を得た、という気持ちになったのを覚えています。

柳沢　西尾さんの《Self Select》って、すごく人類学的な要素が強い作品ですよね。ただ、もし同じことを人類学者がやったとしても、最終的には論文にまとめるだけでしょうし、やはりこれはアーティストだからこその実践だなと強く感じました。なにより、服を交換してもらおうとする交渉のプロセスがおもしろい。そこだけでも作品として成り立つんじゃないかというくらい印象的でした。そして、交換した後に二人が並んだ写真がパッと出るじゃないですか。そのビジュアルがまた印象的で。人が変わるたびに映像が変わって、パッと写真が出る。その繰り返しがリズムになっているのが良い。これって、完全に即興というわけではなく、事前に決めておけることは計画がしっかりなされているからこそ成り立つんだと思うんですよ。

西尾　ファッションが好きというのもそうですが、視覚優位で物事を捉えているのだと思います。どうやったらおもしろく見てもらえるかということを考えているんですよね。さまざまな人にパッと見でわかってもらえる、子どもにもわかってもらえるとか、そういう意味でのコミュニケーションのデザインを視覚的に表現している感じでしょうか。ケニアに長期滞在して、さまざまに体験したことからも多くのヒントを得ています。

基本的にはアートとはいままでにないものを生み出すということの繰り返しだと捉えていて、その一つの手法として誰も目を付けていないところに行きたいという思いがあります。アート・ワールドでの言説や振る舞いや「アーティストはこうであるべき」といった理想像があることを感じていて、そのおもしろくなさに対抗したいという気持ちもあるんです。そもそも、

図1　西尾美也《Self Select #93 (Auckland)》2015年

私が芸術大学に進学したのも芸術をやりたいからというよりも、服の新たな可能性を探求したいけれど、ファッションの専門学校では探求できなさそうだと思ったからなんです。そして、現代美術のわけのわからなさというのでしょうか、いろいろな人がいろいろなことをやっているというところに惹かれて、そこに服というメディアを当てはめると何かできるんじゃないかと感じて入り込んでいったので、もともと美術がやりたかったわけではないんですよね。

そう考えると、それはファッションという分野に対しても思うところがあって、いわゆる「パリでのファッション」「ニューヨークでのファッション」をやりたいわけではない。そこからの逸脱というのを考えたときに、人類学者の西江雅之さんの「裸になれないサル」[2]を読んで、全人類が装っているという視点を得たんです。そこで、アートもファッションも関係ない場所に惹かれていった。ケニアに行ったのは、妻が人類学を学んでいてケニアを調査地にしていたのでついて行ったのがきっかけではあるけれど、そこで見た人の行動やクリエイティビティに圧倒されて、長期滞在して活動することになったという流れです。アートプロジェクトの技術の一つと思っていますが、個人的な境遇を開いていくというか、妻の関心を私には関係がないものとして分断するのではなく、そこから何か自分の関心領域や専門性で関われないかというようにつないでいくんです。

実際は妻に手伝ってもらうことでいろいろなプロジェクトを実現し、結果的にいまは妻もアートの仕事をしているというように、お互いが変化していくというかつながっていく。生活とアートの一体化、とも言えるかもしれません。だから人類学的な研究としての動機で活動をはじめたわけではない。さらに、私の場合はアクション・リサーチというのでしょうか、完全に自分で何かやることを決めてその場に入っていくので、そこにはやはりある種の暴力性を孕んでしまう。じっくり観察せずにいきなりアクションを起こすわけだから、人類学の研究手法とは全く違いますよね。でも美術家としては、何かやらないと作品にはならないという思いがあるし、また観察し過ぎたら、何も生み出せないかもしれないという恐怖心があるんですよね。それで結局、何かアクションを起こすということを選択し続けているんですけど。なので、柳沢さんのご活動は、素直に環境に向き合って、見えないものを見えるように、聞こえないものを聞こえるようにするという、アートの本質的な部分を実現していて圧倒されるし、ある意味すごく羨ましいと思っています。

柳沢　フィールド・レコーディングは音を録ることではあるけれど、それだけが目的ではないんです。マイクロフォンを通してさまざまな環境を観察することを通して、身の回りのモノだったり風景だったり環境の見え方が変わってくるだとか、環境と自分の身体の関

2　西江雅之「裸になれないサル」多田道太郎編『着る——装いの生態学』東京：平凡社、一六〇—一八一頁。

係性が変わってくる。世界に対する新たなまなざしを獲得する。そういうところがおもしろいなと思っています。フィールド・レコーディングって客観的で、中立的な音環境の記録行為だと思われているかもしれないけれど、実際はすごく主観的なもので、自分自身がその記録された音の中に投影されるんですよね。具体的にいうと、どのマイクを使うのか、どこにどのように設置するのか、録音のスタートとストップをどのタイミングで押すのか、それらは全て、自分自身が持っている価値観や考え方、思想とつながるんです。

人を対象に音を録る場合にも、録音した音声にはその人と録音者との関係性が記録されると思っていますし、そういう意味での多層的なドキュメント性に関心があります。音の再現性や忠実性、つまりいかに自分の耳に聞こえるのと同じように音を録るかというアプローチでフィールド・レコーディングをする人もいますが、私の場合は、そもそもマイクで録る音と実際に耳に聞こえてくる音は全く違うものであるということを前提にしています。リアルな音を追求するということにはあまり興味がなく、むしろ、私の視点を通してその場の響きをいかに観察し、描写することができるかという方向に関心が向いてきました。

たとえば、自分が尊敬するフィールド・レコーディングのアーティストの作品にはその場所や風景に対するその人自身のまなざしや態度のようなものを感じるんです。それはテキストで説明されていなくても、録音された音を聞いただけでも伝わってくる。それは録音した音を素材に加工して制作される音楽作品ではなく、録音した音をほとんど加工せずにそのまま収録した作品だからこそより感じられることがある。それってよく考えると写真もそうじゃないですか。写真もその写真家の風景に対するまなざしのようなものが記録されている。だから録音も写真とは違ったやり方で表現になりうると思ったんです。

録音といえば、西尾さんの《Self Select》のシリーズで、ケニアのナイロビに住んでいる人が東京に来て、

通りすがりの人と服を交換する《Self Select: Nairobian in Tokyo》(二〇一七)の映像の音声がとても興味深かったです。西尾さんご自身が服を交換される従来の《Self Select》とは違って、交渉の会話の音声が入っていますよね。交渉の様子は映さないで、カメラは隠れたところにいるけれど、交渉が成立するとカメラが現れる。ピンマイクで録られた交渉のプロセスがすごく生々しくて、過程をずっと見ていられる。成功も失敗も両方入っているのも良い。いきなり通りすがりの人が、服交換してくれって言われて、なかなか抵抗感ある人もいると思うし、そりゃそうだよねって思うし、リアリティがある。

西尾　ピンマイクをつけて会話自体を記録しようというのは、ずっと自分でやってきたものを、ナイロビで調査の助手を務めてくれていたケニア人のデービッド・オモンディさんにやってもらうというので、プロジェクトを客観視したときに出てきたアイデアです。自分で自分の音声を拾ってまでやりたいかというと、

図2　フィールド・レコーディングの様子(撮影:柳沢英輔)

そうではない。他者の表象という意味では、ちょっと力技というか、傲慢さが出ているかもしれないですが、そうすることによってプロジェクトの別の側面というか、リアルな側面が映像として引き出せたというのもあるかなとは確かに思いますね。

この作品では音声を使用していますが、音的なこだわりというものは一切ないんです。ただ、《Self Select》プロジェクトを分解したときに、会話が重要な要素だったので、それを記録する方法としてピンマイクを使用しました。しかし、先ほどの柳沢さんのお話をお聞きして、もしかしたら録音の方法やマイクを意識的に選んでみたら、また全然違うものができあがってくるかもしれないと思いました。

学生時代の作品なのですが、衣擦れの音に着目した服はないんじゃないかと考えて、音が鳴りやすい素材だったり、ジッパーがたくさんついていたりと、音が鳴る服を作ってパフォーマンスをしてもらったことがあります。服が「シャカシャカ」っていうことに気づ

図3 西尾美也《Self Select: Nairobian in Tokyo》より（映像からのキャプチャー）

いたパフォーマーたちが、さまざまな場所でゲリラ的に変な動きをしながら、合奏していくというパフォーマンスです（《Ensemble Clothes》（二〇〇二））。それと同じような発想で服を作ったデザイナーはまだいないように思うんですよね。学生時代から経験をいろいろと積み重ねたいま、もう一度服と音に関する作品を作ってみてもおもしろいかもしれません。そのために専用の服を作るっていうのもいいけど、既成の服が鳴らす音を録音するのも良さそうです。

柳沢　歩くときに服が擦れる音って、実はかなり超音波が出るんですよ。他にも、イヤリング、ピアス、鍵がじゃらじゃらする音とか。服が作るサウンドスケープは、実は人間には聞こえない世界の音でもあるんですよね。普通は単にノイズとされる音だけど、すごく興味深い。私はこういう、録音にとってマイナスとされるような音に着目して録ることも多いんです。たとえば風の音なんかは野外のレコーディングにつきものですが、多くの場合は頑丈な風防をつけて、できるだけ風の影響を受けずに狙った音源をクリアに録ろうとする。でも私は風がその場に引き起こすざわざわした感じを録ることも好きなんですよね。また、エオリアン・ハープといって自然の風の力で音を奏でる弦楽器があるんですが、エオリアン・ハープが奏でるのは風の音そのものではないけど、風を可聴化したものだとも言えます。その意味で、その時、その場の大気の状態を音に変換する装置であり、一種のマイクロフォンや測定器のようなものとしても捉えることができる。

　フランシスコ・ロペスというアーティストが制作した作品に『Wind [Patagonia]』（二〇〇七）というパタゴニアの大地に吹く風の音を収録したものがあるのですが、風の音というのは風が何かモノにぶつかったときに生じるので、その録音にはその場所のさまざまなモノの物質性が含まれているんです。大地だったり、草だったり、岩だったり。さらに言うと風の音にはマイク（と風防）自体に風がぶつかって生じる音も入っているので、マイクの物質性が可聴化された音を聴いてい

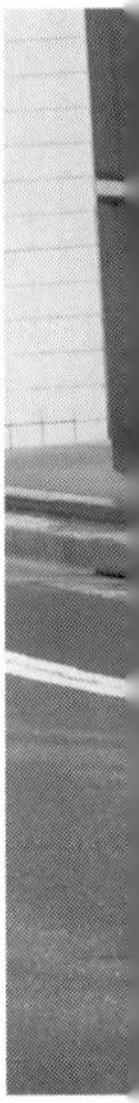

るということにもなりますよね。それがすごくおもしろいと思っていて。つまり、風の音って物質としてのマイクの音を聞いているということでもあるんですよ。そうすると、そもそも風の音を録るとはどういうことだろうと考えるようになる。最近は、このように場所や風景とマイクロフォンを通してどうやって向き合うかを考えることが増えてきました。

以前は、環境のなかで、いかに音楽的、美的に興味深い響きを探すかということに興味があったんですが、もう少し抽象化されてきたというのでしょうか。録るのは具体的な音なのですが、そこから考えられることはいろいろあるんじゃないかと思っています。ただし、自分のなかには、音色的な美的な部分に対する関心は常にあります。自分の作品を買ってくれる人は、おそらくある種の実験的な音楽のようなものとして聴く人も多いと思います。なのでたとえライナーノーツを読まなくても、音だけ聴いても興味深いものでありたい。そして、そこは西尾さんと共通するところかなと思いました。西尾さんの作品は、もちろんコンセプトがしっかりしているんですが、それを意識的に読み取ろうとしなくても視覚的に楽しめる。

藤田　一つの世界のなかで閉じたままではなく、もっと開かれたものにするということですね。西尾さんが手がけておられるアートプロジェクトはいずれも、アートに興味がある人だけに閉じているものではないですし、逆に、アートに興味がある人とだけのやりとりではどこかで偏りが出てしまうかもしれない。むしろアートには全く興味がない人がいつの間にか巻き込まれていって、最終的には作品のなかに取り込まれているというところに魅力があるというのでしょうか。

西尾　たとえばケニアで《Self Select》を実施したときの話なのですが、プロジェクトを進めていくうちに、実はケニアでは親しい友人と日常的に服をシェアするのはありふれたことだと知ったんです。それでも、通りすがりの人と服を交換するという投げかけ自体はケニアの人にとっては新鮮だった。すると、親しい友人とは服を交換するのが当たり前だから、仲良くなりたいんだったら交換してみようか、というように、彼らの日常と私のアートプロジェクトが接続されていったんです。

今回取り上げた《感覚の洗濯》だけでなく、ケニアでインスピレーションを得たアートプロジェクトはほかにもいくつかありますが、それらをケニアではないほかの場所でやるだけでは一方通行だなと思うので、ケニアでアートプロジェクトとしてやるとしたらどうするのか、どういう意味があるのかを考えるのが次のステップかもしれないですね。たとえば《感覚の洗濯》だと、日本でやったのとは持ち込み方を変えれば、ケニアの日常的な洗濯のあり方にそれとは違ったかたちで介入することになって、学び合いが成立するかもしれないと考えます。映像などの作品にする過程では、その場で行われたことそのままの記録ではなく、編集作業でもまた探らなければいけないことが出てくるので、それもやりがいがありそうです。

藤田　人類学者がフィールドで発見したことを論文に書くことと、西尾さんがケニアに行って発見したことを解釈したうえでそれをもとに新しい作品を作ることは、実はそれほどかけ離れてはいないんじゃないかと思います。そもそも人類学の研究も、調査研究の結果を論文で発表してその文化を知らない人に伝えることはできるけれど、それが現地の人にとってどうなのかと考えると、ある意味で一方通行だと言えますよね。

西尾　現地の人は論文に興味がないだろうということも含めて、それが一つの人類学の限界だとすると、アートという手法であれば、アートという手法だからこそ、そこは超えていけるかもしれないと思うので、その可能性は探りたいです。

藤田　柳沢さんがおっしゃっていた音の話にもつながりそうですね。日常的に聴いている音を録音することによって違う音に感じられたり、また日常的な行為がアートという別のかたちで現れることによる気づきがあったりして、お互いに認識が変化する。論文よりも学び合いの可能性が高そうです。
柳沢　芸術実践と学術研究との関係性という話に戻すと、人類学者は、フィールドワークのなかで自分の価値観や身体への認識が変容していくというプロセスを多かれ少なかれみんな経験しているはずで、それってやっぱり作品制作にすごく活きると思うんですよね。つまり、日常で当たり前とされていることに対する疑いであったりとか、問い直しであったり、あるいは風景とかモノとか日常的であるものに対する気づきとか、そこに美しさを見いだしたり。だから、長期でフィールドワークをしている人は特に、さまざまなアウトプットの可能性を持っていると思います。アンスロ・フィルム・ラボラトリー[3]とかは、そういう意味ではかなり先駆的なことをやっていると思います。でもそれは、人類学のなかの、ごく一部の動きでしかない。ほとんどの人類学者は従来から学術研究の評価対象となるフォーマットでアウトプットをしているというのが現状だと思います。作品制作が論文などと同じように学術的に評価される、きちんとした仕組みができたら良いですよね。そうすると、人類学に関わろうとするアーティストも増えてくるだろうし。
藤田　さらに、西尾さんと柳沢さんのように、方向性は異なっているけれど思考のあり方には多くの共通点がある実践者同士でのコラボレーションというかたちでの研究活動がたくさん生まれてくると、人類学もアートも、もっとおもしろくなりそうですね。

3　Anthro-film Laboratory。文化人類学、映像、アートが交叉する実践のなかで、言語に依拠するだけでは伝達されえない知や経験の領域を探求し、人文学における新たな知の創造と語り／体験の新地平を切り開くことを目指すユニット。視覚のみならず、触感や聴覚に働きかける知を、イメージやサウンド、詩など、多岐にわたる手段で表現していくことが企図されている。運営委員に川瀬慈、ふくだぺろ、村津蘭、矢野原佑史ほか。

第3部

表現と社会——不可能を超えるイメージ

Okuwaki Takahiro

私は鹿で太陽で、そして私たち

——近年の志賀理江子による協働を介したイメージ実践の可能性

奥脇嵩大

本稿の目的は、見ることにまつわる消費生産労働という「イメージ実践」に着目し、その分析的な記述を介して、見ることを他者と共に生きるためのメディウム《素材／技法》へと拡張させることにある。本稿でもってイメージ実践は、芸術制作の一手段に留まらず、人が自らを社会（政治）と自然の混淆物たる地球身体の一部として生きなおすための倫理や形式を獲得するための手段として読み換えられることになるだろう。そのようにして本稿を駆動させるための手がかりは二〇二一年、宮城県石巻市と女川町にかかる牡鹿半島周辺を舞台に同県を拠点とする写真家・志賀理江子らにより食猟師・小野寺望との交流のもと、《億年分の今日》と題され行われた、実像なき作品制作である。本作は石巻市街や牡鹿半島一帯で展開する芸術祭「リボーンアート・フェスティバル」出品作として発表された。その制作に先立ち志賀は、二〇一九年に牡鹿半島小積地区で小野寺が経営するシカ肉解体処理施設「FERMENTO（フェルメント）」周辺を会場に、東日本大震災の津波の塩害で枯れて伐採される予定だった周囲の杉の木、産廃として処理される予定だった牡蠣殻を用いた作品《Post Humanism Stress Disorder》を発表している。そこから今日まで続く志賀の芸術祭への関わりの背景には、東日本大震災からの順調とは言い難い被災地復興の十年、海岸線に沿って敷設された防潮堤、芸術祭が終わった後の地域の姿を同時に想い、自らが属する社会や自然と共に生きるための等身大の形を模索しようとする態度がある。そうした絡まり合いの中で志賀は二〇二一年、自身が所属するコレクティブ「PUMPQUAKES（パンプクエイクス）」の仲間たちとともに「志賀理江子＋栗原裕介＋佐藤貴宏＋菊池聡太朗」の名前で、フェルメント周辺に小野寺が希望するビオトープや畑を造成、その過程を映像シリーズ『MAKE A BIOTOPE』として記録、また施設周辺の環境リサーチを展開、周囲を飛び交う複数のラジオ音声を拾ってノイズとしてフェルメントの背後に位置する山中に流し、それらの働く様を《億年分の今日》として発表するに至った。人と社会（政治）と自然の営みが根深く混ざりあう牡鹿半島の環境世界と向きあうようにして、様々なメディウムを交えて構成される本作は、既存の環境世界に対して大規模な造作を加えるという点でランドアートに類する作品のように思える。しかし作品全体が雑多な一方、その内部においては、例えばビオトープの造成という個別の形を介して整えられる部分において、個的な形に向かうことを注意深く忌避するようなところがある。そんな形に向かうことと向かわないことの間で働く志賀らの意志を表象させた本作を、既存の作品形式に則って論じることには不満が残る。小野寺と志賀らの交流から生まれた本作においては、従来の美学芸術上の価値判断以上に、その作品がこの場所にあることを介して感覚できる環境を別の他者へと受け渡していくような意志の軌跡を描写することの方がより重要だと思われる。形と内容とが身体内部を流れる動脈と静脈のように交差し、社会と自然との間で脈動する《億年分の今日》は、私を私であると同時に私たちとしてうつし出す鏡であり、この世界でそっと息つくための気道のようなものといえるのではないだろうか。つまるところ本作について私が書き得ることは、自らがそこにどのように行き着き、そこで何を見て／見なかったのか、ということ。そうして見ることのばらつきを整え、私たちはいかなる形でもって、これからの世界を共に生きることができるかを思考することである。

以上のような考えをもとに、本稿では《億年分の今日》のイメージ実践の作用についての考察に加え、志賀や小野寺の牡鹿半島についての語り、筆者の本作に至る道中での心象スケッチや本作を介して見たものを組み合せて《モンタージュして》記述することとした。そうして異なる時間と役割をもったテキストを異質混淆的に走らせることで、《億年分の今日》のイメージ実践を私自身と、未来の私たちの血のかよった実践へと投企することを試みたい。

1　架け橋の上で

　イメージは今日、まなざしを待ち受ける特権的な場所を失ってしまった。まさにそれゆえにこそわれわれは新たなコミュニケーション手段が次々と押し寄せるなか、イメージとの出合いの場を取り戻したいと思うのだ。

　そもそもイメージとは何か。美術史家のハンス・ベルティンクはイメージを身体とメディアとの相互作用の中に位置づけ、イメージ制作を人類史的な営みとして総合的に語りなおそうとする（ベルティンク 二〇一四：二三―八〇）。ベルティンクがイメージに与えた枠組みは、プロアマ入り乱れた写真や動画共有のプラットホームでもあるSNS全盛の今日の世界においていっそう重要である。Facebook や Instagram といったSNS利用者は全世界で四十二億人を突破し、YouTube では一日あたり数十億回の動画再生があるという。ＳＮＳは今や巨大企業や国家により周到に管理され、個人の欲望をあおるメディアとしての側面がつきまとう。私たちが日々生産するイメージは私たちの生の諸層に深く食い込み、私たちの日々の生活を規定しなおそうとする。見ることとその背後にある生活そのものを疑わざるを得ない現状。そうした中にあって「イメージとの出合いの場」を取り戻すとき、私たちにまず求められるのは自らが見ることの意味を問いなおすことである。そのためにはイメージのメディウムとしての「コミュニケーション手段」すなわち人が隣りあう他者に対して、いかなる形で応答できるかを問うことが肝要である。うかがい知ることのできない複雑さを抱える隣人と共に在るための技法。また は私たち一人ひとりの生活を規定しようとする巨大な原理や構造への抵抗の器。そうした役割の中に見ることにまつわる消費生産労働という「イメージ実践」のこれからの意義があると捉えたい。

「イメージ」は体のなかばかりにあるものではない。体の外の世界も「イメージ」で満たされている。（中略）「イメージ」は架け橋のような働きをすると思います。

右記はせんだいメディアテークが二〇一一年の東日本大震災からの復旧以降、継続して実施するプロジェクト「考えるテーブル」において、二〇一一年六月から一二年三月まで志賀が行ったレクチャーを再編した『螺旋海岸｜notebook』からの一節である（志賀 二〇一二：一〇八）。志賀は宮城県北釜の、松林の海岸風景との突発的な出会いを契機として震災以前より当地に移住し、集落の営みを記録するカメラマンとして生活、それらの経験から生まれた写真「的」空間をせんだいメディアテークでの個展《螺旋海岸》として発表。震災以降も居を移しながら宮城県内で制作を続ける写真家である。志賀の作品においては写真や写真的行為を介して他者の不在や圧倒的な体験を自らの身体に幾度となく立ち返らせ、その残響／反響を手がかりとし、自然と社会との間で私／私たちの生と死を現像するための場所や経験の形成を試みてきたことに特徴がある。本書において志賀は右記の一節に続き、イメージについて「言葉の意味についてては、あんまり考えても意味がないような気がします」と述べる。また芸術と社会の関係について「芸術が根を張る場所が社会」という（志賀 二〇一二：二〇〇）。そこに本書において甲斐義明が志賀作品の現代写真における意義として「意味作用の場として写真を構成する方法」を指摘したこと（志賀 二〇一二：一七六）を考え合わせれば志賀の写真は「それが何であるか」といった内容以上に「それが社会の中でいかなる形で活きて働くか」といった形と作用の混淆した状態がより重視されていることが分かる。そのことを作品展開に即していえば志賀の写真、ことに《螺旋海岸》以降の写真に関しては、錯乱する時空間とその中に混在する自他を改めて見ることで、ジャック・デリダが「憑在」として示した存在の脱構築状態を誘発し、想像と現実を分かちがたく結び、見る者を震わせるイメージの力場を形成してきたといえるだろう。《億年分の今日》においてもそうした写真的空間の立ち上がりは健在であり、それどころか本作においてイメージらしいイメージを制作しない志賀は、そんな脱構築状態をいっそう加速させ、自らの振る舞いをしてイメージを崩壊させる動力せしめることに努めているように見える。

2 イメージという自然

志賀の示した体の内外を満たし、個人と社会の間で表裏一体の根のようにして広がる「イメージ」。そんなイメージの作用は、個的な身体のありようを規定する社会と、個としての身体を私たちとしてつなぐ「自然」そのものとして経験しなおすことが可能なように思われる。

自然、それは、わたしたちにとって、もっとも身近（身体）にありながら、どこまでも拡張し、かつ収縮する実在（宇宙）である。（中略）そして最終的に、諸力が対決し交差しながら配合されてゆく不可視の全体であり、どのような法則も主観も統制しえない生成である。

著述家の高祖岩三郎は自然を「不可視の全体」と位置づけ、人間／社会／自然との間で自立的に働く生成の力そのものとして捉える（高祖 二〇一八：六）。これは志賀が示したイメージのあり方にもつながるのではないか。そんな自然の生成力はそれを扱う私たちの手つきを鏡のようにうつし出す。うつし出されるものとは何か。それは例えば解釈次第で地球資源の残量を捏造する人間の恣意性、自己欺瞞。人間行動に起因すると言われる地球温暖化とその結果引き起こされる大規模な自然災害。うつし出された生成のありようは、私たちの営みに反響し、構造物として可視化される。それは例えば防潮堤。防潮堤は人びとに海を、海に人びとを見えなくさせ、互いの生を疎外し、その結果として人間の自意識を肥大化させる。肥大化した自意識の先で無秩序に連鎖する孤立はやがて海を漂うマイクロプラスチックのように流通し、私たちの生きる環境を変容させる。否応なしに人間は自然の中で孤立していく。「不可視の全体」としての自然の中で私たちは自らをオルタナティブな自然として知覚しなければならず、またそうなるようにできている。ならば求められるべきは自然と社会を知覚するための技法の再設定ではないか。志賀の「イメージ」はその中で生きて縦横に作用する。

そうした渦中にあって本稿が特に注視したいイメージの作用。それは死から生を歪にひらく力——二重否定の力の働きでもある。イメージの語源 imago には「幽霊、先祖の姿、肖像」の意が含まれる。そんなイメージの本質には喪われた事物への立ち返りのあり方が示される。そんなイメージは制作されるにあたって他者の不在が前提となるがゆえに完璧な再現を意味し得ない。しかしイメージはその宿命としての不完全さでもって、人間／社会／自然の混淆する今・ここにあって、イメージでなくもないものを誘発させる。イメージの作用の有用性とはこの一連の流れに他ならない。見ることを介して自然と人間を二項対立的にとらえるのではなく、かといって自然と人間を連ねる融和の流れとして肯定するのでもなく、言うなれば人間を「自然でなくもない」ものとして二重否定することを手がかりに、自然を模索し続ける存在として捉えなおそうとすること。そんな実践をイメージを介して行い、人間一人ひとりが自らを自然の中で／自然として、互いの行動や存在の仕方をたえず揚棄するための動力——透明なメディウムたらしめることは可能か。本稿ではそうした問いを駆動させる鍵を志賀理江子＋栗原裕介＋佐藤貴宏＋菊池聡太朗《億年分の今日》（二〇二一）が示したイメージでなくもないイメージ実践の中に見出すのだ。

3 殺せば生きる

二〇二一年九月、筆者は《億年分の今日》を体験するためシカ肉解体処理施設「フェルメント」に赴いた。ここからは筆者による青森と牡鹿半島を往復する道中での心象スケッチや作品を体験する中で見たものをゴシック体で記述し、作品にまつわる考察と併記する。

夏の太陽は少しく陰りをみせていたものの、晴天がずっと続いていて湿度も高い。防潮堤外工事ヲ行ッテオリマス――山中を走る車中からでもわかる、潮の気配がまとわりついてくる。壊レタ道路ヲナオシテイマス――ぜんたいここは不思議なところだ。姿はないのに生きものの気配に満ちている、ざわざわしている。ドウブッチュウイ（とび出す鹿のマーク）――半島の尾根に沿って蛇行する宮城県道二二〇号線、通称「牡鹿コバルトライン」が三半規管を揺らし続ける。酔いと高揚。道から耳へのシンコペーション。ここで知覚は統合されたそばから分裂していく。統合と分裂は同義となる。事前に目を通していたパンフレットに記載された、フェルメントの主である小野寺の言葉がこだまする――「殺した以上は美味しく食べないとって。自分の中では、『一頭をどう喰らうか』っていうのがテーマ……だから数よりも一頭をどう獲ってどう始末するかが全てなんですよ、本当。殺すということと、美味しく食べるということの葛藤の間に生きてるんだよね。だから、嫌になるのよ……」。おそらく問題は分裂を統合することでもその逆でも、ない。主題とすべきは両者の間をぬって酔歩するような、私的な運動それ自体である。ナクセ！　原発――生きたシカは未だ見えない。

小野寺は「殺すこと」と「美味しく食べること」の渦中にあって苦悶する（小野寺　二〇二一：一三）。シカの側に立てば人間を否定することになるし、人の側に立てばシカを否定することになるからだ。「殺すのであれば美味しく食べてやりたい」と語る小野寺。人の心性において「殺すこと」と「美味しく食べること」とは、実に互性的な関係にあるように見える。だから改めてどちらかの立場に立とうとすると苦悩は生まれる。統合——美味しく食べてシカと一体となること。分裂——引き裂き殺すこと。統合か分裂か。あるいは私たちは両者の間でいかにして別の生の形をつかむべきなのか。

シカの一頭を見ること、それは人にシカの生を、シカに人の生を接ぐことでもある。シカは私で私はシカで。撃とうとするシカと「交わった」瞬間、猟銃の引き金を引くという猟師は多い。（シカという）他者と自己との統合状態でもって世界を感覚すること。このことは一見してアート、中でも二十世紀以降のモダンアートが追い求めてきた制作原理に近しいものがあるように見える。例えば精神分析の側面から芸術制作に対する構造的アプローチを試みたアントン・エーレンツヴァイクは、図と地に対する未分化で全体的な視覚／知覚の獲得にモダンアートの性質を指摘している（松井 二〇二一）。しかしこうした統合的な感覚が機能するのは特別な時空間に限定されることには注意を払うべきだろう。代表例は展示空間としての白い世界――ホワイトキューブだ。モダンアートの成立とほぼ同時期、一九二九年に開館したニューヨーク近代美術館が導入したホワイトキューブは、その空間としての無メディウム性でもって「無縁性」とも言い得るような圧倒的自由を空間にもたらし、鑑賞体験の純粋性をも担保することになった。そんなホワイトキューブには展示作品以外の見るべき要素を排除し、鑑賞者に一対の眼玉のみとなることを要請し、展示作品に鑑賞者の視線を集中・統合させる力が働く。さらに一定の温湿度を保持するよう管理された展示室環境は作品の永続性を物理的に担保する。ホワイトキューブが担保する純粋性／永続性。知覚のための透明な牢獄＝世界。そこで永遠に循環する純粋エネルギーの流れとしての作品。ここで視線はフェルメントの背後に転じる。山向こうに鎮座ましますは女川原子力発電所だ。私たちは一体いつまで今のままのアートを続けることができるだろうか。問題は私たちを取り巻く閉塞した構造を自覚し、いかに崩すことで私たちの生を呼び戻すことができるかだ。小野寺自身はシカの血と肉、骨にまみれながらそこにビオトープという突破口を見出す。左記の引用は小野寺が、増えすぎた牡鹿半島のシカが解体処理される過程で出る要素を「逆に利用し」、周辺環境を改良するビオトープの造成について志賀に語る映像『MAKE A BIOTOPE VOL.1 WHY BIOTOPE』（二〇二〇）の一場面である。

森羅万象の中の一つだけ取ったたって何の解決もしない。（中略）シカがどうなっていくのか、その連鎖を考えていくと（中略）もらってくるシカをどのように循環させるかが大事って考えたら（中略）シカの死によって何かが生まれるか（中略）リアルで分かってもらえる場所にしたい。

ビオトープは命を処理するものから養うものへと置き換えるための場所である。自然と感応し、その只中にあって等身大でシカと向きあう小野寺が、増え続ける個々の命に対して、害獣として処理する以上の関わりをもちたいと考えたことに心を震わさずにいられない。しかし一方で事態は複雑だ。そもそもなぜ牡鹿半島でシカは増えているのか。そこには近年の温暖化にともなう雪の減少による活動時期の長期化、過疎化による休耕地の増加にともなう活動域の広大化、猟師の減少や放射能汚染にともなう食肉としての消費の減少など複合的な要因が挙げられる(小宮山 二〇一五)。こうした半島内における人とシカとの混然一体とした活発化は両者の境を曖昧にする。つながる命はシカの命を人間のそれへと馴化させてゆく。そうしてシカは人の社会活動に従属するものとして見られるようになる。その果てに害獣として撃たれたシカは今、産業廃棄物として死骸がドラム缶に詰め込まれ、港に運ばれ処理される。

一方のビオトープは生き物の命を養うことを目的として造成されるが、そこは人間による環境管理――意地悪な言い方をすれば生物の命を管理する場所としての側面がある。人間的な感性にもとづき生き物の命が循環することをめざすビオトープと、人間的な価値観のもと生物の死骸を詰め込み処理するドラム缶はここでつながる。超人間的な技術にもとづき超自然的エネルギーが循環する疑似太陽——原子力発電所はそれらを包摂する形で牡鹿半島にあり続ける。だからビオトープをつくることと原発反対を唱えることにはいつの間にか矛盾が滲むことになる。小野寺の抱える苦悶とはそうした、自らの循環志向が自然と人間のエゴの表象にすり替わってしまうことへの恐れや混乱にも由来するのではないだろうか。シカと私たち、ビオトープとドラム缶、原子力発電所は違和感を抱え込みながら、しかし全体として両立してしまう。そこで私たちには、自然が包摂する中に人間が在ることと、人間が包摂する中に自然を見出すことの間を行ったり来たりしながら、自身の内外を満たすイメージを模索するという形での実践を積み重ねなければならない。矛盾を抱え込んで生きる、その形はイメージ実践を手始めとして立て直さなければならない。

4　人は鹿（でなくもない）

見ることと撃つことは地続きである。小野寺はシカを見つけても一発で確実に仕留めることができるタイミングでしかシカを撃たない。シカの苦しみが長ければ長いほど、肉の味が落ちるという。肉を美味しく食べることができる瞬間。それはシカと人の生が交わりながらも分かたれる一瞬でもある。ここにイメージ実践を接ぎ木しなければならない。それは人とシカの命の連なりの先に別の命の形を接ぐようにして、私と私たちとの間で働くイメージの作用を求めることである。その中にあってイメージを私と私たちが存在すること、言うなれば自己のありようを規定しなおすメディウムとして機能させなければならない。

存在は現実世界との関わりという特定の文脈のうちに、実践的に結び付けられることによって人格性を獲得するのである。

文化人類学者のレーン・ウィラースレフはシベリア・ユカギールの狩猟民と生活を共にする中で、人とエルク（シカ科に属する大型動物）どちらか一方に拠るのではない「人でなくもない」「エルクでなくもない」といった二重否定にもとづく存在様態のあり方について考察する（ウィラースレフ 二〇一八：一六〇―一六五）。そして動物と私の曖昧な二重性からなる人格性の獲得しなおしはシベリアの狩猟民に限ったことではなく、小積地区に生きるシカ猟師にとっても生きた現実であることを既に私たちは知っている。シカと人の絡まりあいの中から自己の獲得しなおしを求めること。小野寺が夢見るビオトープをその基点とみなし、そこに志賀らによる応答――《億年分の今日》を介した牡鹿半島をめぐる自然／文化生態系の再表象を交えることで、人が他者と共に生きるための術の端緒を見出すのだ。

再表象の展開プロセスをもう少し具《つぶさ》に見ていこう。プロセスの第一として行われるのは対象の身ぶりの模倣である。それは対象に近づくと同時に遠ざかるための距離にまつわる技法ともいえる。先のシベリア・ユカギールの狩猟民たちは狩猟に際してエルクのふるまいを模倣し、人とエルクの間で相互に主体を行き来することで関係性の総体の中で自己と現実を動的に扱おうとした。小野寺はシカの声を真似た笛を用いて行うコール猟をもとに、シカと自身が出合う（撃つ）場を創出する。そこでは人とシカとの存在としての差異は無効となる。しかしその無効は一瞬である。ウィラースレフはユカギールの狩猟民たちにおける自他の関係について、下記のように示す（ウィラースレフ 二〇一八：三二〇）。

彼らが自己と他者の差異化に没頭しないということではない。反対に、保証されたア・プリオリな差異がないということは、差異を例示する様々な日常的実践をとおして絶えず差異を作り出し続けなければならないということである。

自他の関係は同一化されたと同時に差異化される。そうした同一化と差異化の間で働くのが「見ること」であり、見る主体と見られた対象との距離のバリエーションを増やすことが「イメージ実践」の役割である。イメージ実践を介して複数化された距離を経験することで人は様々な構造を生む。その構造は時に統合され、別の構造を生む。個的な生はイメージを介して統合されると同時に分裂し、その総体は私たちとして動的に構造化されなければならない。そうして「不可視の全体」としての私=私たち=社会=自然を編んでいく必要がある。イメージは制作した瞬間、破壊しなければならない。残された残骸から別の何かを制作しなければならない。そうでなければ人は社会や自然として在ることができないからだ。そうして見ること/見ないことの間で「イメージでなくもない」ものをイメージし続けることを動力として、私は私であり続けるとともに私たちであり、今いる場所に、そして地球に立ちなおすことができる。

5 FERMENTOにて

フェルメントの駐車場に到着した。向こうから志賀さんがやってくる。その周りには慣れた様子の小野寺さんの猟犬がじゃれついていて、まだ子どもながら、あるいは子どもだからか、隙あらば志賀さんを噛もうとしている。小さいながらさすが猟犬、めちゃくちゃ痛そうだ。なでようとした手をそっとひっこめる。駐車場から小径を抜けるとそこにフェルメント。思ったよりも小規模だ。だがこの丁寧につくられた木の建物と敷地全体が小野寺さんの生き方が形になったものと考えれば、ちょうどよい、安心できる規模感である。聞けば周囲を山に囲まれたこの場所で、駆除された鹿の命を循環させるべく「リボーンアート・フェスティバル二〇一七」のプロジェクトとして設立され、小野寺さんにより運営されているのが、このフェルメントだという。ビオトープとしては建物をはさんで手前側に造成された池があり、奥には網目状に多数の溝が掘られている。土地の水まわりをよくするためだ。この辺りの山は水もちも水はけも悪いという。大規模な植林の影響という。「山がとにかくカラカラなわけ」「小野寺さんは『緑の砂漠』だって」。溝のために掘り返された残土が各所で小さな山となり畝となり、様々な野菜が育てられていた。防護ネットはシカよけ。それでも器用に首をつっこみ、あるいはネットの下をくぐって食べてしまうという。「ここにも植えてんだけどさ、蕎麦。痩せた土には蕎麦がいいらしくて」。や、真ん中のズッキーニめちゃでかいっすね。溝をなぞって飛び越えて奥の山へ。山の斜面近くで大きく掘られた穴にはシカの骨が散在している。動悸。「キレイに肉が落ちるもんだよねえ、ニオイもあんまりないね」「小野寺さんがね、『なんとかシカを全部使えんか』っていうわけよ」。ところどころに牡蠣殻の山もある。牡蠣殻は山の斜面にも撒かれている。牡蠣殻は水質を浄化し、土壌を改良するそうだ。二〇一九年《Post Humanism Stress Disorder》の名残であり持続でもある。遠目にみると造成池に近くなるほどに溝の中にも牡蠣殻が撒かれているのが見える。なんだかこの辺り一帯がシカの骨格みたいだ。そうか、溝だと思っていたのは背骨だったのかも。

さて山に登る。牡蠣殻が痛い。足を切らないようにしたい。長い靴下履いてくりゃよかった。「ここ上からも下からもヒルがくっついてくるから気をつけてね」。ひええ。–TURNING POINT TURNING POINT TURNING POINT–この標識テープって。「これ特注。つくれるの、個人でも」「この山向こうにあるのがね、女川原発」果たしてこれは誰の・何にとってのTURNING POINTなのか。とにかく、ここはターニング・ポイント。あの〜ところで、さっきからってか何なら着いてからずっと鳴ってますけどこの音って……「これ」。あーラジオがロッカーに入ってる。それぞれアンテナでラジオの電波ひろってミキサーに入れて大音量で流してるんだ。いい感じのノイズになるもんですね。「すごいでしょ、山の上でひろえるラジオの電波を全部ひろってんの」山が唸ってるみたいだ。「今すごいけど、朝とか夕方には静かになったりするんだよね。なんでだろ。すごく不思議」これ電源はどこから？「ふもとからケーブルひっぱってる。超アナログ」「もうね毎日気が気じゃないわけよ。自己責任なのね。だから漏電して山火事でも起きたらって。だから監視のおじさんたちから着信履歴が残ってたりすると慄くよね。ヒーって感じ」いや規模の割に手づくりな感じでびっくりしました。「これもうちょっとで下見下ろせる場所があるからさ、行ってみようよ、私も久しぶりに見たいし」……はあッ、はあッ、ああ、こうして見下ろしてみるとなんか遺跡感ありますねえ。あるいは心臓？　でも見える形に意味があるっていうよりは労働してる感の方が強いかな。あ、そういえば池の方行ってなかったです。フェルメントも中見てなかった。降りてのぞかせてもらいまーす。「うん、登ってもらえてよかった。下りも気をつけて」……わ、池に根っこが逆さに沈んでる。魚はこれから入ってくるのかな。ポンプが水を汲み上げているのが見える。よし、フェルメントに入ろう。「ダニと共に生き　ダニと共にねむり　ダニと共に目覚める　by小野寺望」。ああ小野寺さん、はじめまして。お邪魔します。「おお、ゆっくりしてってよ。自由に見てって。青森から来たんだって？　弘前の人にもらった、これあげる」ありがとうございます、なぜか牡鹿半島で嶽きみ（※甘いトウモロコシ。青森名産）をもらってしまった（笑）。もぐもぐ。建物内部の壁のうち二面には床から天井までびっしりと地図が掲出されている。片面には宮城県鳥獣保護区等位置図。「自然の恵みに感謝の狩猟／狩猟者が率先しめせ自然保護／ゆずり合う美徳をのこせ子や孫に」。もう、きみを食べ終わってしまった。茎は放し飼いされたニワトリに放ることにする。もう一面の壁には牡鹿半島一帯の地図。地図は四本のラインが引かれゾーニングされている――「（赤）東日本大震災後に復旧・新設された防潮堤」「（オレンジ）東日本大震災後に復旧・新設された復興道路」「（水色）東日本大震災津波浸水域」「（黄緑色）小野寺さんが好んで狩りに入る場所」。この地図はこの付近一帯の過去・現在・未来が混在した時間地図でもあるわけだ。地図の余白にはナン・シェパード『THE LIVING MOUNTAIN』（二〇〇八）からの引文が書き添えられている。曰く――〝すべては、生きている山というひとつの存在のさまざまな姿なのだ。崩れゆく岩、育む雨、命を吹き込む太陽、種子、根、鳥―すべてはひとつ〟本の周りに書きなぐられた「INVISIBLE」。不可視。これだけ要素が散在しているのに不可視。イメージの散在の只中にあるからこそ、かえって私たちには何も見えていない。映像も二点ある。一つは子どもたちによるシカの解体ワークショップの様子で……もう一つがここへ通う志賀さんの車中の様子だ。いずれもプロセスがシーンを構成している。なるほどこの場所にはフェルメントに積み重なった自然と人の作用が可能な限り引きずり出されているわけだ。見ることが追い付かない情報量。ここでは不鮮明さが鮮明に、ある。ここにあるのはイメージ未満の「作用」の堆積だ。見るべきはイメージではなく、イメージ未満のここでの営みそのものにある。「見ましたー?」あー志賀さん、だいたい見れたような気がします、ありがとうございました。全体としてどこまで眺めていいもんか、見る方がとっても追いつかないとこがありますね。「うーん、そうね。私ら自分でやってて手ごたえまるでないからね。血とか汗とか体液みたいな、そんなのが流れているのをただ見てる感覚よ。土地から流れてくるものがどんどん砂地に吸い込まれていく感じ」

6 〃 〃へ

※読者の方へ　この章のタイトルはそのまま読み飛ばすか、カッコ内に好きな言葉を書き入れてください

《億年分の今日》の担い手の一部である、志賀が仲間とともに結成したコレクティブ「PUMPQUAKES」は、「PUMP（心臓・循環器・鼓動）」と

「QUAKES（揺れ）」の意を合わせた造語であるという。作品を展開した場所「フェルメント」は、集まった人間の感性を磨く場所であるという。《億年分の今日》においては、そこに散在する人と社会と自然の営みの断片が混ざりあい、脈動しはじめるのは必然であった。牡鹿半島に遺棄された種々の要素で構成された本作でもって私たちは、自らの感性を磨くことで遺棄してきた自然を、自らの内に再帰させなければならない。そのプロセスをして私たちは自らと自然とを束ね、かつ分裂させてゆくことの間で自然のバリエーション化を直接的に推し進める必要がある。そこで重要なのは作品内部でイメージを個別であると同時に集合させて働かせることだ。本作においてノイズ的に共震する人と牡鹿半島の環境世界。人間が在ることとの矛盾を含みあわせたそこは、私たち一人ひとりが自然の中で／自然として互いを揚棄しあう動力となるための基点であり原点である。少なくともそこは、誰もが皆地球に在り続けるための足がかりの場所でもあると信じて、今はただ、私たち一人ひとりが自らの生に立ち返るべきなのだろう。

高祖は先に引用した論考の中で、以下のように述べている（高祖 二〇一八：九）。

わたしたちは、福島災害をふくむ、環境変異によって、いまや自分たちとその世界が、地球身体の「生成＝自然」の部分でしかないことを知っている。それでも、そのように生き闘う意志と技術を、満足に獲得していない。

私は、私たちが地球と連帯して生きると同時に、それでなお個人として生きるための方法を探りたい。個別性が全体性に包摂されていく過程で狂い、瓦解してゆくことは歴史上、数多散見されるところではないか。私たちは人間と自然の統合にも分裂にも抗い、それでもなお両者の間からオルタナティブな生の運動それ自体を働かせていかなければならない。日々の歪みの中に生きるべき今日を紡ぐのだ。志賀理江子＋栗原裕介＋佐藤貴宏＋菊池聡太朗《億年分の今日》が展開してきた牡鹿半島での一連の制作が促すイメージ実践は作品としての強度をもち得ず、それが何であるかについて語ることを許さず、しかしそのことでかえって見ることと在ることとの意味を私たちに同時につきつける。逡巡しながら牡鹿半島によりそう小野寺。半島で純度を増していく疑似太陽のエネルギーと増え続けるシカの命。全ては《億年分の今日》にみる一連のイメージ実践が軸となり駆動することで、生きた現実に作用する活動として、騒々しい沈黙を伴って私たちの前に再表象することになった。複雑な乱雑さの中でイメージはイメージらしい機能を保持しないからこそ、使いなおされる余地が生まれる。総じて志賀理江子＋栗原裕介＋佐藤貴宏＋菊池聡太朗による《億年分の今日》は、見ることを手がかりとして人と自然の諸力を再配分し、技術／物質／精神の異質混淆な状態を中間的な運動状態として読みかえ、「イメージでなくもない」二重否定のイメージ実践を誘発させることで、私と私たちが地球身体として生きるための倫理と形式を獲得しなおすための道標として位置づけることができる。本作を擁する牡鹿半島は今や、人と社会と自然の再形式化を促すための変容の岬となった。この岬にあって太陽は太陽でなくもなく、鹿は鹿でなくもなく、私は私でなくもない。盲点は起点であり転換点である。流動化と混迷を極める世界の突端に立ち、イメージでなくもない場所に「他意なきわれらを容れよ」（宮沢 一九二六）。そこでようやくイメージはイメージであるままに、私は私であるままに、私たちが生きるべき現実そのものを受容させ始める。生と死がぶつかる白日の瞬間において、イメージは永遠と堆積しながら分散し、どこまでも現在そのものとなる。

家に帰り着いた。ずいぶん長い間移動していた気がしつつ、ずっとここにいたような気もする。ただいまー。家では五歳の息子が一心不乱に描いている。茶に紫に、赤に塗りつぶされた中心からバラバラと放射して伸びる線。いいねえ、さく。なに描いてるの？　お日さま？「えへへ、えとね、えっとね。さっき出た大きいやつ。うんこ！」

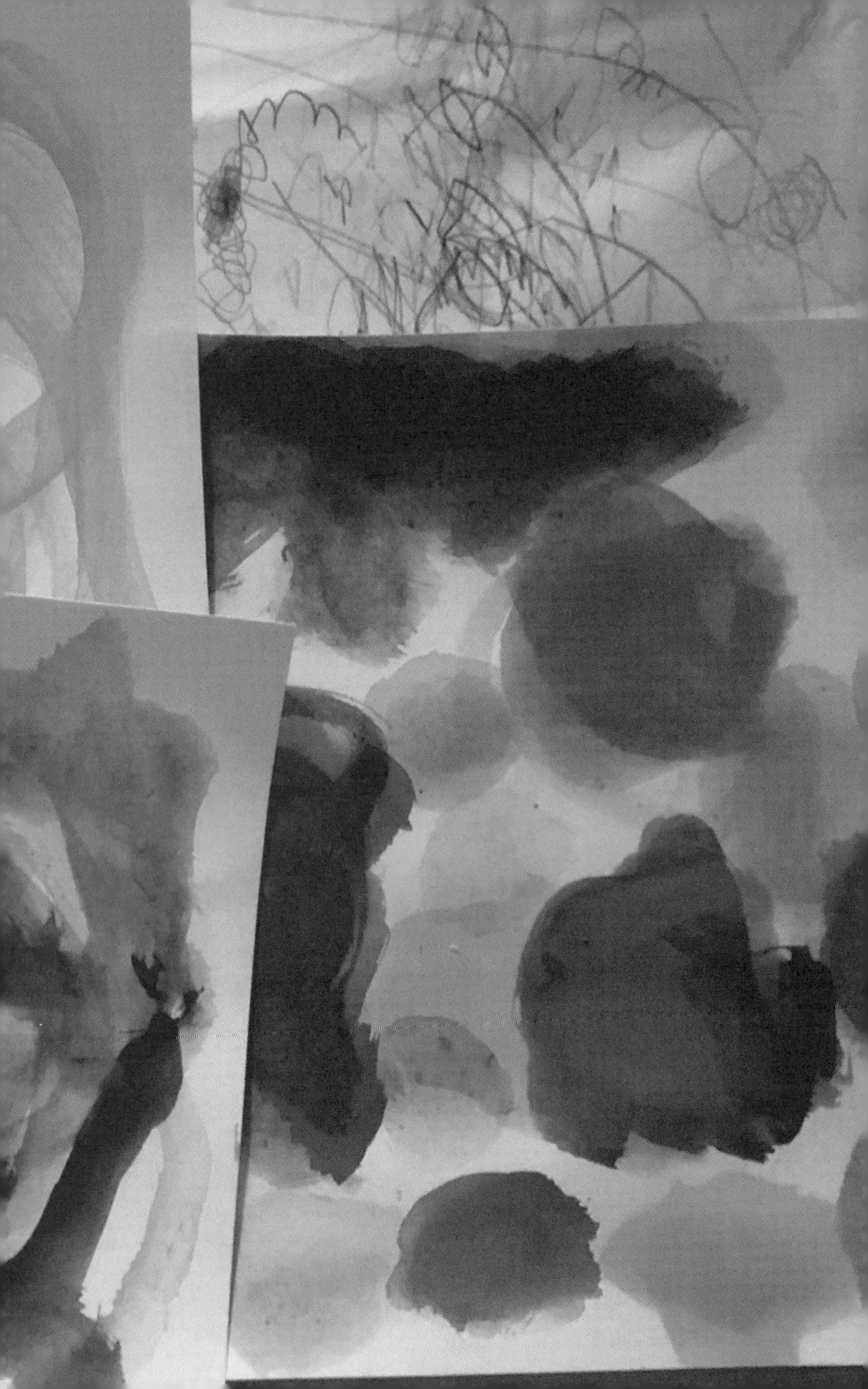

謝辞
執筆は志賀理江子はじめPUMPQUAKESの清水チナツ、長崎由幹、佐藤貴宏、菊池聡太朗らとの複数回にわたる対話「56億7千万年後のミュージアム」（https://www.liekoshiga.com/program/1052/）を経ることなしには行い得なかった。またフェルメントでは小野寺望と出会い、短い滞在ながら重要な示唆を頂いた。ここに記して深く御礼申し上げる。なお二〇二二年十二月現在、女川原子力発電所では、住民側からの再稼動の条件の一つである重大事故発生時に備えた避難道路の造成が計画中であり、対象区域に含まれるフェルメントも今後立ち退きとなる可能性が出ているという（志賀談）。牡鹿半島に息づくいのちの再生を誰よりも願い行動してきた小野寺の心中を思うと言葉もないが、こうして祭りの後に起こる様々をこれからも注視すべきと改めて思う。最後に生活全般を共にしてくれた妻・加奈と息子・咲玖にも感謝する。咲玖、絵をありがとう。また描いてね。

画像提供（一九八—一九九頁）　志賀理江子（撮影：二〇二一年九月 FERMENTO）

参考文献

レーン・ウィラースレフ（二〇一八）『ソウル・ハンターズ――シベリア・ユカギールのアニミズムの人類学』奥野克己・近藤祉秋・古川不可知訳、東京：亜紀書房、一九九、三一〇頁。

小野寺望（二〇二一）「interview ひとつの命に向き合うと、森が見えてくる」奥田悠史他編『tent vol.3』やまとわ。

甲斐義明（二〇一二）「細部、痕跡、まなざし――志賀理江子の作品について」志賀理江子『螺旋海岸｜notebook』京都：赤々舎、一七五―一八六頁。

小宮山亮磨（二〇一五）「みちのくワイド 増殖↑シカ・イノシシ」『朝日新聞デジタル（二〇一五年十一月十七日）』http://www.asahi.com/area/fukushima/articles/MTW20151117070430002.html（最終閲覧日：二〇二一年十二月七日）

志賀理江子（二〇一二）『螺旋海岸｜notebook』京都：赤々舎。

志賀理江子（二〇二〇）「MAKE ABIOTOPE VOL.1WHY BIOTOPE」『Reborn-Art ONLINE 鹿のゆくえ』https://2021.reborn-art-fes.jp/shikanoyukue/liekoshiga/01/（最終閲覧日：二〇二三年一月二十八日）

ハンス・ベルティンク（二〇一四）『イメージ人類学』仲間裕子訳、東京：平凡社。

高祖岩三郎（二〇一八）「自然という戦場」ＨＡＰＡＸ編『自然――HAPAX9』東京：夜行社、五―一八頁。

松井勝正（二〇二一）「形と色のパラドクス――マティスの原理」『ユリイカ 特集＝アンリ・マティス』二〇二一年五月号、二六〇―二六九頁。

宮沢賢治（一九二六）『農民芸術概論綱要』青空文庫 https://www.aozora.gr.jp/cards/000081/files/2386_13825.html（最終閲覧日：二〇二一年十二月九日）

Sato Tomohisa + Yanohara Yushi
佐藤知久＋矢野原佑史

社会性の芸術——映像が媒介する接触と波動について

1　はじめに

新型コロナウイルス感染症（COVID-19）の世界的流行がはじまって二年が過ぎた。二〇二二年初夏の現在、パンデミックのなかで、私たちは依然として、お互いに社会的な距離をとることを標準化した社会に生きている。ごく少数の同居者を除いて、他者たちとの接触を極力減らす生活は、実質的には緩やかな隔離だ。最初は異様に感じられたこの新しい生活にも、時間が経つにつれて感覚が鈍磨したのか、私たちは慣れてしまった。そして「社会」全体が変わった。

この変化のなかで叫ばれたのが、「自分にできることをする」というフレーズである。だが、個人ができることをするだけで、社会は変わるのだろうか。無言の同調圧力のまえで、私たちは萎縮している。

何かが変だと思っていても、自分だけが動くことは避けたいと思っているのだ。

むしろここで私たちは、社会が変化したのではなく、われわれの「社会性」が変化したのだと考える。今村仁司によれば、社会性 sociality とは「個人と個人との関係づけの型」（今村 二〇〇七：五）である。関係性の型（パターン）として、社会性は「原則的に他との関わりや共同性を拒否する個人の閉鎖性を破る」ものであり、「個人と個人とを繋ぐ」（今村 二〇〇七：五―六）。だが社会性のありかたは、どこでも同じではない。それぞれの社会や状況ごとに、社会性は、特殊な「型」として異なる様態で現実化する。

現在私たちは、他者との物理的接触を減少させる一方で、それを埋め合わせるかのように、デジタル・メディアを介したつながりを追求している。感染症によって変化したのは、このような社会性のありかたなのであり、それが緩やかな隔離とそこから来る閉塞感を生み出しているのだ。したがって問われるべきは、個人と個人を関係づける社会性がこれからどのように、そしてどうやって変化するのかという問いである。

そのために私たちはここで、今からほぼ三十年前に書かれた、ある一通の手紙からはじまる一連の出来事（以下〈九〇年代京都〉と表記する）[1]と、現在に続くその余波を参照する。

1 〈九〇年代京都〉という呼び名は、早稲田大学坪内博士記念演劇博物館での「LIFE with ART～ダムタイプ『S／N』と90年代京都～」展（二〇一一年）頃から使われた名称であり、後述する Dumb Type というグループを軸とし、その周囲に生じた社会／文化運動を指している。このテキストでは〈九〇年代京都〉のうち、主に一九九二年十月十一日から一九九五年十月二十九日（後述する古橋悌二の手紙

〈九〇年代京都〉は、ＡＩＤＳという感染症とともに生きることから広がる社会の新たな地平を、アーティストをふくむ人たちの力で切り開こうとした社会／文化運動である。著者の一人である佐藤は、当時を知る当事者として出来事を想起する。もう一人の著者である矢野原（〈九〇年代京都〉の当事者ではない）は、現在起きているパンデミック禍の出来事の当事者として、そこから何かを継承しようとする。ＡＩＤＳとCOVID-19のあいだには異なる点も多い。[2]だが、地球全域に広がり、また感染予防のために人と人の身体的接触が抑制される点では共通する。〈九〇年代京都〉は、ＨＩＶというウイルスとともに生きるための方法を模索した。では、新型コロナウイルスとともに生きるための方法を模索する現在の私たちは、〈九〇年代京都〉を参照することで、今ここに、これからどのような社会性を拓くことができるか。それが著者たちの問題意識である。

本稿の執筆はもともと、映像作品が位置付けられる場が、広い意味でのアートワールドから、クラブカルチャーや社会運動が位置する場へと拡張していくプロセスの一事例として、〈九〇年代京都〉をふりかえってみたいという佐藤の発想からはじまったものである。だがそこに、〈九〇年代京都〉が現在においてもアーティストや研究者にインスピレーションを与えているのは何故なのかという矢野原の視点が導入されることで、本論の枠組み自体が変容していった。[3]以下で行われるのは、言語や論理だけでは乗り越えられない社会的に困難な状況に私たちが陥ったときに、芸術が発揮しうる力能、とりわけ社会性を変容させるその力能についての検討である。

2 起点

一九九二年十月、京都のアーティスト・コレクティブDumb Typeのメンバー古橋悌二（一九六〇―一九九五）は、およそ二十人の友人たちにある有名な手紙[4]を送った。彼はこの手紙で、アーティストとして

が配られた日から、古橋の死去まで）に限定して記している。〈九〇年代京都〉についての記憶は当然、個人によって異なる。この文章は、〈九〇年代京都〉が一個人「に対してもっていた意味に即して、さまざまな事実を物語る」（アルヴァックス 二〇一八：二三三）ものであり、こうした物語を通じて個々人の記憶がアーカイブされることで、一個人では語りえない「出来事」の姿が浮かび上がるだろう。

2　AIDS（Acquired Immunodeficiency Syndrome 後天性免疫不全症候群）は、HIV（Human Immunodeficiency Virus ヒト免疫不全ウイルス）の感染によって生じる免疫疾患である。HIVは血液の内部に入り込むと、T細胞と呼ばれる免疫細胞にとりつき、その内部で自らを複製しながら最終的にこれを破壊する。T細胞は免疫システムのなかで不可欠な役割を果たしているため、HIVが体内で増殖を続けると、システム全体が機能不全を起こし、他のさまざまな感染症によって死に至る。COVID-19とAIDSは、感染経路（HIVは陽性者の体液が非陽性者の粘膜などに接触することによって感染する）と、感染後の重篤率とりわけ致死率において大きく異なる。

3　例えば、本稿第7節でも取り上げるDaichi Yamamoto「Love＋」や、竹田恵子『生きられる「アート」――パフォーマンス・アート《S／N》とアイデンティティ』（二〇二〇、ナカニシヤ出版）など。

4　古橋（二〇〇〇）所収。

の自分あるいはアートだけでは、対処しきれないことに自分が直面していることを伝えようとしている。[5]その手紙は「古橋悌二の新しい人生――LIFE WITH VIRUS　ＨＩＶ感染発表を祝って」と題され、郵送やファックスで同時に配布された。宛名は「真の友人様へ」。古橋はそこではじめて、自分がＨＩＶに感染していることを伝えたのだ。

手紙は三枚。最初のページには、自分の免疫機能が自分を守らなくなったとしても、そのときでも自分の精神を守ってくれるであろう「真の友人たち」を「信じる」ことが重要なのだ、と書かれている。その友人であるあなたとの関係を取り戻したいのだ、と。だが古橋は、ＨＩＶを排除するのではない。自分の細胞がウィルスを許容しているように「私は創造力と愛であらゆる人を許容したい」というのだ。

二枚目ではやや唐突に、「私が今までこだわり続けてきたアートとは有効な表現手段なのだろうか」という問いが示される。アーティストは、「安全圏にのみ居住する気難しい皮肉屋のおじさん、或いは職人さん」ないし「世界に対する単なるコメンテーター」以上にも以下にもなれない不幸な人たちなのかという疑問が投げかけられる。[6]そして自分が「アーティスト」としては、「恋愛や人間関係といった人間として当然であること」それ以上のものの当事者である必要性を感じていた」こと、そして「私は常に当事者でありたかった」のだと書く。

三枚目で古橋は、これから何をすべきかと自問する。身体のケア、医療現場の改善、社会的・経済的な問題など、「戦わなければならない問題が山とある」。制度は現実を見ていないし、現実に追いついてもいない。「セックスの現実」は「性のモラリティ」によって覆い隠され、性のモラリティは社会的制度や社会構造に密接にリンクし、個別の人間関係から政治的・経済的な組織のありかたにまで深い影響を及ぼしている。それを古橋は「現代社会に根ざす奥深い病巣」、別のテキストでは「旧態の人間関係の在り方を保守する（中略）見えない力」（古橋 二〇〇〇：八三）と呼び、その解体を夢見る。そして「この見えない力を（中略）なんとか解体する」には「アート・ワールドに潜んでなんかいられません」「学者や科学者から売春夫、売春婦まで出会い、真摯に語り合い、一緒にこの大亡命を夢みることが重要」（古橋 二〇〇〇：八三）

5　竹田（二〇二〇：八八―九五）

6　一九九二年時点でのDumb Typeの代表作は《pH》（一九九〇）である。この作品について古橋は「近年のDumb Typeは、この世界が本当はどのような姿であるのかを、舞台上にリプリゼントしようと試みてきました。《pH》にこれといったテーマがないのは、現代社会が特定のテーマを持たないからです」と述べている（古橋 二〇〇〇：六一。英文より佐藤訳）。現代社会を特徴づける「構造」のなかで生きることとの現実を、ユーモラスかつ徹底的にシニカルに描いた《pH》において、パフォーマーたちは巨大なコピー機のような舞台装置の機械的な往復運動に、その生を翻弄攪乱される。だが一方でかれらは、情報と商品に満ちた消費社会の愉しみを享受しもするのだ。《pH》は、現代社会の時空間を現実以上に現実らしく感じさせる優れた作品である。だがDumb Typeもまた、そうした現状をある意味でなぞっているのであって、その意味では「世界に対する単なるコメンテーター」的な位置に、観客を置いてしまっているのではないか（実際《pH》では、観客は二階席から舞台を見下ろしている）。古橋はそう考えていたようにも思われる。

なのだと、アートワールドからの亡命、あるいはアートが生起する活動の場そのものの拡張が試みられる。そしてふたたび「アートは有効な表現手段か？」という問いが提起されるのは、この地点からだ。

我々現代社会を生きる人間にとって冒されざるを得ない精神の病巣を治癒する手段としてアートはやはり、有効な手段と成りえるのだ。人間の精神に影響をあたえるものの中の最も公平な手段として、私の選択に間違いはなかったのだと信じたい。そしてこれに従事していられる自分を幸せに思うし、一緒に何かを創ってくれる友人をもって本当にありがたく思う。[7]

芸術はおそらく「人間の精神に影響をあたえるものの中の最も公平な手段」であり、現代社会を生きる人間誰もが抱える「精神の病巣」を治癒する手段として、アートは今も有効な手段になりえるのだと信じたい。これは終わりではなくはじまりだ——。「ありがとう。また会いましょう」ということばで、手紙は終わる。

3　社会に関与する／しない芸術

当時の状況をふりかえりたい。一九九〇年代、「社会に関与する芸術[8]」はまだメジャーではなかった。

一九八〇年代の終わりから一九九〇年代はじめの問題意識を特徴づけるのは「表象」である。それは、インターネットをふくむメディア空間の拡張、つまり「情報」や「メディア」と呼ばれるものによって形成された情報空間＝アーカイブ的空間が加速度的に肥大し、文字通りそこ「で」生きることが可能になりはじめた時代であった（村上春樹はそうやって社会から切り離された状況を「デタッチメント」と呼んだ）。文学や芸術や学術の主たる関心は、社会問題への直接的な関与にではなく、メディア技術やメディア空間の問題性、つまり個人を社会から分離させている状況や、そこでの表象のありようの分析に向けられた。[9]

一九八一年に最初の患者が確認されたAIDSも、当初は「表象」という観点から着目された。一九八〇年代を通じてアメリカのテレビや新聞など（当時の）主流メディアは、「AIDSは〈4H〉（同性愛

7　古橋（二〇〇〇：四二）。引用は原本のコピーから作成したため、出版された文言とは若干表記が異なる。

8　アーティストが単独で、あるいは市民や観客らの「作品」への参加とともに、社会的な現象や問題に関与し、人間関係や地域・社会構造などを変容させようとする試み。エルゲラ（二〇一五）等を参照。

9　表象文化論講座が東京大学に設置された一九八七年に公開された、ヴィム・ヴェンダース監督の映画『ベルリン・天使の詩』は、不可視の存在として世界を一方的に見つめ、人間に触れることも触れられることもなく観察してきた天使が、永遠の生命を捨て、生身の身体をもつ人間になるまでの物語であった。同じ年に発表され芥川賞を受賞した池澤夏樹の「スティル・ライフ」も、世界の観察者であることからの脱出を目論む物語である。雑誌『Représentation』（筑摩書房）の創刊は一九九一年（休刊は九三年）であった。

図1　*You Can't Wear a Red Ribbon if You're Dead*. ACT UP/New York
（出典：Manuscripts and Archives Division, The New York Public Library）

者、血友病患者、薬物依存症者、ハイチ人の頭文字）の病気である」というイメージを撒き散らし、[10]これに反発した活動家や映像制作者たちは、誤った表象を修正するためにＡＩＤＳの表象をめぐる闘争に大々的に参加した。

だが、それだけでは政策も社会も変わらなかった。一九八七年、ニューヨーク市の活動家たちは、ＡＩＤＳ危機を収束させるためにより直接的で具体的な社会運動をはじめる。それが「ACT UP」（AIDS Coalition To Unleash Power）である。

かれらは「ＡＩＤＳ危機を終わらせるためにすべての力を解き放ち、直接行動を起こせ」と叫び、状況を実際に「変化」させることをめざした。ポスターやロゴ、ステッカーそしてビデオなどが大量に作られた。それらはＡＩＤＳとともに生きる人びとの「正しい表象」を提示する（あるいは美しい肖像写真を美術館に飾る）ためにではなく、実際に人びとの意識と行動に直接的な変化を起こすため、そしてデモや抗議行動に人びとを動員するために制作された。ニューヨークやサンフランシスコで多くのアーティストが創造力をそこに投入し（図1）、ＡＩＤＳアクティビズム・アートと呼ばれる活動を展開した（佐藤 二〇一二）。

10　日本の場合これは、「外国」「女性」「セックスワーカー」からやってくる病気だというイメージとなる。佐藤（二〇〇五）を参照。

ダグラス・クリンプ[11]が指摘したように、ＡＩＤＳアクティビズム・アートは、アートワールドの外にあるとされる「社会」にダイレクトに「関与」しようとした芸術である。アーティストは、美術館ではなく街頭に作品を「展示」し、そこを歩く市民たちを「鑑賞者」に変容させた。

ポストモダニズムのアートは、芸術の制度と、制度としての芸術そのものに対する政治的批評を前進させた（中略）。だがこうした美学的な批評の限界は、それ自身が制度化してしまったことによって、誰の目にも明らかだ。すなわち、批判的ポストモダニズムは、依然として議論の的ではあるものの、承認されたアートワールドの生産物、標準的な展覧会・カタログ・レビューの対象となってしまっている。美術館やマーケットを破壊し、新たな問題にとりくみ新たな観客を見出そうという暗黙の約束は、ほとんど果たされないままである。ＡＩＤＳアクティビズムのアートはそのひとつの例外であり、その違いを位置づけるのはきわめて容易である。[12]

しかし、クリンプが指摘するアートワールドの「外」における芸術の新しい可能性は、当時の日本の美術界では「芸術を否定するもの」として捉えられていたようだ[13]（少なくとも、こうした活動にアートの本来的役割を再発見しようとする視点は少数派だった）。アーティストの役割は〈社会的に正しいこと〉を主張することではなく、芸術を、倫理的あるいは政治的な正しさによって——いわば社会主義リアリズム的に——価値づけるべきではない、と考えられたのである。

4　波紋から波動へ

古橋の手紙に戻ろう。

一九九二年の秋以後、古橋の手紙は、それを実際に受け取った人たち、そしてその周囲にいた京都や大阪の人たちに、深く静かに影響を与えていった。手紙は波を生み、手紙を受け取った人がまた新たな波の起点となった。

11　ダグラス・クリンプ（一九四四—二〇一九）はアメリカの美術史家、批評家、キュレーター、AIDSアクティビスト。美術批評誌「October」の主要メンバーで、一九七七年から九〇年まで編集長をつとめた。後述する「LOVE＋」に合わせ一九九四年に来日している。
12　Crimp（1990: 19）。
13　美術評論家の椹木野衣は当時こう書いている。「エイズ・デモ・グラフィックスに代表される動向の、クオリティを基準とするフォーマルな作品評価そのものを否定する姿勢は、彼らにおいては不可解なまでの自信をもって推進されているが、その根拠となる解答とは、美術をアングロサクソンの生みだした視覚の制度にほかならないとして断罪する素朴な性質のものである。（中略）この状況は、もはや芸術を不可能とするに至るまで非芸術的である」（椹木　一九九一：八八）。

それら波動の集積は、Dumb Type の《S／N》（一九九四）や古橋自身のソロ作品《LOVERS——永遠の恋人たち》（一九九四）といった、（ＡＩＤＳアクティビズム・アートとカテゴライズできなくもないが、その範疇を大きく超えた）きわめて優れた現代美術作品に結実する。その意味で〈九〇年代京都〉は、アートワールドの外に出たわけではないが、手紙から生まれた波動が生み出したのは、芸術作品だけでもなかった。

AIDS Poster Project

第一に、多くの運動や活動（社会運動と文化活動の中間にあるような）が生まれた。AIDS Poster Project、Woman's Diary Project、SWEETLY、ＱＦＦ、CLUB LUV＋など、さまざまな社会問題——とりわけＡＩＤＳ、ジェンダー、セクシュアリティ——に直接コミットする運動や、Weekend Café やバザールカフェといったコミュニティ・カフェなどである（石谷 二〇一九・二〇二〇、竹田 二〇二〇、森美術館 二〇一九）。そして、これらの運動や活動には、常にアーティストとアーティストではない人びとが、それぞれの専門性——個人的な力能——を活かしつつ関わっていた（運動に関わった正確な人数はわからないが、いわゆるダンバー数[14]に近い百二十人程度だったように思う）。

たとえば、一九九三年春[15]に鬼塚哲郎[16]と松尾恵[17]によってたちあげられた「AIDS Poster Project（ＡＰＰ）」

（図2）。その出発点は、恐怖と不安をあおるだけで具体的な情報（感染予防の方法や、ケアに関する情報）を伝えない、日本のポスターへの違和感にある。

同年十一月に京都市立芸術大学（以下、京都市立芸大と表記する）において行われたシンポジウムで、鬼塚は「表現者というのはそういった社会の支配的な考え方を（中略）批判的に、客観的に見つめる」べき

14　ダンバー数とは、「人間が安定的な社会関係を維持できるとされる人数の、認知的な上限」である。

15　AIDS Poster Project「AIDS Poster Project のなりたち」http://aidsposter.web.fc2.com/welcome.html（最終閲覧日：二〇二二年三月二十五日）

16　鬼塚哲郎はスペイン文学を専門とする京都産業大学教員で、ＯＧＣ（大阪ゲイ・コミュニティ、一九八七年発足）やＨＩＶと人権・情報センター（一九八八年発足、二〇一九年解散）など、ゲイ男性やＡＩＤＳに関係するさまざまな活動にいち早く従事していた。また鬼塚はそれ以前から、京都市内の自宅で頻繁に個人パーティを開催し、互いに知りあいではないが出遭うとよいのではと思う人たちを招いてはお互いを知り合わせるネットワーカーとしても知られていた。鬼塚のパーティ——食事と酒と音楽に満ちた親密な空間——には、ゲイ男性、フェミニスト、アーティスト、大学教員、研究者、学生、外国人、さまざまなマイノリティなど、異なるアイデンティティをもち、さまざまな組織や職業に属しながら、多様な関心をもつ人たちが横断的に出入りしており、私（佐藤）が最初にDumb Typeの人たちと知り合ったのもそこにおいてである。のちに鬼塚は、日本のゲイ・コミュニティにむけた本格的なＨＩＶ予防啓発活動を展開する「ＭＡＳＨ大阪」（一九九八年発足）の代表をつとめ、日本におけるＨＩＶ予防啓発活動を主導していくことになる。

17　松尾恵はVoice Galleryの主宰者。当時Voice GalleryはDumb Typeと同じ清和テナントハウスにあり、松尾の出身校でもある京都市立芸術大学の卒業生ら若きアーティストが多数出入りしていた。現在はMATSUO MEGUMI＋VOICE GALLERY pfs/w。http://www.voicegallery.org

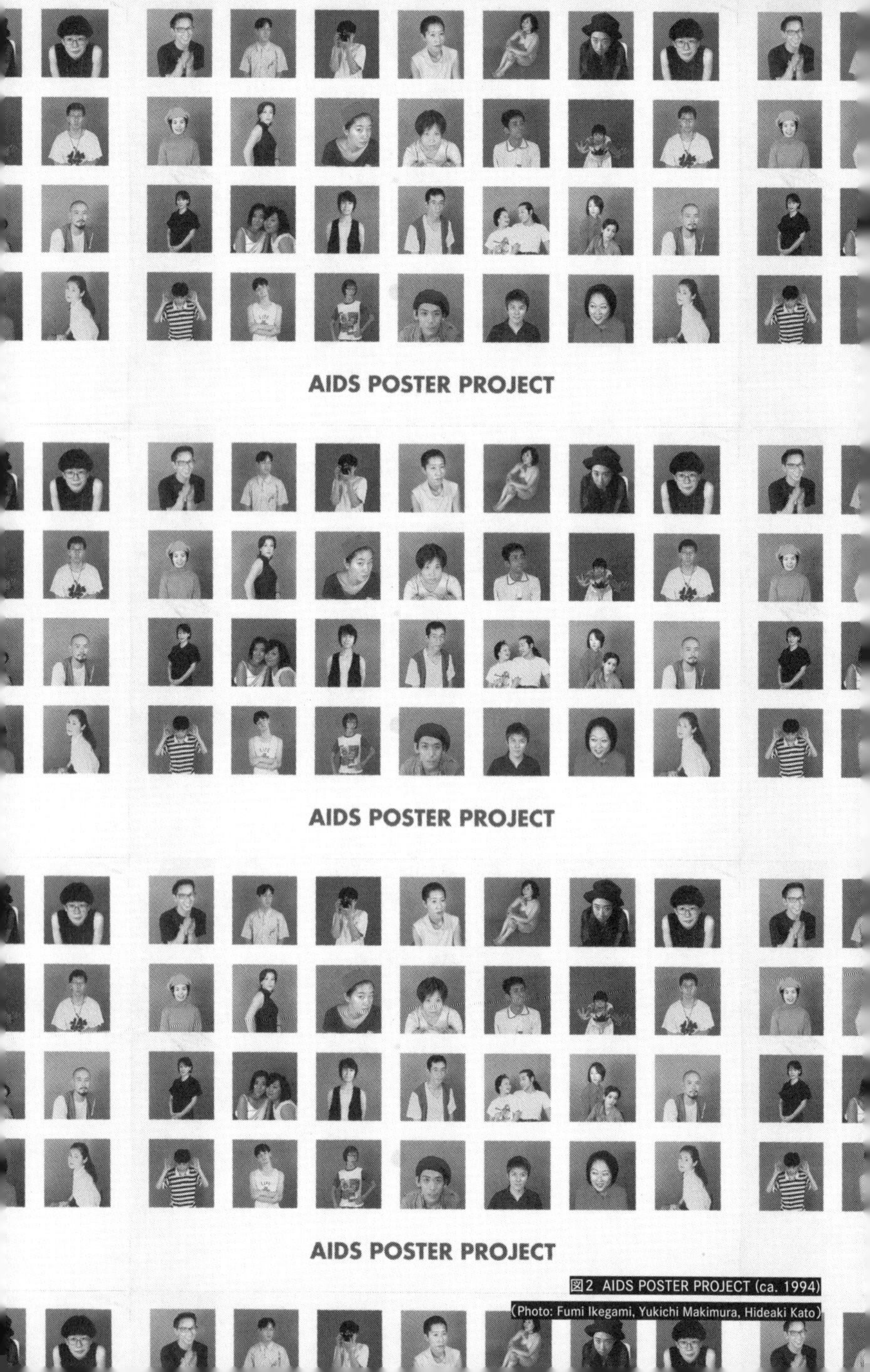

図2 AIDS POSTER PROJECT (ca. 1994)
(Photo: Fumi Ikegami, Yukichi Makimura, Hideaki Kato)

だと述べている。「ビジュアル的には非常に立派」だけれども「社会に流通している通念をなぞった」だけではない、これからの新しいポスターを、あなたたち若きアーティストやデザイナーは作るべきでは、と呼びかけたのである。APPは、その声に応えた学生や、アクティビストたちによるプロジェクトであり、芸術だけでなく、科学や人文・社会科学を専攻する学生もそこに加わっていった。

art-scapeとWeekend Café

第二に、一種の共同スペースが開かれた。Dumb Typeを含む京都の芸術関係者たちは、APPが生まれたのとほぼ同時期に、京都大学に近い一軒家を借りて、「アートスケープ（art-scape）」というアートセンター的共有空間を開発した。[18] シェアオフィスとレジデンス施設の機能をもつ、自主管理アートセンターとして企図されたこの場所は、Dumb TypeやAPPなどに関わる人たちが集まる溜まり場となった。人びとはアートスケープでAIDSから派生するさまざまな問題について尽きることなく話しつづけ、前述した多くの運動の活動拠点となった（当時はインターネットと携帯電話とSNS以前だったことに留意してほしい）。

18 アートスケープの共同出資者は、遠藤寿美子（アートスペース無門館代表）、鬼塚哲郎（京都産業大学教員）、小山田徹（Dumb Typeメンバー）、泊博雅（Dumb Typeメンバー）、松尾恵（Voice Gallery主宰）、南琢也（美術家）。のち、アートスケープを利用する団体等も家賃を一部分担した。ちなみに同名の美術系ウェブサイトとは特に関係はない。

さらに、アートスケープに近い京都大学ＹＭＣＡ地塩寮に附属する古い洋館の一室を使って、一九九三年十二月から毎月第二・第四土曜日に、「ウィークエンドカフェ Weekend Café」という非営利の、とても安価なカフェパーティがはじまった。Dumb Type の小山田徹と、当時の地塩寮生二人（佐藤知久・阿部大雅）によってＤＩＹ的に開発された空間は、表通りに面し、建物が地域のランドマーク的なたたずまいをもっていたこともあり、すぐに誰もが気楽に朝まで会話できる社交の場所となった。

アートスケープが共通の目的をもった活動のための拠点だとすれば、Weekend Café は特定のトピックやイシューではなく、「何のためでもない」集まりのための場所だった。バラバラの目的をもってやってきた人たちが、すぐ隣で会話しているという状況が、Weekend Café ではしばしば起きた。場を提供する人と享受する人が入れ替わり、客として来ていた人が場の維持を手伝うという現象が頻繁に起きた。異なる目的や考えをもつ人たちが同じ場所にやってきて、そこに偶然生まれたつながりをバネにして、共通の関心をもつ人がアートスケープに集まるという循環が発生し、ネットワークはさらに複雑化した。

京都大学周辺の学術／社会運動系のネットワークや、さまざまなマイノリティのグループと、京都市立芸大・京都精華大学・京都芸術短期大学（当時）・京都工芸繊維大学などの芸術系の人脈がここで接続された。こうして〈九〇年代京都〉は、現実的に「学者や科学者から売春夫、売春婦まで出会い、真摯に語り合」う場となっていったのである（古橋 二〇〇〇：八三）。

5　波動の拡張――身体的接触の肯定

ここまでの記述には、しかし大きく欠けているものがある。それは身体の接触、あるいは快楽／欲望の肯定という特徴である。

古橋悌二の手紙が書かれる三年前の一九八九年、シモーヌ深雪・古橋悌二・山中透らは「Diamonds Are Forever（以下 Diamonds）」というクラブパーティをはじめている。それは「退屈な日本のナイトライフ」に風穴を開けるために、彼ら・彼女ら自身が自らはじめた、日本初のドラァグ・クイーンパーティである（佐藤 二〇一七）。

日本とアメリカのゲイカルチャーとクラブカルチャーをミックスさせたDiamondsは、特にジェンダーとセクシュアリティをめぐる既成の社会秩序を攪乱し、解体し、再構築する時空間を創造した。それは、祝祭的であると同時に、きわめて個人的なファンタジーを許容する、しかつめらしい雰囲気とは真逆の場である――石谷治寛はそれを「ソーシャリー・ディスエンゲイジド（社会不参加）のイベント」と呼ぶ（石谷 二〇一九：一一）。大音量で鳴り響くハウス・ミュージックと、あらゆる制度を脱臼させるマイナーなユーモアに満ちたショーのなか、人びとは踊り狂っていた。

開始当初は大阪のクラブで行われていたこのパーティは、一九九〇年、京都にCLUB METROがオープンすると、この新しいハコをホームグラウンドとするようになる。京都の東に位置するこのクラブに集まったゲイ・カルチャーやクラブ・シーンを愛する人たちは、「必ずしも互いに名前や職業を知っているわけではないが、いつもクラブで一緒に踊っている人たち」という関係性を形成していった。

Diamondsのゆるやかなネットワークと、一九九二年以後アートスケープやAPPに集った人たちは、一定程度重なりあっている。古橋らが演じるドラァグ・クイーンたちとともに、人びとは文字通り身体を寄せ合って踊った。異性愛主義者の視線を喜ばすエンターテイメントではなく、Diamondsは何よりも自分たち自身がナイトライフを楽しむために企画されていた。それは、さまざまな性的マイノリティや、異性愛主義や既成のジェンダー秩序に対して違和感を感じる人びとにとって、解放的な、個々人の生のあり方を肯定する場となった。Diamondsで得られる快楽は、それぞれが夢見ていたことをすでに実現しているような、多幸感に満ちたものだった。古橋の手紙が届けられる以前から、音楽や身体的な接触や独特の文化による波動を共有していた人びとがいたのだ。

古橋の手紙以後「HIV」というウィルスの存在が強く意識されるようになってからも、〈九〇年代京都〉にかかわった人びとは、人との接触を避けるのではなく、HIVに感染している・いないにかかわらず、他者と触れあうことを肯定する方向性を追求した。それが「セーファー・セックス」という考え方だ。

セーファー・セックスとは、相手や自分がＨＩＶに感染していても／していなくても、コンドームやラテックス・シートを使うなどの方法によって、ＨＩＶ感染を生じさせる〈体液と粘膜〉あるいは〈粘膜と粘膜〉の接触を回避し、それ以外の身体接触を肯定するための思想と技法である。ＨＩＶや他の感染症への感染を避けて禁欲するのではなく、セックスを「より安全な」方法で楽しむためのセーファー・セックスは、ＡＩＤＳの時代に発明された、新たな社会性だったのだ。

Dumb Type の事務所、松尾が主宰する Voice Gallery、CLUB METRO、Weekend Café、アートスケープはすべて、自転車で十分程度の距離圏にあった。自力で切り拓かれ、分散して自律的に維持されていたこれらの空間を、人びとはぐるぐると行き来した。毎月一度はクラブで、ともに踊りながらたがいの情動・感性・欲望・快楽を肯定し、二週間に一度はカフェで、バラバラの個々人として対話やおしゃべりをつづけた。ごく近い地域の範囲に、生活リズムに組み込まれた活動の場が切り拓かれ、独特な社会性が形成された。

ジェンダー差別とセクシュアリティに対する配慮がなされたＤＩＹ空間で、セーファー・セックスの思想のもと、さまざまな出会いが組織化された。緊密な人間の関係が織り上げられ、活動と運動はさらに拡張した。運動は形をなし、そこから新たな作品や活動が生まれた。だが、アートスケープやＡＰＰや Weekend Café だけでは、〈九〇年代京都〉は、ＡＩＤＳについて考え行動するという目的意識に賛同した人たちの、少し堅苦しい集まりに過ぎなかったかもしれない。〈九〇年代京都〉の活動とさまざまな運動を特徴づける（もしかすると最も重要な）特徴は、接触と快楽を肯定するというその社会性にある。〈九〇年代京都〉におけるほとんどの活動が、クラブ・カルチャーにおける接触と欲望の肯定を培地として起きていたことを、あらためて強調しておきたい。

6　Electric Blanket――皆でともに見る夢

一九九四年八月、アジアではじめての国際ＡＩＤＳ会議が横浜で開催された。これに合わせてDumb Typeは、他のいくつかの団体と協力し、国際会議の会場にある広場（プラザ）を使ったアウトドア・パーティ「Love Ball」と、ＡＩＤＳに関するスライドショー「Electric Blanket（エレクトリック・ブランケット）」などからなる、「LOVE＋」というイベントを企画した。Dumb Typeのメンバー、ＡＰＰやアートスケープに出入りしていた人たち、Diamonds Are Foreverのメンバーなど、総勢数十人がこの企画に参加した。関東圏の知人たちの協力も得て、イベントには多数の人びとが集まった。会期中ＡＰＰは、国内外のＡＩＤＳ ＮＰＯとともにブースを出展し、世界各地からやってきたＰＷＡ（People living With AIDS）やＮＰＯワーカー、アクティビストたちと交流した。

エレクトリック・ブランケットは、ニューヨークのVisual AIDS[19]が、一九九〇年にニューヨーク市ではじめたプロジェクトである。複数の写真家が撮影した多数の写真、統計情報、スローガンなどをちりばめたＡＩＤＳに関する壮大なスライドショーで[20]、スライドは基本的に、野外の公共空間で、静かな音楽とともに上映された（つまり、美術館におけるのとは異なる意味で、それを見ようという関心をもたない不特定多数の目に向けられる）。

全体は、「メモリアル」「アクション」「ドキュメント」の三部からなる。「メモリアル」は、ＡＩＤＳで亡くなった人びとの肖像。「アクション」は、デモや抗議の様子の写真。「ドキュメント」は、ＡＩＤＳとともに生きる人びとの生活や、ケア提供者たちの状況などを写した写真である。エレクトリック・ブランケットは世界各地で上映されたが、その場所ごとに写真や新たな情報を追加するものなので、横浜でも日本版を作ることになった。

エレクトリック・ブランケット日本版の制作は、Dumb TypeとＡＰＰのメンバーら京都組と、田崎英明らVisual AIDS TOKYO Installation Staff（ＶＡＴＩＳ）の東京組メンバーが合同で行った。さまざまな団体や写真家、新聞社などに連絡し、企画と意図を説明して写真の提供をお願いし、日本における

19 Visual AIDSは、ＡＩＤＳについての懸念を共有するアート専門家が集まって作った、多様性をもった集団で、一九八八年に創設された。

20 プロジェクトの中心となったのは、アラン・フレイム Allen Frame、フランク・フランカ Frank Franca、ナン・ゴールディン Nan Goldinという三人の写真家である。https://visualaids.org/projects/electric-blanketを参照。

ＡＩＤＳの現状をリサーチしてデータにまとめた。京都や東京で活動する日本の団体（そこにはＡＰＰも含まれる）の様子も撮影した。当時はインターネット普及以前なので、国内外とのコミュニケーションは、すべて電話・手紙・ファックス等で行われた。丁寧に連絡をとりあい、フィルムを自分で切りマウントに入れるという地味な作業をつづけた。考えてみればこうした作業こそが何かを作るということだった。すべてのテキストを英日二言語に翻訳し、ニューヨークから送られてきた写真と合わせて、スライドの数は最終的に数百枚に達した。八月六日からの三日間、来日したVisual AIDSの二人と話しながら、全体を東京で再編集して日本版が完成。八月九日と十日にプラザで上映された。

アメリカから届いた写真のなかには、数多くのＰＷＡのポートレートや、ACT UPのデモの光景、病院やホスピスなどの写真があった。日本からは、数少ないＨＩＶ陽性者の写真と、ＨＩＶ陽性者や同性愛者支援団体、そしてＡＰＰやＶＡＴＩＳなどの活動風景を記録した写真が加わった。ルーマニアとウガンダの写真もあった。それぞれは小さな章となり、組み合わさってひとつの巨大なスライドショーが生まれた。

エレクトリック・ブランケットというプロジェクトは、もともとは非常に小さな規模で行われていたものだ。その起点は、ニューヨークの写真家たちが自分の友人たちを撮影したプライベート写真にある（そこに、ＡＩＤＳという問題が入りこんできたのだ）。複数の写真家が、友人や自分たち自身の写真を持ち寄った結果、ＡＩＤＳをめぐるこの草の根のドキュメンタリー活動は、一人の目ではとらえることのできない範囲に広がった。コミュニティ内の／パブリックな出来事を記録した写真に、世界各地で収集された新たな写真が加わって、ローカルな場所の出来事がＡＩＤＳという視点から地球規模で記録されていく、とても大きなプロジェクトになったのだ。

小さな起点から何かがはじまり、それが自分たちのごく身近な人たちに影響を与え、そこからプロジェクトが自立して、公共空間に現れる。それがさらに周囲へと影響を与えるというこの構造は、〈九〇年代京都〉にも共通するものだ。「社会に関わる」というと、路上に出たり抗議したりすることをイメージするかもしれないが、〈九〇年代京都〉が「関与」した社会とは、まず誰よりも自分たち自身であり、その周囲にいる友人や知人たちだった。芸術的な創造力は、まずはプライベートな関係性の場における社会性を（古橋の手紙）、そしてその周囲からコミュニティ（クラブやカフェ空間）における社会性を変容させていった。「関与される社会」とは、誰よりもまず私たちのことであり、その変化を感受する「観客」とは自分たちのことだったのである。

エレクトリック・ブランケットは、写真とテキストを収集しつつ展開する、ＡＩＤＳとアートとアクティビズムについての、草の根的な活動から生まれたアーカイブ作品である。それは一九九〇年代の京都・東京や一九八〇年代のニューヨークにいた人びとを包みこむ、一種の集合的セルフ・ポートレートでもある。静かに移り変わる写真とテキストをながめながら、私（佐藤）は、自分の記憶と他者の記憶が重なり合っていくような感覚をおぼえたことを記憶している。自分たちがきわめてローカルな場所でやっていたことは、ニューヨークやウガンダで起きていることと併置されうることだったのである。私はこの頃ようやく「アクティビズム」ということばの意味を理解したように思う。映像は、複数の場所と時間で起きたことを並列させ、現実的には決して見ることのできない集合的なセルフ・ポートレートを、世界中から集まっていた観客たちに向けて投影していた（図3）。

このテキストの出発点に戻ろう。古橋悌二は、自分の前にある壁に気づいた。アーティストだけでは対処しきれないような高い壁だ。にもかかわらず彼は、アートによってその壁を越えよう、と「友人」たちに呼びかけた。なぜ彼はアートの可能性を信じたのか。彼は芸術の何を信じていたのだろう？

死の数ヶ月前に発表されたエッセイで、古橋は「これからもきっとアートの世界で活動を続けていくだろう。でも、たとえば工場労働者、運転手、DJ、いろんな人たちと、ともに歩んでいく。そういう感覚が僕にとっては重要。芸術という名の城に閉じこもりたくはない」と書いている（古橋 二〇〇〇：三三）。「ひとりで見る夢は単なるひとりの夢にすぎない。皆でともに見る夢はリアリティと呼ばれる」のだ、とも。

別のインタビューのなかで古橋はこうも述べている。なんらかの現実に自分が直面したときに、誰かが作ってくれたイメージによって判断するのではなく、自分はその現実を前にして、何のイメージにも頼らずに反応し、その反応を咀嚼したいのだ、と。

想像の中の産物をもって観客とコミュニケートすることの意味があまり僕には感じられなくて。誰かが作り上げてくれるとか、誰かが与えてくれるイメージを自分が受けて、それによって判断することが楽なんですよね。だからどうしても、そうしちゃうんですけども。でもそこに、本当の事件とか本当の現実が目の前に出てきた時に、ある種の自分なりの反応とか、自分の心理的なフィードバックを引き受ける能力がどんどん退化してきているような気がするんです。

飽きた、なんて言うと偉そうな言い方に聞こえるかもしれないけど。でも、作品を作る、それを批評する人がいて、それを好む人・嫌う人がいるみたいな。何かその程度のコミュニケーションっていうのに、やっぱりどっちも飽きてるような気がするんですよね。受け手も送り手も。だから〝アート〟っていうひとつの職業ではなくて、やっぱり、自分をもっと、心の底から動かす原動力みたいなものとしてとらえたい。[21]

21 TBS系列のニュース番組、「筑紫哲也 NEWS 23」でのインタビューより（一九九五年）。

図3 Electric Blanket（1994年8月、パシフィコ横浜 プラザ）

LOVE POSITIVE

アーティストだけが見る夢ではなく、いろんな人たちと見る夢。古橋の手紙をひとつの起点として生じた波は、多くの人たちが他者とのあいだに形成する社会性のあり方を変化させながら、その夢のあり方を少しずつ変えていった。アートとはこうして作られていく夢なのだ。現実にはまだ誰も見たことのない光景を、皆でともに見るその夢のことなのだ。

7 〈二〇年代地球〉：パンデミック禍／後における夢の継承

ここで一気に時計の針を三十年先へと進めよう。

二〇一九年末より、世界の大部分がCOVID-19の猛威に巻き込まれていた。日本に住む我々ひとりひとりもその状況下を生きる当事者となった。陽性者の隔離、他者との接触を避けるための外出自粛や在宅勤務、経済的格差の拡大、錯綜する情報／フェイク・ニュースを介した思想の偏重や対立。それらは、「ニュー・ノーマル」という日常のリアリティとなった。

その最中の二〇二一年六月、ひとりの京都出身のラッパーが「LOVE＋」というタイトルのミュージック・ビデオ[22]をYouTubeで公開した。

Girl, I need your love　分断されてる世の中で
色気の無い世界に　スパイスを落として
Girl, I need your love　勿体ないくらい言葉を使って
伝えるlove, love, love　与えるように
（中略）
そばにいるからBaby　分断されてる世の中で
I just wanna find something　頼れる物
（中略）
I know God, I know love, I know hope, right on, right on
We are blessed, we are blessed, we are blessed. Girl, I need your love

歌詞では、「分断されてる世の中」を生きる当事者が求める愛や生の肯定が伝えられる。楽曲構成自体も、ヒップホップ、レゲエ、ドラムンベースといった複数のジャンルを横断するものとなっており、超

22　Daichi Yamamoto「Love＋」https://www.youtube.com/watch?v=2CxDV8BBt4M（最終閲覧日：二〇二二年五月二日）

越・連帯・自由といったキーワードを聴き手に想起させる。その上で踊る言葉たちは、ニュー・ノーマルを生きる我々の心情を図らずとも代弁したものであり、聴き手を悲観させることなく、徐々に増していく疾走感の後に多幸感を享受させる。しかし何より本論において着目すべきは、その楽曲冒頭とエンディングに古橋の肉声が挿入されている点である。それは前項末尾でも引用されているニュース番組「NEWS 23」（TBS 一九九五）の特集で収録されたインタビュー[23]の一部である。

作品を作る、それを批評する人がいて、それを好む人・嫌う人がいるみたいな。何かその程度のコミュニケーションっていうのに、やっぱりどっちも飽きてるような気がするんですよね。受け手も送り手も。だから〝アート〟っていうひとつの職業ではなくて、やっぱり、自分をもっと、心の底から動かす原動力みたいなものとしてとらえたい。[24]

この楽曲「Love＋」をリリースしたDaichi Yamamoto[25]（以下、Yamamotoと表記する）は、日本人の父とジャマイカ人の母のもと、一九九三年に京都で生まれている。Yamamotoの父は、Diamondsが現在（二〇二二年五月）でも毎月開催されているCLUB METRO設立者のニック山本[26]である。ロンドンでインタラクティヴ・アートを学んだYamamotoは、二〇一七年十月に帰国し、日本での音楽活動を開始している。パンデミック禍に制作された「Love＋」を含む自身のセカンド・アルバム『WHITECUBE』（Jazzy Sport 2021）に関するインタビューでは、古橋のインタビュー音声をサンプリングした経緯を以下のように述べている。

〝Love＋〟の冒頭で使わせてもらった古橋悌二さんの言葉に助けられたんですよね。周りの評価じゃなくて、自分を突き進めるために作るっていうのは制作中にすごい支えられました。（中略）去年Dumb Typeの公演を観たり、古橋さんの著作を読んだりして、あのインタビューにたどり着いたんです。ぜひ使いたいと思ってご家族に連絡して使用許可を頂きました。

（聞き取り：和田哲郎 二〇二一年七月）[27]

図4 Daichi Yamamoto のセカンド・アルバム『WHITECUBE』のジャケットアート
（2021年6月発売・配信開始、Jazzy Sport）

23 古橋は、このインタビューの約七ヶ月後に敗血症で逝去した。

24 TBS「筑紫哲也 NEWS 23」でのインタビューより。一九九五年三月頃の撮影と思われる。

25 Jazzy Sport所属アーティスト。

26 ニック山本は、三年間に及ぶジャマイカ／ニューヨーク間での生活の後に帰国して、一九八六年には京都市三条木屋町にレゲエ・バー「RUB A DUB」をオープンした。一九八九年に京阪電鉄・丸田町駅（現・神宮丸田町駅）が開業すると、一九九〇年四月に駅直結の地下にCLUB METROをオープンした。（朝日新聞二〇二一年四月二十三日夕刊記事参照）

27 「【インタビュー】Daichi Yamamoto『WHITECUBE』｜好き嫌いじゃない曲が揃った」https://fnmnl.tv/2021/07/14/130896（最終閲覧日：二〇二二年五月二日）

最初は作品に共感というより、漠然としてかっこいいなと思ったり、心が落ち着いたり、安心する感覚がありました。（中略）父がレゲエバーをやってるんですけど、差別は相手のことを知らないから生まれてるんだと思っていたようで、だから「ブラックカルチャーはかっこいいんだって思わせたら勝ちだ」と昔から言ってたんですよね。（中略）とやかく曲で言うより、めっちゃええやんって曲で思わせるほうが意識は変えられる気がする。

（聞き取り：斎井直史 二〇二一年七月）[28]

〈九〇年代京都〉におけるDumb Typeや古橋の作品ならびにインタビュー映像から感知される「かっこいい」の強度が現代を生きる者にインスピレーションを与えているという事実は、それが「人間の精神に影響をあたえるものの中の最も公平な手段」としての芸術において重要な要素であることを気づかせる。〈九〇年代京都〉の活動においても、それはユーモアとともに注入され、実践・実現されていたのであり、特にシリアスな問題と向き合う際に求められていたことが佐藤の追想からも察せられる。

矢野原が京都市立芸術大学芸術資源研究センター（以下、芸資研と表記する）において、佐藤と元Dumb Type（創設メンバー）・小山田徹[29]に〈九〇年代京都〉の継承についての見解を伺った際[30]、小山田は以下のように話した（この発言の前には、佐藤による本稿の趣旨についての説明があり、矢野原の調査地であるカメルーンの熱帯林に暮らすピグミー系狩猟採集民 Baka の社会では伝統音楽文化の継承について語られる場面が観察されないことについての言及があった)。

ある文化の伝統継承にヒロイズムは必要ないのだと思う。それに、たとえそれが受け手の主観や誤読で変容させられてしまったり、無断で参照されたりしながらでも、次世代へと伝わっていくというのがある種の文化伝承の自然な形だと思う。(中略) Dumb Type は、「こんなことをしたら面白いんじゃないの?」という発想を共有する集まりとして始まった。(でもそれは) ひとりではできないし、言語化さえできない。それについて皆で手を出していって、「あ、それだ」となるものに決め

28 〈『WHITECUBE』リリースインタビュー:Daichi Yamamoto「音楽や芸術は差別や分断をチャラにできる」隔絶されたスタジオからの願いが込められた最新作〉https://www.cyzo.com/2021/07/post_286231_entry_3.html(最終閲覧日:二〇二二年五月二日)

29 現・京都市立芸術大学教授。

30 小山田への聞き取りは、あらかじめ設定されていたものではなかった。二〇二二年四月十二日、芸資研にて、佐藤と矢野原が、石原友明(京都市立芸術大学教授)と一九九四年に開催された「LOVE +」の記録映像を鑑賞していた際、偶然、小山田が通りがかり、当時の出来事について皆で語り合う流れとなった。本稿に記載した聞き取りは、その翌日に再び偶然、芸資研を通りがかった小山田との雑談の中で生まれたものである。

ていく。Dumb Type が何かを決定する時、なぜそれにするのかという明確な理由は語られなかった。強いて言うのなら、「かっこいいから」ということだった。

（聞き取り：矢野原　二〇二二年四月　京都市）

矢野原が二〇二一年十二月に Yamamoto に、楽曲タイトルを「Love＋」とした理由について尋ねた際、どうやってこのタイトルが生まれたのかを本人は良く憶えていないと話していた。したがって、古橋の言葉[31]や、横浜で開催された「LOVE＋」からのサンプリングではない可能性もある。しかし、いずれにせよ Yamamoto が〈九〇年代京都〉の波動（作品や運動そのもの）から「かっこいい」を感じ取り、それを自身の制作活動を前進させるための原動力へと転換させた事実は、小山田の言う「文化伝承の自然な形」の一事例と言えるだろう。

ここで、〈九〇年代京都〉で生まれた波動について理解するための三つのポイントを整理したい。そこから、〈二〇二〇年代パンデミック禍／後の地球〉（以下〈二〇年代地球〉と表記する）でその波動を再び増幅させることの意味について検討する。

一つ目のポイントに、人命に関わる社会問題を通してつながった人々が拓いた「新たな社会性」が挙げられる。〈九〇年代京都〉に関わった若きアーティスト、学生、研究者たちは多種多様な社会的役割を担いながらも、何かの目的を遂行するために集まった専門家集団としてよりは、ユーモアや快楽を交えて豊かな時間と場を共創する「友人たち」として集まっていた。そこで共有されていたのは、何らかの目的を遂行するために必要とされるラポール（信頼関係）以上の、理由や目的が明白でなくとも関わり合う社会性、あるいは「絆」であったと考えられる。

二つ目のポイントに、比較的狭い範囲で起こった「場の連動」が挙げられる。「二十人の友人」という小さな社会の片隅へと古橋が投函した手紙が起こした波紋は、「絆」というアンプリファイヤーを通じて様々な運動の動機を生む波動へと増幅されていった。その震源地は、コンパクトな街・京都のこれまた小さな一角であった。やがて京都や日本という枠を越えて国外の大きな波とも連動することになるのだが、その発端は若者たち中心のＤＩＹ活動の中で生み出された小さな共有空間だった。さらに、古橋が

31　古橋は以下のように語っている。「人間はまずひとりひとりにアイデンティティーがあり、次に性別やセクシュアリティー、職業といった特性が付随してくる。レズビアンとかゲイとかは社会によって意味付けされたものだから、それに囚われていては損です。進化に敏感な人たちは、自分が満足するだけではなく、周囲の人々にいい影響を与えるような生き方を提示しています。僕らは〝ラブポジティブ〟って呼んでるんですけど、ちょっとしたひと言や行動を躊躇しないほうがいい。本心を偽ることは自分の保身にはなっても、世界の保身にはならないから」（平林　二〇一五）

ニューヨークから持ち帰ってきたアメリカ式ドラァグ・クイーンパーティという文化が、同時期にニューヨークのクラブ・カルチャーに衝撃を受けて帰国したニック山本によって創設されたCLUB METROというハコと出合う偶然も、「身体的接触と欲望を肯定する社会性」を促進する決定的な要素[32]として「場」を整えていった。時代性と新たな社会性を背景に渦巻き始める「場」には、それを拡張するための外部要因を引き込む（偶然の重なりを生む）性質が宿るものと思われる。そして、その場に集う者たちにも、その「場」のエージェンシーは強く働きかけることになるのだ。

三つ目のポイントに「映像[33]」というメディアがその活動の中で駆使されていたことが挙げられる。古橋による最初で最後のソロ・プロジェクト《LOVERS——永遠の恋人たち[34]》を含む当時のDumb Typeの作品には、当時最先端のメディア・アートが取り入れられていたため、現在でもそれらが再生可能な形で残されている。また、横浜でのエレクトリック・ブランケットでは、〈九〇年代京都〉と関東・海外の活動家たちとの協働作業から生まれたスライド映像が上映され、当時の佐藤をはじめとする当事者たちに「我々の活動はアクティビズムなのだ」と客観的に再認識させる機会を与えた。と同時にそれらの映像がもつアーカイブ性は今を生きる我々が彼らの「夢」の続きを思考する際の手助けにもなっている。矢野原自身が、〈九〇年代京都〉について知る前に、Yamamotoのミュージックビデオから YouTube アルゴリズムを介して《S／N》や古橋のインタビュー映像へ辿りついたように、映像がもつデジタル・アーカイブ性と現代のオンライン・テクノロジーの融合は、その映像自身が持つ背景・文脈や時空といった制約を超越した「偶発的伝承」を可能としている。昔の映像になればなるほど、その映像の作者が想定した受け手とは別のところへたどり着く可能性をもつことにもなる。そうやって伝達されるメッセージは、ときに作者の意図とは異なる形で誤読・誤訳され、受け手の主観とセンスに委ねられながら「伝承」されていったり、されていかなかったりする。その映像が「人間の精神に影響をあたえるものの中の最も公平な手段」として何かを伝えようとしている場合、何かが伝わるか否かは、その映像の力能によるところが大きいのは言うまでもない。そして、〈九〇年代京都〉という、古橋がＨＩＶ当事者であることを友人たちに伝えてから逝去するまでの僅か三年の間に生み落とされた作品・映像群に宿った力能は、〈二〇年代地球〉を生きる我々に社会性を変化させようとする新たな動機を与えている。古橋自身がウィルスと共生しながら「当事者のアーティスト」として社会にかかわることで生み出した表現は、〈二〇年代地球〉が直面する事態によって促進される人間同士の仮想的接触関係の予兆として鳴らされてい

32　佐藤が本稿第5節で述べたように、身体的接触・欲望を肯定する場は、とかく思想的議論の比重が大きくなりがちなアクティビズム・アートを前進させる上では、必要不可欠な「バランサー」的役目を担っていると言える。
33　ここでは、音声や音楽を含む意味で用いる。
34　https://www.moma.org/calendar/exhibitions/1652（最終閲覧日：二〇二二年五月二日）

た警笛[35]にさえ感じられるのだ。古橋は、先述のニュース番組でのインタビューにおいて、《S／N》の観客へ向かって「本当のこと」を見せる意味について問われ、以下のように答えている。

誰かが作り上げてくれるとか、誰かが与えてくれるイメージを自分が受けて、それによって判断することが楽なんですよね。（中略）でもそこに、本当の事件とか本当の現実が目の前に出てきた時に、ある種の自分なりの反応とか、自分の心理的なフィードバックを引き受ける能力がどんどん退化してきているような気がするんです。

（筑紫哲也 NEWS 23 一九九五）

こうして振り返ってみると、総じて〈九〇年代京都〉は、社会というよりはもっと具体的な個々人へ向けて「社会性の更新」を訴えていたものだと考えられる。（「社会性の更新の必要性を投げかけられている状況」という点において〈九〇年代京都〉と〈二〇年代地球〉は共鳴しているのだ。）つまり、古橋やDumb Typeをはじめとした〈九〇年代京都〉という「場」が生んだ波動が社会を生きる個々人に広く呼びかけようとしていたのは「新しい社会性の共同開発」であり、それを促進させるために作品が生み出されていたと考えられる。そこから波及的に起こる新たな運動や、現代においてなお再現・拡張されていく波動そのものが「社会性の芸術」と呼べるものなのだろう。

二〇二二年現在、我々は繋がりたい相手とテクノロジーを介して容易に繋がれる時代を生きている。裏返せば、次の瞬間には容易に断絶・分断される可能性を多分に含んでいる時代ということだ。小山田は次のようにも話していた。

〈九〇年代京都〉の時代において）お互いの関係というものは簡単には切断できないものだった。お互い、関わるのならちゃんと関わらなきゃいけなかったし、何か相手としたいことがあるのなら、労力と時間をかけてちゃんと話をしなきゃならなかった。そうしないと「自分」が伸ばせなくなるから。

（聞き取り：矢野原　二〇二二年四月　京都市）

この言葉と、古橋の「旧態の人間関係の在り方」を「保守する見えない力をなんとか解体する」ためにあらゆる人々と「出会い、真摯に語り合い、一緒にこの大亡命を夢みることが重要」という語りを重ね合わせると、今、ひとりひとりが能動的に新たな社会性の開拓に取り組む姿勢が必要とされているこ

35　特に《LOVERS——永遠の恋人たち》を参照されたい。https://www.moma.org/calendar/exhibitions/1652（最終閲覧日：二〇二二年五月二日）

とがわかる。では、我々はどのような社会性をもってして、我々の力だけでは解決できそうにない難題に取り組むべきなのだろうか。〈九〇年代京都〉の発生・発展の過程から学べることのひとつは、大義名分や明確な目的はなくとも、とりあえず自分の周囲の者と、自分の手が届く範囲で、「集まる」ということだ。その際、個々の役割は明確に決まっていなくて良いし、その役割が互いに臨機応変に変化しても良い。むしろ、あらかじめ固定された関係性や、お互いの専門性を交換するだけの社会性は弊害となるため、避けられるべきなのだ。集まることから自然発生する「場」のエージェンシーが、我々の想像を超えた新しい社会性をもたらすのを待つという態度でも良いだろう。我々がすでにもってしまっている社会性の概念をひとまずどこかへ置いた上で集まろうとすることが、新たな社会性のありかたを見つけるための第一歩となる。そして、集まった皆が「これだ」となる社会性を見つける能力を我々自身が発現させる、その過程を集まった者たちと経験することこそが、「社会性の芸術」の実践なのである。

参考文献

モーリス・アルヴァックス（二〇一六）『記憶の社会的枠組み』鈴木智之訳、東京：青弓社。

石谷治寛（二〇一九）「水瓶座の時代を夢見て――１９９０年代京都の複数の時間」『ＭＡＭリサーチ００６：クロニクル京都1990s――ダイアモンズ・アー・フォーエバー、アートスケープ、そして私は誰かと踊る』東京：森美術館、一〇―一五頁。

――（二〇二〇）「ＡＩＤＳ危機の時代のクラブカルチャーと芸術実践のアーカイブ――視点・過程・展示」『COMPOST』（Vol.1）京都市立芸術大学芸術資源研究センター、一〇―四〇頁。

今村仁司（二〇〇七）『社会性の哲学』東京：岩波書店。

佐藤知久（二〇〇五）「病いへのまなざし――日本におけるジェンダーとＨＩＶ／ＡＩＤＳ像の構築」田中雅一・中谷文美編『ジェンダーで学ぶ文化人類学』京都：世界思想社、二六九―二八五頁。

――（二〇一一）「社会運動と時間――アクトアップにおけるエイズ・アクティビズムの生成と衰退」西井涼子編『時間の人類学――情動・自然・社会空間』京都：世界思想社、八八―一一四頁。

――（二〇一七）「ドラァグ・クイーン――触発するフェティッシュあるいは最も美に近い創造物としての」田中雅一編『フェティシズム研究３――侵犯する身体』京都：京都大学学術出版会、一〇一―一三三頁。

椹木野衣（一九九一）「朽ち果てる身体としてのシミュレーショニズム」『美術手帖』一九九一年六月号、七六―八九頁。

竹田恵子（二〇二〇）『生きられる「アート」――パフォーマンス・アート《Ｓ／Ｎ》とアイデンティティ』京都：ナカニシヤ出版。

古橋悌二（二〇〇〇）『メモランダム』Compiled by Dumb Type、東京：リトルモア。

森美術館（二〇一九）『ＭＡＭリサーチ００６：クロニクル京都1990s――ダイアモンズ・アー・フォーエバー、アートスケープ、そして私は誰かと踊る』東京：森美術館。

パブロ・エルゲラ（二〇一五）『ソーシャリー・エンゲイジド・アート入門――アートが社会と深く関わるための10のポイント』アート＆ソサイエティ研究センターＳＥＡ研究会訳、東京：フィルムアート社。

Crimp, Douglas with Adam Rolston. 1990. *AIDS Demo Graphics.* Seattle: Bay Press.

参考ウェブサイト

日刊サイゾー「『WHITECUBE』リリースインタビュー：Daichi Yamamoto『音楽や芸術は差別や分断をチャラにできる』隔絶されたスタジオからの願いが込められた最新作」https://www.cyzo.com/2021/07/post_286231_entry.html（最終閲覧日：二〇二二年五月十六日）

平林享子「古橋悌二インタビュー『新しい人間関係の海へ、勇気をもってダイブする』」https://cloverbooks.hatenablog.com/entry/2015/05/30/190659（最終閲覧日：二〇二二年五月十六日）

FNMNL「【インタビュー】Daichi Yamamoto『WHITECUBE』｜好き嫌いじゃない曲が揃った」https://fnmnl.tv/2021/07/14/130896（最終閲覧日：二〇二二年五月十六日）

第4部

映画におけるイメージとその拡張

ゾミアの遊動民——映画『森のムラブリ』をめぐる旅

金子遊

1 タイ北部の「森の人」

これまでぼくが手がけてきたドキュメンタリー映画のほとんどが、フィールドワーク的なアプローチの作品だったといえる。学生時代から一六ミリフィルムと八ミリフィルムで、詩人の吉増剛造や文化人類学者の今福龍太らの旅に同行して撮りはじめ、ヨルダン、イラク、石狩河口、奄美大島、喜界島、徳之島などへ旅し、一〇年分のフィルム日記を集めた『ぬばたまの宇宙の闇に』(二〇〇八年)という作品が特にそうであった。その後はヴィデオカメラに持ちかえることになったが、どこか知らない場所や未知の領域へといざなってくれる誰かと出会い、その人の活動を追うことで、映像を撮りながら遠くまで旅をするということを、近作の『森のムラブリ』(二〇一九年)にいたるまでくり返してきた。

ぼくが訪れたのは、ラオスとの国境沿いの山脈と接するタイ北部のナーン県だった。中心部の街に宿をとり、街なかをふらついて、山岳地帯へ案内してくれそうな旅のガイド役をさがした。ぼくがこの街にきたのは、オーストリアの民族学者であるフーゴー・アードルフ・ベルナツィークが書いた一冊の本『黄色い葉の精霊――インドシナ山岳民族誌』を翻訳で読んでいたからだ。その本には、二〇世紀になっても森のなかで狩猟採集をして暮らし、平地に暮らすタイ人やラオ人はおろか、隣接して暮らすモンの人たちと物々交換をするときでさえ、警戒してほとんど姿を見せることがない、タイの言葉で「ピー・トング・ルアング」と呼ばれるムラブリの人たちのことが書いてあった。タイ語では、ピーが「精霊、お化け」、トングが「バナナなどの葉」、ルアングが「黄色」の意味なので「黄色い葉の精霊」となる。

ベルナツィークの本によると、一九世紀まではナーン県からタイとラオスにまたがって広がる山地の原生林のなかにムラブリは暮らしていて、その存在は少数の猟師や村人に知られているだけだった。彼（女）らはタイ人に比べると皮膚が浅黒くて、体つきは小柄で、着物をほとんどつけていない森の遊動民であった。何の予告もなくふもとの村にやってきて、収集した蜂蜜や彼（女）らが編んだ籐細工などを物々交換のために置いていく。そして翌朝になると、村の人たちが用意した米を受けとって去っていくのだが、警戒心が強くて交換するときにも姿を見せないので「黄色い葉の精霊」と呼ばれるようになった。西欧人がはじめてムラブリと接触したのは一九二四年になってからのことだ。地元の林業の会社につとめていたスウェーデン人が、ムラブリの男たち数人に森のなかで会ったのが最初だという。彼らは自分たちのことを「森の人」という意味で、ユンブリ（ムラブリ）と呼んでいて、それが一般的な民族名として定着することになった。

このように謎めいた森の漂泊者のことを最初にきちんと研究したのがベルナツィークだった。彼は一九二〇年代から一九三〇年代にかけて、アフリカ各地、メラネシア、東南アジアなどを調査して民族誌を書くとともに、一般の人たちが気軽に読むことができる「調査紀行もの」の著書を多く発表した民族学者だった。一九三六年から三七年にかけて妻とふたりでインドシナ半島の奥地に入り、海のジプシーと呼ばれていたモーケン、狩猟採集民だったムラブリのほか、タイとミャンマーの国境地帯にある山間部に暮らす、アカ、ラフ、リスなどを詳しく調査した。ベルナツィークはまず民族誌を書いて一九三八年に出版し、そのあと五一年になってから紀行ものの部分を書きあげて、いま読むことができる著書『黄色い葉の精霊』の原書を刊行した。民族学者の大林太良が翻訳を手がけて、一九六八年に平凡社の東洋文庫から日本語訳が出版されている。

ベルナツィークが旅してから八〇年後に、ぼくはタイ側のナーン県にやってきて、いまのムラブリがどんな暮らしをしているのかを見たいと思った。ナーンの街で何軒目かに訪ねたフー・トラベルという旅行会社があった。その事務所の机のまえで暇そうにスマホをいじっていたタイ人の中年女性が、ムラブリの居場所を知っているといった。

「北の山奥に、三〇〇人ほどのムラブリが定住している村があるのよ。それから南西のプレー県にも数人が暮らしてる。北のほうが近いから、明日そちらへ案内しましょう」

翌日に旅行会社へいくと、ムラブリの人たちを撮った写真をいろいろと見せてくれた。一九八〇年代に撮られたらしい古い写真もあった。貴重な資料に見えたが、スキャンをしている時間がなかったので、持っていた一眼レフカメラで一枚一枚撮影して画像データにした。

「ムラブリに話を聞くなら、手みやげをもっていかなきゃね」

中年女性がそういうので、ナーンの中心部にある広くて多くの店が入っている市場へいった。歩きながら話していると、どうやらこの女性はムラブリが非常に貧しい境遇におかれていることに同情しており、ときどき国内外からくる訪問客をムラブリの村に案内するたびに、町からいろいろな差し入れを運んでいるらしい。そのようにいうと美談に聞こえるが、それを旅行会社の仕事にしているという意味では共依存的だともいえる。そこには貧しい人や困っている人の手助けをして徳を積むという、仏教徒ならではの考え方もあったようだ。結局、大きな缶に入ったビスケットを数ケース、豚肉のかたまりを数キロ分、それにバナナなどの果物、お米やパンをたっぷり買いこんで四輪駆動のジープに乗りこんだ。

ナーンの町をでると、背の低い木々が生い茂る山地になった。乾季の二月であるので、畑地はどこも茶色に乾燥している。北部の山岳地帯に入ると、そこは焼畑農業をするモンの人たちの領域だった。とうもろこしを育てるために焼き払った山々が連なっていて、緑の野山はまったくと言っていいほど見られない。しばらく走ってからバーンルアン郡に入ると、民族衣装を着たモン（中国側ではミャオ）の人たちが屋台を連ねて、果物や小物を売るマーケットがあった。そこを左に曲がったあと、細くて蛇行する山道に入った。思っていたようなラフな道ではなく、ムラブリの人たちが住むフワイヤク村まで舗装道路でいくことができた。竹皮で編んだ壁でできた農具を置いておく小屋のような家屋が、急勾配の坂道にそってならんでいる。ときどき家のまえにバイクが停まっているが、道は舗装されておらず、土ぼこりが舞う地面のうえでムラブリは暮らしていた。一軒の家をたずねると、床はなく、地面に直に十数センチの高さの五徳と木炭が置いてあるのが台所の代わりだ。村内の家々は見すぼらしく見えたが、内側に入るとすずしくて風通しもよかった。

大人の男たちはモンの畑への日雇い労働で出払っているらしく、村には年寄りと母親と小さい子どもしかいなかった。旅行会社の女性は年寄りと子どもたちに手みやげを渡して、ムラブリの伝統家屋をつくってみせるようにいった。おばあさんと少女たちが林に入り、鉈をふるって竹の枝とバナナの葉を切りだしてきた。そして、竹を手頃な長さに切って骨組みをつくると、そこにバナナの葉をのせて屋根にし、地面にバナナの葉を敷いて絨毯にした。そこへタイ人のガイドが、腰にふんどし一枚を巻いただけの長老のパーさんを連れてきた。パーさんは火打ち石と葉っぱでまたたく間に火をおこし、刈ってきた竹筒に豚肉を入れて蒸し焼きにした。それがムラブリが森のなかで長いあいだ続けてきた伝統的な料理法なのだった。ぼくはそれらの行動を丁寧にヴィデオで記録し、パーさんとおばあさんにインタビューした。「森での主食はヤムイモで、いろんな鳥やネズミやコウモリも食べたけど、必ず火をとおして食べた」と教えてくれた。この映像は帰国後に編集して、五分の短編ドキュメンタリー『黄色い葉の精霊』（二〇一七年）にまとめた。

フワイヤク村にきて感動したのは、地球上に三、四〇〇人程度しかいないムラブリの人たちが、この村では固有の言語であるムラブリ語を話していたことだ。驚いたことに、ここで日本からきた若手の言語学者である伊藤雄馬さんと出会うことになった。伊藤さんとその研究仲間の文化人類学者は、ムラブリの村のなかに木材で小屋を建て、中古車を購入して長期的な調査ができるように設備を整えていた。人類学者の方は、すでにこの村で一年ほど暮らしたという。さらに驚いたことに、伊藤さんは、英語、タイ語、北タイ語、ラオ語が話せるだけでなく、日本語の次にムラブリ語が得意というほどこの言語に習熟していて、ぼくの目の前でムラブリの人たちと楽しそうに会話していた。村の中央にある広場で伊藤さんと話すうちに、完全な初対面ではあったが、どちらから提案するともなく、ムラブリに関するドキュメンタリー映画が撮れないかという話題になった。

「ムラブリは、タイに二グループ、ラオスに一グループがいることがわかっているんですが、ここ一〇〇年以上、おたがいに人食いだといって警戒して近寄らず、接触がなくなっています。ぼくはムラブリ語の方言の差異を研究してるんですが、もし彼らが接触したら何が起こるかを見てみたい。それから、タイ側では一九八〇年代から政府によってムラブリの定住化が進められてきて、タイ側は次第に平地に定住するようになりました。ですが、ラオス側の十数人はまだ森のなかで、昔ながら狩猟採集の移動生活をしているようです。ぼくも彼らの野営地には行ったことがないし、まだ世界の研究者の誰もその写真や映像は撮ってませんね」

それで話は決まったようなものだった。タイとラオスの国境をはさんで、人食いの伝説によって引き裂かれている森の遊動民。いまだ写真家やテレビ番組によって撮影されていない、ラオス側の山奥で暮らす最後のムラブリたち。映像人類学的なドキュメンタリー作品をつくるためのモティーフとしては十分だといえた。あとは機材をそろえて、撮影のためのフィールドワークをいつ敢行するかというスケジュールの問題だけだった。

「二、三〇年前までは、森のなかを移動しながら静かに採集生活をしていたんだよ。それが森林伐採やら、モンの焼畑のせいやらで、森がなくなって定住することになった。けれど、いまでも森に帰りたいと思っている」

フワイヤク村の長老は別れぎわに、そんなふうに思いを語ってくれた。超少数者として隅に追いやられている民族の問題というだけでなく、ここには地球環境の問題も深く絡みあっている。二一世紀における狩猟採集民の生活をじっと見つめることで、そこからぼくたちが暮らす現代社会が抱えるひずみが逆照射されて見えてくるのではないか。この映画の企画はそこまでいかなくてはならないと考えて、身の引きしまる思いがした。

2　ムラブリの「発見」

日本に帰ってから、日本映像学会に所属するアジア映画研究会で、ムラブリをモデルにしたタイ映画と現地調査の研究発表をおこなった。ムラブリが森のなかで身をひそめるようにして、ほかの民族との接触を避けて暮らしてきたのは、さまざまな暴力の被害にあってきたからだと考えられる。モンの畑を手伝ってきたのは一九三〇年代から変わらないようだが、そのほかにティンやヤオの耕作地に近づいて野獣のように射殺された数例をベルナツィークは報告している。[1] 二一世紀にいたるまで森のなかでバナナの葉でつくったテントに寝起きし、農耕以前の時代と変わらないような採集生活を営んできたところに、この小さな民族が抱えてきたトラウマの深さがうかがえる。

ムラブリは文字をもたず、これといった起源神話のような口述伝承が残っているわけでもないので、民族の起源がよくわからない。だが、ジェームズ・C・スコットがその著書『ゾミア』で展開した論旨のように、かつては平地に定住して農耕を営んでいた人たちが、戦乱を避け、国家による重い徴税や兵役をのがれて、

1　ベルナツィーク（一九六八）『黄色い葉の精霊――インドシナ山岳民族誌』大林太良訳、東京：平凡社、二七七、二九〇頁。

避難民のように山岳地帯や森に逃げこみ、自分たちの意志で狩猟採集的な生活にもどっていったという可能性はある。前述の伊藤雄馬さんによれば、ムラブリとティンのあいだにはさまざまな共通点があり、ここ数百年くらいの意外と近い時期に定住生活を送るティンからわかれて、森に入っていったグループが現在のムラブリの祖ではないかという観点から、学際的な研究がおこなわれようとしているそうだ。

どのような理由があったにせよ、ムラブリは最近になるまで森からでてこようとしなかった。そして、そこに「人食い伝説」がトラウマのように絡みついている。中央タイとムラブリの接触の歴史から振り返っておこう。現在、ムラブリは四〇〇人ほどがタイのナーン県やプレー県、そしてラオスで暮らしているが、その九割がタイ語やラオ語を主に話すようになっており、ムラブリ語の消滅が危惧されている。一九世紀に入ってから、何らかの理由でムラブリはラオスのサイニャブリー県からタイ側に移動してきたと見られる。このあたりは、フワイヤク村の長老パーさんの証言とも一致する。一九三〇年代半ばにベルナツィークが探検によってムラブリと接触し、一九六〇年代の初頭には、サイアム・ソサエティというタイの学会が二度の言語的な調査をおこない、ムラブリがモンゴロイドで、ムラブリ語という独自の言語を話す集団だと確定された。

一九七〇年代になると、この地域では政情が不安定になった。共産ゲリラと政府軍による武力的な衝突がはじまり、近隣のラオスやベトナムで政変や戦争が起きたので、森からでてきてモン族の畑仕事を請けおい、その代わりに食べ物をもらうムラブリが現れた。この頃からタイ政府による定住化政策も進んだ。一九八二年から、アメリカ人の宣教師であるユージーン・ロングがムラブリを救済する活動をはじめ、言語や文化を損なわないかたちでの最低限の文明化と定住化を目ざした。一九八三年にはバンコクの会社が自社の物産展の呼び物として、ムラブリをバンコクに連れてきて、その存在がタイ全国に知られるようになった。

3　タイ側における撮影

言語学者の伊藤雄馬さんと何度か東京で打ち合わせをしてから、ふたたびタイのナーン県に飛んだのは、最初にムラブリの村を訪ねてから一年後の二〇一八年二月のことだった。地球上でもっとも多くのムラブリが定住するフワイヤク村に腰をすえて、一人ひとりの話をじっくり聞くとともに、彼らの定住生活を映像で記録するところから取材を再開した。この村の人口は一五〇人から三〇〇人余りといわれるが、常に人が出入りしているので、その人数は確定しがたい。村の外れに立派なコンクリート造りの学校があって、そこへ数人のタイ人教師が通い、ムラブリの子どもたちにタイ語や勉強を教えている。王族関係の助成金がでており、山間部の多様な少数民族の子どもたちに教育をほどこすことでタイ化を促進しているのだ。子どもたちは学校でタイ語を習い、家へ帰ると、親や祖父母とムラブリ語で会話するというバイリンガルな言語状況にある。

ドキュメンタリー映画『森のムラブリ』では、こうした学校のタイ人教師のほかに、トラックに食糧雑貨を載せて物売りにくるタイ人女性や、鍬や鋤を背負ってムラブリに日雇い労働を頼みにくるモン女性の姿を映像でとらえている。少しエコ・クリティシズム的な観点になるが、ナーン県の山岳地帯に入って驚いたのは、森林やジャングルがほとんど消滅して、山々がどこも丸裸であることだった。この地域に暮らす比較的人口の多い少数民族であるモンは、中国から南下してきた生活力のあるたくましい人たちだ。彼(女)らは焼畑農業をおこなうために森を焼き払い、それをとうもろこし畑に変えていった。そのためにムラブリは狩猟採集をしてノマド生活をしていた場を失い、暮らし自体が成り立たなくなった。その結果、山から下りてきて定住せざるを得なくなったという一面があるのだ。

フワイヤク村で撮った昼間のシーンに、ほとんどムラブリの成人男性が映っていないのは、モンに雇われて畑仕事にでかけているからだ。かつては森の民であるムラブリのことをモン語で「マク(訪れる人)」と呼んだそうだが、現在では別の意味で畑仕事に「訪れる人たち」になっている。映画のなかでは、一〇代なかばの少女たちが日雇い労働にでて、とうもろこしの巨大な脱穀機械とともに肉体労働をするさまを記録した。そうやって一日中働いても、彼女たちが稼げるのは二〇〇バーツ(約七八〇円)にすぎない。同じタイ北部の少数民族とはいえ、進取の気性を持つ民族とそうではない民族とでは、経済的に大きな格差があることは否めない。とはいえ、前者が後者を一方的に搾取しているかといえば、必ずしもそうとはいえない。映画では、村にひとつしかないテレビの前にムラブリが集まっているところへ、モンの農家が日雇い労働の賃金を支払いにくる場面がある。その姿を見ていると、モンの方でもムラブリの労働力を多分に当てにしていることがわかる。

ところで、誰でもフワイヤク村に滞在すれば気がつくことだが、遺伝的要因のせいか、それとも栄養不足のせいなのか、成人から老年にいたるまでムラブリの人たちは一様に体格が小柄である。村に定住する女性たちは赤子を背負い、複数の子どもを同時に世話し、大変な子煩悩に見える。大人の女性たちにインタビューをしていくと、ムラブリの女性は生涯にわたって何度も結婚して、たくさんの子どもを出産していることがわかった。そのひとつの理由として考えられるのは、子どものうちに病気などが原因で死亡する率がとても高いからだ。一説ではムラブリの平均寿命は三三歳くらいだといわれる。

プレー県にあるドーイプライワンというモンの村では、山から下りてきた男三人、女性一人のムラブリが村外れで暮らしていた。彼（女）たちは一〇年くらい前まで森のなかに棲んでいた。森の暮らしがどのようなもので、どうして村に定住するようになったのか、その経緯を含めて詳しくインタビューした。一方で、映画『森のムラブリ』では描けなかったこともある。かねてよりムラブリ同士で結婚することが多いのだが、定住生活がはじまると、女性のムラブリが地元のモンの男性に嫁ぐケースがでてきた。そうやって、この村では三人の男性が婚姻する相手を失った。嫁ぎ先に様子を見にいくと、四、五〇代と見られるムラブリ女性

図1 『森のムラブリ』メイン

図2 「黄色い葉の精霊」スチル

のバオ・イソンさんはモンの家で近代的な暮らしをしていたが、外見が明らかにモンと異なるので、まわりから少し低く見られていた。森から低地に下りて定住するムラブリのうち、女性ばかりがタイやラオやモンといった別の民族と結ばれて、ムラブリの共同体を離れるということが起きている。映画のラストシーンで長老のパーさんやロンさんは、ドーイプライワンに住む三人のムラブリ男性を訪ねて、「わたしたちの村にくれば、きっと結婚相手も見つかるよ」といい、フワイヤク村で一緒に暮らすように勧誘する。その背景には、ムラブリ同士の婚姻をうながし、子どもたちをたくさん産み育て、自分たちの仲間を増やしていこうとする少数民族ならではの努力があるのだろう。

4　人食い伝説

ベルナツィークの『黄色い葉の精霊』を読んでいたので、ある程度は予想していたことだが、ムラブリの人たちがどこからきたのかという起源をめぐる伝承や、自民族の創成をめぐる伝説を聞きだすことは困難だった。ムラブリが死んだあとにその魂がどうなるかという霊魂の問題や、目に見えない神や精霊をめぐる神話、そして年中行事としておこなわれる儀礼や祭祀について、いくら粘り強くインタビューしてもほとんど成果は得られなかった。信仰や宗教らしいものがあるとすれば、ムラブリが農耕や家畜の飼育をせず、ずっと森のなかで採集生活をしてきたのは「精霊が禁じていたから」ということなのであるが。長らくムラブリ語を研究している伊藤雄馬さんにそのことを問いただすと、彼もむずかしい顔をして次のように答えた。

「うーん、本当にぼくたちにとっての信仰や祭祀にあたるものが、ムラブリには見当たらないんですよね。広い世界にはそのような民族もいるというか。ムラブリに独自の民族衣装、音楽、踊りもないので、いまは定住してほかの民族と隣接して暮らしてますが、自分たちの民族のアイデンティティを保つためのシンボルがないんです。唯一、ムラブリ語と狩猟採集生活だけが、彼（女）たちらしさを証明するものといえるかな」

「どうして、そうなったんでしょうか」

「ムラブリは一五歳くらいになると結婚して、核家族や血縁集団の単位で森のなかを移動して暮らしてきました。食料となる芋や魚や動物がなくなったら、バナナの葉でつくった野営地を捨てて次の場所に移動するという生活。それで、危険を避けるためにタイやラオやモンなどの他の民族だけでなく、他のムラブリの集団とも接触することを避けてきた。だから家族という観念はあっても、民族という意識が希薄なんだと思います」

とはいっても、口述伝承や民族の歴史に関するエピソードを、インタビューのなかでいくつか記録することができた。ひとつは長老のパーさんが「自分たちはラオスの山から下りてきた」と明言していることだ。そして、彼の創成神話らしき語りのなかには、タレーとか、タクルトレーンとか、ムラヘンムラヨーンと呼ばれる人食い種族が登場する。「その昔、地上にはモンもタイ人もおらず、神だけがいた。神が地面をつくったあと、神の子どもが降りてきた。それがタイ人、ムラブリ、白人になった。タレー(人食いのムラブリ)は別の場所に降りたので、最初はいなかった。タイ側のムラブリは善人だが、ラオス側のムラブリはそうではない」とパーさんは語ってくれた。

さらに聞き取りを進めていくと、フワイヤク村の村長であるシーさん(約六二歳)から、「人を殺してその肉を食べたというムラブリは、入れ墨をして体に模様があり、ラオス側に去っていった」という伝聞が得られた。その話をシーさんは両親から聞いたという。ふんどしおじさんの愛称で親しまれるマットさん(約六〇歳)は、「人食いのタクルトレーンは穴のなかにいるので、もし見かけたら、木に登れば追いかけてこない。彼らは穴に潜んでいて、そこから槍で突いてくるのだ」と、やはり父母から聞いた話を教えてくれた。

フワイヤク村とドーイプライワン村のムラブリに共通して見られる人食い伝説に、ぼくは興味をおぼえた。この伝説がラオスのムラブリ集団にもあれば、三つのグループがたがいを人食いだと思いこみ、一〇〇年以上も交流していない理由がわかるかもしれない。伊藤雄馬さんの最初のアイデアは、長老のパーさんが高齢なので、最後のチャンスとして一緒にラオス側へ旅をしてもらい、森の生活をつづけるラオス側のムラブリに引きあわせるというものだった。しかし、パーさんの健康状態が国境を越える旅に耐えられないことに加えて、タイの国籍をもたない遊動民のムラブリはパスポートを取得しにくい、という大きな壁にぶつかった。

そこで、ラオス側のムラブリ探しは伊藤さんとぼくだけで行うことにし、パーさんやロンさんには、ドーイプライワン村にいる三人のムラブリに会ってもらうことにした。結果的には、このシークエンスが映画のラストシーンになった。

四輪駆動のジープを用意して、パーさん、ロンさん、少年二人、女性三人を乗せて片道二時間ほどのドライブにでた。ムラブリはなかなかナーンの街中へいく機会もないので、女性三人は買い物をしたり甘い飲み物を買ったりして楽しんだ。しかし、食堂に入って食事をとることだけは頑なに拒否した。自分たちの肌が平地のタイ人より濃いこと、そして洋服が古くてみすぼらしいことを気にしている様子だった。そこで食事をテイクアウトして、国道沿いの空き地で食べることにした。

ドーイプライワン村に到着すると、一番年の若いウォンさんしか家にいなかった。「どうやら他のふたりのムラブリは、フワイヤク村から他のムラブリがくると知って森のなかに逃げた様子です。本当に人食い伝説を信じているんでしょう」と伊藤さんはいった。およそ一〇〇年ぶりに再会したムラブリたちは、たがいの方言のちがいを確認しあった。「目」「犬」「食べる」といった生活における基礎的な語彙が、方言的に言語が変化したというだけでは説明できないくらい、両グループでは異なっていた。伊藤雄馬さんの説では、集団においてあえて言葉を変える「秘儀化」をしてきたという。森で出会ったムラブリ同士が、たがいを自分の属する集団なのか、それとも危険な集団であるのか、見かけだけで判断することは難しかった。そこで、自分たちの集団だけで通用する語彙をつくりだし、異なる言葉づかいをする集団に会ったときには、すぐに逃走するということをしてきたのではないか。

そして、フワイヤク村からきたパーさんとロンさんは、ドーイプライワン村に暮らすウォンさんに対して、熱心にこの村の三人の男性が自分たちの村に移り住むべきだと主張した。特にパーさんは「自分たちはむかし、ラオスからやってきた集団だ。わしらは良いムラブリで、決してこわいムラブリではないよ」と、ウォンさんに対して切々と訴えた。その様子を見て、伊藤さんとぼくは考えちがいをしてきたのではないかと思えた。たしかにムラブリの異なる集団が出会うのは一〇〇年以上ぶりであろう。だがしかし、パーさんやロンさんが他のムラブリを説得する姿には慣れたところがある。嫌い合っているムラブリたちに再会してもらうという介入は伊藤さんのアイデアであり、映画を撮るにあたってムラブリたちに呼びかけたことだった。しかし、タイ側のムラブリはここ二、三〇年のあいだに定住化が進むにつれて、タイ人から定住をうながされただけではなく、積極的に森にいるムラブリを少しずつ口説いて定住する仲間を増やしてきて、いまのフワイヤク村の繁栄につながっていることが推測できた。つまり、ぼくたちが介入だと考えた異なる集団のムラブリ同士を引き合わせる行為も、定住化の歴史のなかでくり返されてきたことであり、この機会をうまく利用したのはムラブリのほうなのかもしれなかった。

図3　長老パーさんと伊藤雄馬さん

図4　フワイヤク村

ゾミアの遊動民——映画『森のムラブリ』をめぐる旅

図5　子煩悩なムラブリ女性たち

KORAT

図6　ドーイプライワン村のムラブリ

図7　ふんどしおじさんと森へ

図8　ムラブリのいも掘り

5　ラオス側の探査行

フワイヤク村に伊藤さんたちが建てた小屋の床板の上に寝袋を敷き、寝づらくて何度も寝返りを打つ夜に、正直なところぼくは疲れていた。いったんナーンの街中のホテルにもどってベッドのやわらかさを堪能した。そのあとで、バスで北上してフワイコンのタイとラオスの国境を越えた。ぐるっと山岳地帯を迂回するように移動し、ラオスのサイニャブリーの街に着くまで十数時間かかった。ラオス側に入った途端、天才的な言語能力をもつ伊藤雄馬さんがラオ語を話しだし、地元ラジオのディスクジョッキーに電話をかけたり、旅行会社に話を聞きにいったり、森の奥に棲むムラブリたちが目撃された村を懸命にさがした。それから、だいたいの目処がついたところで、サイニャブリー県ピアン郡の観光局に電話をかけて撮影の許可を求めたところ、行政の担当者は「地主に許可を得てくれ」といった。

話題は少し飛ぶが、二〇二一年一一月にメキシコのユカタン半島でおこなわれた「ＩＵＥＳ先住民・民族誌映画展」で『森のムラブリ』を上映したとき、オンラインのティーチインの時間に「映画の後半は、なぜテレビの探検番組みたいになっているのですか」と海外の人類学者から質問された。「多少、映画をおもしろくするために構成した面もあるけれど、実際にこれがラオスでムラブリを探したときに起きたことなんです」とぼくは説明した。その言葉に嘘はなかった。ムラブリが棲むとされるラオスの国立生物多様性保全地域の山岳地帯へ行っても、南北数十キロにわたって広がる原生林を前にして、彼らに会える保証はどこにもない。森の漂泊者たちに、事前に取材のアポイントをとる方法など存在しないのだ。ムラブリが里に下りてきて物々交換するといわれるA村とB村が、調査地の候補にあがった。ラオス人の長距離タクシーの運転手と相談して、A村は道路が舗装されていなくて車で行くのは大変なので、ひとまずB村にいくことになった。

ところが、ぼくはここがタイではなくラオスだということを忘れていた。移動中にスマートフォンで写真を撮っていたときはよかったが、後部座席でヴィデオカメラをだして風景を撮っていると、運転手が「お前たちは何しにきたんだ」と騒ぎはじめた。社会主義国や独裁色の強い政権をもつ国家では、何か見慣れないことがあると、すぐに市民が当局に密告する。このときは「少数民族の文化を研究しにきただけだ」と説明した。サイニャブリー県の観光局の人に問い合わせると、「地元の地主に撮影許可をもらう必要がある」といわれ、大きな田舎家を訪問した。その地主には「撮影は許可するが、自分の名前も顔もださないでくれ」といわれた。後日、ラオス研究の専門家に聞いたところ、そのようなケースはよくあることで、地主というよりは村長か副村長だったのではないかと教えてくれた。

B村は街道沿いの小さな村だった。ひなびた農村でムラブリが山から下りてくるのを待つことになった。村に宿はないので、ティット・レーンさん（七四歳）というラオ人の農家の世話になった。犬やニワトリやアヒルを放し飼いにしている農家の庭先で、ホースから直接冷たい水を浴びるのがシャワー代わりだった。日が暮れると、農家の居間で老夫婦と長男のペンさん（二八歳）夫妻とともに、言葉のわからないタイの番組を観て過ごした。ラオスの国営放送は半日くらいのあいだニュースを流すくらいの番組しかつくっていないので、ラオスの庶民は言葉がなんとなくわかるという程度のタイの番組を観ていた。冷たくて固いコンクリートの上に茣蓙《ござ》を敷き、寝袋一枚で眠るのは仕方ないが、客用の蚊帳がひとつしかなかったので伊藤さんとふたりで肩を寄せあって寝た。

食事も郷にいれば郷に従うしかない。タイの東北部のようにもち米を炊き、それを手でにぎって餅状に練りゲーンパックという野菜スープにつけて食べたり、クアシンと呼ばれる豚肉のソテーと一緒に食べているあいだはよかった。地元で「レン」と呼ばれる野生のトゥッケー（ヤモリ）を、とうがらしや野菜と煮込んだスープがでてきたときには、さすがに驚いた。年老いた奥さんが庭で、変な生き物をぶつ切りにする姿を目撃していたので、「今夜の夕飯は怪しいな」と警戒をしていた。ゼリー状の皮と白身の肉を骨から剝がしながら、食感はまあまあ鶏肉に似ているのかと思って食べた。帰国後にヤモリ料理の話を知人にすると、「人間は何だかわからない肉を食べるとき、脳内で自動的にそれを鶏肉に変換するんだ」といわれて、さもありなんと思った。そのときはラオカオというアルコール度数の高いもち米の蒸留酒を飲んで、トゥッケーの皮と肉を胃のなかに流しこんだ。

ティットさんの家からは乾燥して砂ぼこりの舞う農道が見え、繁茂している緑の密林が遠くにあった。夕方になると、庭で昆虫や爬虫類の声がざわつき、遠くの野山に集まる鳥たちの声とともに多声的なオーケストラ演奏がはじまるのだった。夕暮れどきの定番となったその音楽に耳をすませながら、「このまま村に滞在していてもムラブリには会えないのではないか。こちらから森に出向くしかないのではないか」と伊藤さんと話しあった。ティットさんの話では、B村からもっとも近いムラブリの野営地はフアイハンと呼ばれ、徒歩で六時間くらいの登山ルートである。その先にフアイホイやフアイサナーやフアイヒーという野営地があり、ナウウェンの野営地まではおよそ四〇キロ、森の反対側のA村までは六〇キロくらいの距離がある。そのあいだをムラブリは徒歩で移動しているので、彼らが今どこにいるのかは誰にもわからない。二月は乾季で比較的歩きやすいとはいえ、外国人が山のなかで遭難したら命の危険にかかわることだろう。

6　ムラブリとの邂逅

翌日、どのような山なのかを下見するため、ティットさんに森の入り口まで案内してもらうことになった。三人で土ぼこりの舞う農道を歩いていると、肌が浅黒くて目のギョロっとした三〇代くらいの男が森のほうから下りてきて、手ぶらで歩いていた。それがムラブリのカムノイさんだった。彼は森で生まれたので正確な年齢はわからない。伊藤さんがムラブリ語で話しかけても理解できないようで、母語を失ったラオ語の話者になっていた。

その日の夕方、カムノイさんがティットさんの家に現れたときには、すでに酒に酔っていた。ティットさんと伊藤さんは、ムラブリが森のどのあたりにいるか聞きだそうとするが、「ファイハンにいるはずだ」とカムノイさんはいうだけで詳しく話してくれない。メナムハンといえばメナム川のことだから、「ハン」は支流や小川のことを意味するので、川の近くにある野営地なのか。ムラブリが村で宿賃を払うことはなく、カムノイさんには無料で食事とラオカオ酒が提供された。彼は酔い心地になって、ラオ語で即興的な歌をいろいろと歌った。さらに「森のなかで音楽を聴きたいから携帯電話を買ってほしい」と頼まれたが、「ぼくたちを森の野営地まで送ってくれたらそうしよう」と約束した。森のなかで電波は通じないのだが、携帯電話を音楽を聴くためのプレイヤーとして使っているらしい。野営地では充電できないので、ムラブリは六時間以上の道のりを山から下りてきて、それを充電してまた森に帰るのだ。それで、カムノイさんに原生林のなかを案内してもらえると安心したのだが、朝起きるといなくなっていた。ムラブリがまったくの自由な遊動の民であることをこのときに身をもって理解した。

われわれはラオ人の気立ての良さには度々感嘆した。なるほど彼らはピー・トング・ルアング族に関しては知ったか振りの顔で微笑したけれども、彼らのためにどんな仕事も不平をいわずにやった。彼らはピー・トング・ルアング族が一日中怠けているのを眺め、自身たちに十分食糧のないときでも彼らに自分の肉や米を静かにもっていってやった。（……）このように大切に扱われたにもかかわらず、ピー・トング・ルアング族は依然として打ち解けず、よそよそしかった。彼らは決してミャオ族やラオ人の仲間に入らなかった。[2]

ベルナツィークは初めてムラブリと邂逅したときにこのように書いたが、彼が観察したことは八〇年後でも大きくは変わらない。ぼくが見たムラブリとラオ人の関係は、おおよそベルナツィークが書いたとおりだった。森の案内人として当てにしていたカムノイさんが風のように姿を消したので、伊藤さんとぼくは少なからず動揺した。ところが、その日の午後に別のムラブリが山地から里へ下りてきた。一五歳の少女であるナンノイと一三歳の少年のルンである。子どもたちは何軒かの家をまわって、ラオ人がビニール袋に入れたもち米をもらって歩くのだが、まったく悪びれる様子もなく、礼もいわずにそれを受けとった。今度ばかりは逃がすまいと、ぼくたちはムラブリの子どもから片時も離れないことにした。田舎道を歩きながら、伊藤さんがルンに「学校にはいかないの」と訊くと、ルンは「ここよりも森のなかのほうがずっと涼しいよ」と

2　ベルナツィーク（一九六九）、一八二―一八三頁。

答えた。

　ナンノイとルンは一軒の農家の前までくると、何の挨拶もなしに、まるで自分の家に入るかのように当たり前に入っていった。ラオ人の農家の主婦もそれが当然という様子で、彼（女）たちの頭陀袋にもち米や香草を入れてやる。ルンはもらいタバコをして火をつけ、「今回は何も持ってこなかったのでタバコを買う金がない」と笑った。その家の主婦にインタビューすると、「ムラブリは村におりてきて米などをもらい、酒を飲んだりタバコを吸ったりして、また山のなかにもどっていく。この家にきても何をするのでもなく、ただ泊まっていくだけ。好きなときにきて好きなときに帰る、そんな自由な存在なのよ」と笑って話した。

　翌日、ナンノイとルンがファイハンの野営地に帰るというので、山の入り口まで見送った。材木や竹をロープで束ねただけの吊り橋を渡って、川のむこうへ行くと、そこはもう森の住人の世界だった。しばらく歩いていると、背中と肩に木を背負った、背が低くて肌が黒く、大きな瞳をした初老の女性が下りてきた。ナンノイとルンはそれを見て、「ミーさんだ！」と喜んで駆けよった。ミーさんは五〇代か六〇代くらいの年齢で、カムノイさんのお母さんだった。背中にノックブンと呼ぶ、芽が食べられる若竹の一種を数本抱え、肩に乗せている木の幹は「タオ」と呼ばれるサゴヤシの幹のようだった。サゴヤシの幹にはでん粉が蓄積されるので、それを採取すれば食用になる。それらを村で物々交換するのだが、彼女自身は村には泊まらず、里外れにある野営地で一夜をすごすという。ビーチサンダルを履いただけの軽装で、数時間かけて山を下りてきたミーさんの姿に、狩猟採集民の脚力のすごさを見た気がして感心した。

　それから少しのあいだ、登ったり下ったりをくり返す蛇行する山道を歩いていると、徐々に陽が傾いてきた。すでに太陽は山の尾根に隠れている。伊藤さんとぼくがラオ人のガイドを連れずに、登山の支度をしないまま、ムラブリの子どもたちと一緒に山を登っていくのは危ういと思えた。小さな小川の前まで来て、ぼくたちは引き返すことに決めて、ルンにお別れをいった。すると、たった二日ほど一緒にいただけなのに、見る見るうちに彼の目に涙がたまってきた。このような純朴でストレートな感情表現もまた、森の民の性質なのかもしれない。伊藤さんは手を差しだして、ルンと握手をした。

「ぼくたちはここで引き返さなくちゃならない」

「ファイハンに訪ねてくるよね？」

「うん、後日きっと訪ねていくよ、約束する」

　思春期のせいか、それとも性格なのか、他人にあまり懐こうとしないナンノイは、タバコを吸いながら、さっさと小川を渡っていった。ルンは後ろ髪を引かれるように、何度も何度もぼくたちのほうを振り返りながら、浅瀬のなかを歩いていった。ゾミアの原生林のなかで、一〇名前後の家族だけで暮らしていると心細いこともあるだろう。次第に森の奥へ消えていくルンの後ろ姿を見送りながら、登山隊を組織して彼らの野営地を訪ねようと心に誓った。

OGAWA Shota

小川翔太

証言者の沈黙をめぐる映像作家の表現（コトバ）

――映像／イメージ

人文科学とアートの区別が溶解した拡張した場における映像／イメージの働きに注目を促す編者の呼びかけに、映像学研究の見地からどのように応えられるだろうか。研究者がビデオエッセーを制作して映画・映像作品を通して分析する試みは映像制作の技術的敷居が下がった現在珍しくない。また、映画作品を研究方法ではなく研究対象とするオーソドックスな映像学研究の枠内で考えても、例えばドキュメンタリー映画を例にとればリサーチとアートの境界線を問い直すこの本のテーマに適した研究例も少なくないだろう。とくに生身の人間の証言を扱う証言映画、証言ドキュメンタリーと呼ばれるジャンルは、オーラルヒストリーや法廷での尋問にもつながる実証的なリサーチの側面を持ちながら、あくまで映像／イメージを用いた創作である点で興味深い。そこで、ここでは、社会学、経済学、精神学において研究者自らがアートの制作に参加する方法論を指すアートベース・リサーチ（以後ＡＢＲ）のコンセプト（伊東 二〇一八：二〇四）を借りて、証言ドキュメンタリーの作り手をＡＢＲの実践例と見立てて考えてみたい。そうすれば、外部からのぞき込む観察者として作品分析をするオーソドックスな映像学研究の方法論とは異なる、撮影者・製作者、被写体、観るものが多層的に関与するパフォーマティブなプロセスとして証言ドキュメンタリーを捉え直す契機になるのではないか。

　このような視点の転換を模索するのは、これまで私にとって論じ方がわからなかった（そしてその戸惑いを客観的な観察者としては論文の文中でとりあげることができなかった）文筆家・運動家・映像作家と複数の立ち位置から表現活動をしてきた朴壽南（パク・スナム）の存在に依るものだ。一九三五年、三重県生まれ、後に大江健三郎、木下順二、佐藤信に大島渚と、錚々たる顔ぶれの文化人が物語化することになる「小松川女子高生殺人事件」[1]に関する書簡集『罪と死と愛と』（一九六三年、三一新書）を二十代で上梓し、在日コリアン二世（以後在日二世）の女性論客として注目されるも、二年後にはドロップアウトするように（自身の表現は「地底に降りる」ため）広島、長崎、筑豊へ在日コリアン一世（以後在日一世）[2]の「父たち、母たち」の声を聞く数カ月ごとの住込みの旅に出る。そして二〇年越しの聞書き調査で出会った在日一世が次々に他界するなか、

1　日本名で定時制高校に通い、世界文学を愛読する優等生として知られた一八歳の朝鮮人青年が、自分で動機もわからぬまま二人の女性を殺して死刑に処せられ、就職差別を直接経験していたことや貧困家庭の多い在日コミュニティの中でも輪をかけて極貧環境で育ったことなどから二世のアイデンティティ論の嚆矢となった事件。

一念発起してフィルムと録音テープによる証言の視聴覚記録を始め、韓国・朝鮮人被爆者の証言を扱う自主制作映画『もうひとつのヒロシマ――アリランのうた』（一九八七）を完成させる。合計四作品の映画をカンパや借金で集めた資金で作り、現在では映画監督として紹介されることも少なくなく、「海外同胞」の女性映画作家として韓国でも評価される動きがあるが、私が再び朴を取り上げようと思う動機は、このように現在の国内外の映画作家研究の枠組みに合う形で彼女を再評価することではない。むしろ、作家や作品という枠組みによって都合よく消される迷い、葛藤、挫折などの複雑さを掬い上げることだ。また、ドキュメンタリー映画を「隠蔽されてきた歴史を回復する」革命と呼び（『神奈川新聞』二〇一二年六月二三日）、皇民化政策・植民地主義で「奪われたものを一つ一つ取り戻し、獲得していく闘い」（西村 二〇一二）、あるいは／同時に「自分自身を取り戻す旅」（山本 二〇一二）のための旅と位置付ける朴の発話は、彼女の作品の受容文脈を政治運動や近現代東アジアの（大文字の）歴史に限定しているように見える節もある。実際、『罪と死と愛と』に触発された『絞死刑』（一九六八）を監督した大島渚は、新左翼の立ち位置から朴を教条的な運動家と批判的に評価している（とはいえクレジットなしで朴の本から直接引用した問題や女性蔑視の側面に関しては別の議論を要する）。拙文で目指すのは、作家研究の枠組みでも歴史的文脈に即した解釈でも捨象される彼女の創造活動に伴うパフォーマティ

2　植民地支配の構造の中で日本・本土に渡り、冷戦下の分断から戦後・解放後も日本にとどまった朝鮮半島出身者。尚、文中では現在一般用語として定着した感がある在日コリアンを用いるが、歴史的文脈を考慮して必要に応じて朝鮮人（近現代日本における侮蔑語としての機能もあるが、広く使われてきた社会的アイデンティティとして）、在日韓国・朝鮮人（冷戦による分断を意識した表現）も適宜使用する。

ブな側面を、ＡＢＲの考えをヒントに取り上げることである。

そこでてがかりになるのが、感情社会学の見地から「なぞる」、「癒す」、「パフォーマンス」をキーワードに独特のＡＢＲ論を展開する岡原正幸の考えだ。岡原は、「アートを取り込むことで、科学言語だけでは難しい（いやむしろ排除してきた）多層的でパフォーマティブな相互行為」を方法論にすることをＡＢＲ社会学と位置付ける（岡原 二〇一七：一二四）。「パフォーマティブな相互行為」の意味を説明するためにドキュメンタリー研究が参照される（岡原 二〇一七：一二四、一二六）。ドキュメンタリー研究には、「ドキュメンタリー」の命名者ジョン・グリアソンによる有名な格言「現実の創造的処理・劇化」に始まり、劇化、再演、虚構、機械的複製など様々な媒介を経て表象される現実の現実性については相当量の議論の蓄積がある上、パフォーマティブな研究の原型のようなジャン・ルーシュとエドガール・モランの『ある夏の記録』（一九六一）の研究もＡＢＲを考える上で示唆に富むが、便宜上ここでは岡原が直接参照しているステラ・ブルッツィの考えに焦点を合わせよう。ジュディス・バトラーが表象を介さない生物学的な性差があるかどうかといったジェンダーの本質主義化を回避して、社会的、日常的に繰り返されるパフォーマティブな発話こそがジェンダー化の現実としたように、ブルッツィもキャメラの介入のない「素の現実」についての本質論的な議論は敬遠する。あくまでキャメラや作家が存在する、いやむしろドキュメントする行為によってパフォーマティブに立ち現れる現実こそがドキュメンタリーが扱う現実であるとの主張だ（Bruzzi 2006: 5）。

岡原が補足するように、日本で言えば森達也や原一男の作品を思い浮かべるとわかりやすい（岡原 二〇一七：一二二）。撮影行為を二台目のキャメラで捉えて観客に開示したり、インタビューする作家の存在を顕在化させたりすることで「相手との相互行為を通じて出来事を分析する」ドキュメンタリーの方法論は、確かにABRのモデルのようだ。とはいえ、映像学研究者のブルッツィがあくまで映画作品を分析対象としているのに対して、岡原は、「生きにくさ」といった感情的体験を観察する媒体として（映像制作を含む）アートを考える。わたしがABRに求めるのは、言い換えればブルッツィ的な朴壽南作品の分析を出発点とし、最終的には作品の枠内で解釈されるべき映画作家研究でも近現代東アジア史の文脈から解釈されるべきマイノリティ作家の研究でも看過される岡原的な「生きにくさ」の表現者としての朴の理解へのきっかけだ。

1　旅、再演、パフォーマンスで「なぞる」証言映画

証言ドキュメンタリーが興味深いのは、過去の記憶を現在に発見し、現在でも訪れることが出

来る特定の場、生存者の人間の身体や記憶、目撃者の言葉から現在進行形のイメージとして描くことだろう。こうした証言ドキュメンタリーの特徴は、実は岡原が言及するブルッツィのパフォーマティブ・ドキュメンタリー論でも重要な役割を果たす。というのも、岡原は、ドキュメンタリー研究の大家であるビル・ニコルズの（そして彼と同世代のブライアン・ウィンストンの）「カメラ映像の客観性を問題視」するポストモダン、アンチ・リアリズムの立場とステラ・ブルッツィのパフォーマティビティへの関心を一緒くたに論じているが、実際には、ブルッツィは、アンチ・アンチ・リアリズムの立場をとる。それを示すわかりやすい例が、ブルッツィによる証言映画の記念碑的な作品であるクロード・ランズマンの『ショア』（一九八五）の読解だ。

『ショア』については、ランズマン自身の解説も含めてここでは要約できない膨大な量の研究があるため、ここではブルッツィが強調する（そして岡原のABR論と共鳴する）次の二点だけ取り上げたい。一つには、旅のモチーフだ。絶滅収容所と六〇〇万人のユダヤ人の虐殺という終着点が前提として語られがちな「ホロコースト」のテーマを扱うにあたって、ランズマンは、まず自分のリサーチをその消失点に集積するヨーロッパ鉄道網のルートをなぞる「旅」として位置付ける。収容所跡地やその他の記憶の場を訪れる旅として九時間半にも及ぶ上映時間をかけて展開することで、過去の出来事として固定化された歴史を学ぶのではなく、記録者の働きかけによって初めて具体化していく現在進行形のイメージとして歴史に接することをこの作品は求めるという指摘だ。次に、ランズマンが『ショア』をドキュメンタリーと呼ぶことを拒む根拠の一つでもある虚構性の働きへの洞察だ。例えば有名なアブラハム・ボンバの再演シーンは、あくまで再演であり再現（ミメーシス）でない点（トレブリンカ収容所でガス室で殺される直前の女性や子供の髪を切る仕事をさせられた体験を、ランズマンが準備した実際の床屋でハサミを手に語らせる仕掛けだが、彼の前にいる客は女性や子供ではなく男性であるというズレを維持しているというディテール）をブルッツィはことさら強調する。証言映画が示すのは真実と虚構の境界線上で遊ぶポストモダン的なジェスチュアとは異なる、あくまで現在進行形で記憶を奪還するプロセスとしての創造性、虚構性、再演の可能性だろう（Bruzzi 2006: 98–104）。

朴壽南作品については、私の過去の論稿において検討している（Ogawa 2014）。中でも注目してきたのは、時としてムーダン（巫女）の仕事に準え、奪われた過去をパフォーマティブに取り返すダイナミックなものとしてドキュメンタリー映画を位置付ける朴の特異な考えだ。例えば朴の第二作『アリランのうた――オキナワからの証言』（一九九一）から次のようなシーンを分析している。元朝鮮人軍属のシン・ジオン（以下敬称略）とチョン・テッキ、そしてオープンリールの録音機を肩から下げた朴が大田市の学校を訪れる。太平洋戦争末期に慶尚北道の農村から多くの農夫が徴用されたとき、軍事訓練のため一時収容された学校への再訪のシーンだ。訓練と言いながら銃一つ渡されなかったこと、結婚間もない夫を追ってきた若い女性がその場を離れず門の外に居座っていたことなど、断片的な記憶をぽつりぽつりと歩きながら回想するが、最も印象に残るのは二人の会話ではなく身体的なアクションだ。校庭に入ると思いついたように二人は日本語で号令を出し合って行進練習の再演を始めてしまう（図1）。キャメラを意識し

図1『アリランのうた——オキナワからの証言』（1991）からのコマ抜き
アリランのうた製作委員会提供

たパフォーマンスでもあり、キャメラをひっくるめたその場の現実を見せるパフォーマティブな方法論だ。

土本典昭との仕事で知られる名キャメラマン大津幸四郎自身の判断だろうか、この場面では、しばらくするとキャメラが高台に移り、ロングショットからズームインする構図で再演を捉え直す。すると、風変りな来訪者を取り囲む児童までもが行進の模倣を始め、それを見て慌てて二人の前に制止に入る朴の姿が見えるところでこのシーンは終わる。徴用の記憶を持たない子供たちの模倣は、やはり再演とは異なるからだろうか。おそらく明確な理由があるわけではないだろう。ただ、躊躇する作家の存在も含めて、記憶を引き出す再演プロセスを見せることで、道中の偶発的な出会いや相互行為で行く先が左右する旅のようにこの映画を観ることができる。

過去の論稿では他にも、必ずしも『ショア』との比較は出来ないものの、パフォーマンスやパフォーマティビティとして読み取れるシーンをいくつか分析している。冷戦によって長らく訪れることができなかった韓国ロケで、沖縄戦の痕跡を捜し、白色の旅装束をまとった元軍属の初老の男性たちを伴って慶良間諸島を再訪する一連の旅として構成されるこの映画は、クライマックスに、朴自身が証言を記録して行くプロセスの一環として企画した「ありらんのうた」

慰霊の儀式を配置する。なかでも、渡嘉敷の浜辺で青い海を背景に舞踊家の姜輝鮮（カン・フィソン）によるハンプリ（魂を奮う）の独舞は、この映画の狙いが過去の事件の事後的な記録や検証というだけではなく、観客を巻き込んだ現在形で展開される儀礼のアクションであることを印象づけるもので、過去形で綴られる朴の活字の証言集では見られないものだ（図2）。韓国で金学順（キム・ハクスン）氏が元従軍慰安婦としてカミングアウトをする直前に公開したこの映画は、沖縄ですでに一九七〇年代から従軍慰安婦としての体験を語った裵奉奇（ペ・ポンギ）氏の証言映像を含むことで知られるが、実際には裵の回想は短く、断片的であり、他の多くの元従軍慰安婦の記憶はこの映画では「不在なもの」として認知される点で記録的価値からだけでは映画の評価がしづらい。舞踊のパフォーマンスは、慰霊の儀式であると同時に、誰かの言葉で（元軍属の男性も慶良間の住民た

図2『アリランのうた――オキナワからの証言』
（1991）からのコマ抜き
アリランのうた製作委員会提供

ちも従軍慰安婦の記憶を語ってはいるのだが）代弁することが出来ない従軍慰安婦の体験の不在を不在として可視化する役割を果たしているとも言えるだろう。

同様に、『もうひとつのヒロシマ』では、撮影時にすでに都市開発で取り壊されて消滅していた「原爆スラム」が身体性を持ったパフォーマンスで再生されるシーンがある。証言者の韓国・朝鮮人被爆者が最初に出会った記憶の場は静止画を通して可視化されるが、より重要なのは聞き手をその場に引き込むシンセタリョン（在日二世の記述では往々にして一世の文盲の母のコトバとして記憶される抑揚のついたメロディーに乗せた身の上話）の録音だ。

過去の論稿を振り返ると、このようにシーン分析を通して映画の中のパフォーマンスの重要さを強調してきたことがわかる。それは英語圏で学んだ私の映画分析メソッドが、映画を誰にでも等しく開かれたテクストとして扱うリベラルアーツ的な（殊にW．K．ウィムザットとM．ビアズリーの「意図の誤謬」からロラン・バルトの「作者の死」に至る文学批評の影響を色濃く受けた）考えを背景にしたものでもある。その代償として、作品読解と必ずしも整合性が保てない作品＝テクストの外で作者が発する言葉は「厄介」なものとして十分に取り上げられないことになる。[3]

3　創造活動を作品の枠の外にも認める試みとして、朴が二〇一九年より開始した「アウトテイク」（作品未使用素材）のアーカイブ化を市民運動として進める企画を別の論文で取り上げた。「証言映画のアーカイバル・ターン——朴壽南（パク・スナム）の映像断片の可読性をめぐって」『映像学』一〇七：一二二—一三九頁。

2　脱皇民化の表現〈コトバ〉映像にならないイメージ

狭義のテクスト分析では「厄介」なものと感じられる作家の言葉の例を取り上げよう。証言集『朝鮮・ヒロシマ・半日本人――わたしの旅の記録』（三省堂、一九七三）や週刊誌の特集記事ですでに朝鮮人被爆者の聞書き調査を発表する術を持っていた朴が、いったいどうして稼業の喫茶店営業権を手放し、借金をしてまで証言ドキュメンタリー映画の自主制作にこだわったのか。日刊紙や雑誌のインタビューで必ずといって良いほど聞かれるこの問いに対して、視聴覚的で、まるで映画の一シーンのような次のイメージ描写で応答してきた。

録音機を回すと言葉が出てきません。出てきてもとつとつとして断片的なんです。そしてじーっと沈黙してしまうわけです。それを再生しようとすると、冬の木枯らしのような言葉を発せない無音が聴こえてきました。〈中略〉彼らの言葉というのは、震えている唇や、目の奥の燃えている青い『恨《ハン》』の火、頬の震えでした。私が文章でこれを表現することと自体、彼らの沈黙を貶めると思いました。これは映像しかない、とその時思ったのです。

（西村　二〇一二）

「映像しかない」と映像制作へ乗り出すきっかけとなった体験が、しかし、映像がない（映像として記録することが叶わなかった）場面描写に頼らざるを得ないのは逆説的だ。映像として残らないこのイメージは朴の言葉によって形を与えられてきたのだ。そして、映像を持たぬ視聴覚的イメージを触発するのは朴が筑豊や広島で出会った在日一世の証言者の沈黙だ。その沈黙は、学校教育を受けていないこともあって日本語でも朝鮮語でも流暢に自分の体験を語るだけの言葉を持ち合わせていない在日一世が自ら獲得した言語だと朴は語る。

このように日本語や朝鮮語のラング（制度化された言語）を持たない在日一世の身体的なパロール（個々の言葉）との遭遇を、自らのアイデンティティや表現者としての原風景と捉えるのは朴だけではないようだ。社会学者の茶谷さやかが指摘するように、少なくとも朴のような皇民化教育を受けた世代の二世は、一世に向けた視線が一八〇度転換した体験を持つと言う。日本語を解せない一世（特に一世の母）や一世の記憶と密接に結びつくトンネ（韓国語で隣近所、マジョリティの日本社会からは「朝鮮部落」と呼ばれていたコミュニティ）は、皇民化教育を内面化した植民地期の二世にとって恥と認識される傾向があったという。それが、敗戦・解放によって、大日本帝国の秩序のもとでの生存能力を身に着けていた元皇国少年・少女が、突如自らの存在を「問題」として再認識するとともに脱皇民化という新たな課題を突きつけられたとき、日本の同調圧力を撥ね退ける一世のレジリエンスやトンネのバイタリティを再発見することになる、こうした二世による体験談は枚挙に暇がないという（Chatani 2021: 597, 602）。

朴による語りや映像表現も多くの部分で、茶谷の指摘にあてはまる。例えば、前出の「原爆スラム」のシーンは、まさにトンネの記憶を、文盲の「母たち」のパロールであるシンセタリヨンと結び付ける例だと言えよう。また、朴の自主上映ニュースレターを見ると、「日本語がうまくなればなるほど、民族の魂—尊厳を奪われ」る実体験をもった元皇国少女と自らを位置付け、それに抗う視座として「一片の日本語にも犯されなかった『母』たち」とジェンダー化された表現を用いた一世像を描いている（『もうひとつのヒロシマ』上映事務局 一九八六）。他方で、『新日本文学』に掲載された「表現《コトバ》による闘い」と題した文章では、皇民化を内面化した在日二世の立場から表現《コトバ》へのこだわりが論じられる。本来自己を回復するルートであるはずの自国語の獲得が、南北朝鮮の分断という障壁によって実質的に断たれている中、「私たちが、いま在る場所で、生きる日常」の中の言葉を武器として使用していくことで初めて「私たちにとっての日本語は、恥辱から洗われ、私たちによって、新しい意味をもつだろう」とする興味深い二世論が展開される（朴　一九七三：六）。

一世の沈黙を二世の文筆家として卓越した言語表現で形を与えることも、キャメラで記録して可読化することも、どちらも朴にとっては表現（コトバ）をめぐる闘争の一環である限りにおいて連続的なものなのかもしれない。映画作品を主な研究対象とする映像学の見地では、活字で表現できない映画の特性を説明しているように受け取れる一世の沈黙のエピソードも、それを語ること自体がコトバを用いた表現であり、受け手との相互関係の中で形を持つパフォーマティブな創造活動だと捉え直す必要がありそうだ。これまで朴から定期的に話を聞いてきた際のノートを紐解き、例の一世の沈黙の描写がどのようなイメージとして表現されるかをたどってみると、映像として固定化されることがないため、繰り返し語る中で、その場に居合わせた聞き手との相互関係から毎回少しずつ異なるイメージが描き出されていたことがわかる。二〇一一年六月二八日に映画研究者佐藤千紘（彼もまた客観的な研究者としての一線を越えてこの後の朴壽南作品の制作補佐をすることになる）とともに朴の自宅を訪れ長時間にわたりじっくり話を聞いた時の語りを佐藤氏がまとめてくれた録音の書き起こし（未発表）から振り返ると、「恨《はん》」の火を目の奥に宿す一世が一人の具体的な証言者であることがわかる。麻生炭鉱における朝鮮人坑夫たちの「暴動」（抵抗）の目撃者について朴が語った部分を、コトバも表現として、具体的なイメージとして扱うために長文ながら直接引用する。

自分はボンクラなほうだから、こういうふうに生き延びていった。あの時に、立ち上がった仲間たちは、全部、目ん玉が光った素晴らしい仲間たちだったんだよ。ああいう者たちが、もっと人間らしい待遇をしろと。これは何だということで歯向かっていったんだと。俺は、もう全然、そんなことは出来ない。ボンクラなほうだったと。語ろうとしないんですね。

だから、そんな沈黙の底も、私は降りていくわけですね。そうするとね、この人たちは、言葉で語れない。語る言葉を持っていない。そのときにね、瞼がもう震えるんですよ。言葉が出てこない。それで、大きな鉄の窯で豚のえさを煮ているわけですね。その火の色を見ながら。その火の色が、そのおじいちゃんの目に映っているわけですね。目のなかに映っている火の色が、私はね、恨《はん》の火の色だと思いました。恨というのは恨み。

それで、それが言葉を奪われた、言葉で語れない、いちばん地下《ちげ》の底で迫害を受けた人たちの表現なんですね。それしか語れない、語ろうとしない。じいっと、ものを見つめ続ける。

それで、私はね、一時、取材を止めたことがあります。筑豊もそうでしたけれど。この人たちのために、私は何ができるのか。

映像制作に立ち向かわせた契機として目的論的な語りとして解釈してしまうと見落としてしまう表現者としての挫折と自己省察が見てとれる一節だ。また、前出のアレゴリーのような恨の火の語りに対して、この時の話では、窯の火という具体的な光源への言及もあって、聞き手として朴が置かれた状況が空間的に想像できる。筑豊や広島を訪れ「沈黙の底」に降りていった時期を朴は「かたくなに言語市場への登場を拒むことで氾濫する饒舌の外に身を置いて」いたと別の文章で振り返っている。朴が映像制作に求めたのは在日二世の文筆家が包える「饒舌」のジレンマに抗う身体的、パフォーマティブな表現〈コトバ〉の獲得だったと言えるのではないか（朴 一九七九：四六〇）。

次に、二〇二一年初め、私が定期的に教えている映像とアーカイブに関する授業の一環で、朴をゲストとして迎えたZoom講演のビデオ記録から同じシーンの回想を書き起こしてみる。半ば失明した朴にとって、同じ空間にいるわけではない不特定多数の聞き手に向かって話すことは、自宅で少数の聞き手に話す時とはまったく要領が異なることは言うまでもない。そのためかより具体的なシーンとして、聞き手が朴の体験を「なぞる」ことを促すかのような空間的な描写として語っている。

その人は半殺しの目に合うんです、それで口もきけなくなって、放り出されるんですね。仲間たちがですね、放り出されたまま放置されておくと、凍って死ぬこともあるし、手当できるものなら手当しようという気持ちがありますから、ひそかにですね、放り出された、その半死にの体を持ち出すんです。持ち出して、このおじいさんは、今も大峯炭鉱というのが筑豊にあるんですけど、大峯炭鉱の山の中にダイホウザンという山があるっていうんですね、その山に小屋をたてて、そこにこのおじいさんを住まわせたというんです。そのおじいさんの田舎に手紙を書いて、奥さんを呼んだというんです。奥さんが看病にやってきて、今もダイホウザンに夫婦で暮らしているというんです。

私はそのダイホウザンに訪ねて行ったんですね。険しい山でした。本当に小さな、その辺の金持ちが飼っている犬の犬小屋、犬小屋よりもひどいですね。つぶれかけた板切れを集めてですね、トタンを乗せただけの小屋でしたけど。そこに看病に来た奥さんと二人で暮らしていたんです。そこにわたし何日か泊めてもらいました。そういう旅をするとですね、筑豊は、食堂がまずないんです。泊まるホテルも宿、旅館なんかもないんです。本当に過疎の町ですから。ですから、迎えてくれた同胞たちが、全部食事も出してくれて、寝床も全部用意してくれるんですね。そんな旅だったんですけど、そのバラックの家でも三日間、そのように一緒に暮らしました。その奥さんが言うんですが、自分が炭鉱でどんな目にあったのか、一言も自分にしゃべってくれないというんです。それでも夜中に狂ったようにね、暴れだすと言うんです。

（中略）

そのおじいさんに会いに行きました。すると、にこにこ、にこにこ笑うだけなんです、私を見て。それがものすごくつらかったです。笑うだけの年寄りのおじいさん。もう半分死にかけているんです。半殺しの目にあって、もう骨は折れているし、身体を見せてくれましたけど、それはもう見ようがないんですね。

ここでの回想では、「語る言葉を持たない」沈黙を伝える眼に映る窯の火や空っ風のような音にかかわり、例え映像として記録していたとしても「見ようがない」ものとして「にこにこ笑うだけ」の様子が描かれる。食堂も宿泊施設もない廃坑ですでに過疎が進んだ当時の筑豊で同胞の世話になる描写からは、同胞として全くの余所者ではないにしろ中央（東京）から訪れる文化人として体験したであろう戸惑いも垣間見える。この回想で語られる「沈黙」は決して一世の言語能力の問題、あるいは個人化されたトラウマに還元できるものでもない。むしろ、他所からリサーチャーが入ってきて話を聞く聞書き調査の形態の問題を暗に示すものだと言えないか。「映像しかない」ひらめきに至るには、単に言語化されない身体的なパロールをキャメラであれば捉えられるというテクニカルな目論見だけではなく、キャメラがあれば三日間バラックに居候する間なんらかの相互関係を築くことができ、全くの無力感に苛まれることがないだろうとの計算もあったのではないかと推測させる情景描写だ。

3　生き直し／自主映画、結論にかえて

二〇二一年秋口に、韓国の研究者仲間が企画した二つのイベントに立て続けにオンライン参加したが、たまたまどちらも朴壽南がフィーチャーされるものだった。まず、ＤＭＺ国際ドキュメンタリー映画祭（ソウル郊外のパジュ、以後ＤＭＺ）では在日コリアン映画フォーラムの一環として『もうひとつのヒロシマ』が上映され、半月後の韓国芸術総合学校でのシンポジウム「ア

ーカイヴについて――女性、ディアスポラ、映画制作（Addressing Archives: Women, Diaspora, and Filmmaking)」では朴が基調講演にあたるシネ・トークに招聘されていた。日本で『沈黙』の自主上映会が右翼団体の圧力で危機にさらされるなど、映画上映もままならない状態なだけに、韓国で加速する「海外同胞」の映画作家として在日コリアン映画人を遅ればせながら評価する動きは確かに心強い。同時に、日本で朴の自主制作・自主上映を支えてきた市民運動の担い手たちの語りから、映画テクストの精読や美学と政治の議論が抜け落ちているのと同様に、作品や作家の枠組みを自明視した映画祭や映像学の研究集会の語りでは、最終的な作品では見えないプロセスとしての映像制作、舞台裏の葛藤や挫折が都合よく省かれる。

この章では、まず、ABR社会学論者の岡原がABR的要素を見出すブルッツィが論じるドキュメンタリーにおけるパフォーマティブな側面を朴の映画に確認した。次に在日一世の聞書きリサーチを、「わたし自身の存在の回復」と位置付ける朴にとって映像が果たす役割について考えた。ドキュメンタリー映画を革命と呼び、(皇民化政策・植民地主義)で奪われたものを取り返す闘いとする朴の誇張ともとれる語りを、在日二世のパロールを巡る葛藤のコンテクストで考えることで、皇民化教育で引き剝がされた在日一世との繋がりを回復するために、非言語的な映像表象が有用であった経緯をあきらかにした。最後に、作品分析を通したオーソドックスな映像学研究では捨象されがちな、作家に話を聞く際の研究者との相互関係やパフォーマティブなインタビューの場における創造行為について考えた。

映画作品の公共性（誰にでも平等に開かれたテクスト）や映画祭が規範化する映画制作者の作家性といった、映像学研究が無意識に抱えるバイアスで覆い隠される「厄介」な問題には、ここで論じた在日コリアンの表現者にとってのコトバの問題だけでなく、運動の映画を支える自主上映形態に特有の力学がある。朴が自主制作・自主上映運動のモデルとしたヒロシマ10・フィート運動[4]について藤田修平が指摘するように、「運動の映画」を支えるのは差異を覆い隠す公共性でも細分化された属性ごとの連帯を促す差異の政治でもなく、それぞれ異なる欠如を抱える者を共通の敵の前でつなぐ「衝撃を与える否定的表象」（見ることの痛みを伴うイメージ）だと言う（藤田 二〇一九：八一）。差異よりも欠如を強調する（エルネスト・ラクラウの考えを援用した）藤田の説明は、自主制作・自主上映もまた、岡原がABR社会学に見出す「生きにくさ」を抱える者の自己表現、追体験、癒しといったプロセスを踏むことを示唆するものではないだろうか。植民地支配や皇民化政策、あるいは民族差別の暴力性を扱う朴壽南について、「生きにくさ」あるいは「癒し」といった表現を用いるのは構造的な問題を個人化するとする批判もあるだろう。しかし、住井すゑと朴の興味深い対談を見ると、部落の子供や在日の子供が晒される日本人児

4　米国国立公文書館（NARA）やその他の連合国のアーカイブ機関から原爆の記録映像を購入し、そのフィルムをもとに被写体の被爆者を探しあて、さらに証言も合わせた自主制作・自主上映映画を完成させる、そのすべての資金を10フィート購入に必要な資金相当の小口カンパの形式をとった。

童によるイジメが、日本の構造的な差別が個人化された形で体験されるものであり、脱皇民化の運動が大文字の政治運動だけでなく日常的な「生きにくさ」の解決と切り離せない問題であるとの共通認識があることがわかる。そこで朴は、他ではあまり言及がない、次兄の自死について触れ、「非常にやさしい少年」でありながら日本人児童からのイジメに対してケンカで抗う術しか持たなかった彼が自死を構造的差別の八方塞がりを突破する方法にしたと語り、中学までは優等生として知られた朝鮮人の少年が就職差別という八方塞がりの中で殺人犯となった小松川事件を若きジャーナリストとして取り上げた動機の一つが兄の自死という個人化された傷痕だったことを明かす（住井・朴 一九六六）。また、ここでは示唆するだけの余力しかないが、同じ一六ミリや八ミリの小型フィルムの安価化を背景に台頭した自主映画（往々にして狭義の政治性を敬遠したユースカルチャーという側面で、朴の映画や10フィート運動の映画は含まれないが）の多種多様な映画の根底に批評家の松田政男が読み取った「〈生き直す〉こと」のテーマは、「生きづらさ」を根底とする参加型リサーチや市民参加型の運動の映画とどう関連づけられるだろうか（松田 一九七六）。ABR社会学をヒントとした映画研究の次なる課題として今後取り上げて行きたい。

参考文献

伊東留美（二〇一八）アートベース・リサーチの展開と可能性についての一考察」『南山大学短期大学部紀要』終刊号、二〇三—二一三頁。

岡原正幸（二〇一七）「アートベース・リサーチ——なぞる／癒す／パフォーマンス」『法學研究』九〇巻一号、一一九—一四七頁。

西村仁美（二〇一二）「『金曜日』で逢いましょう　奪われたものを一つ一つ取り戻し、獲得していく闘い」『週刊金曜日』九〇四号、三五頁。

住井すゑ・朴壽南（一九六六）「異色対談　朝鮮・部落・女性」『部落』二〇三号、三六—五〇頁。

朴壽南（一九七三）「表現《ことば》による闘いを」『新日本文学』二八巻一一号、五—六頁。

朴壽南 編（一九七九）『李珍宇全書簡集』東京：新人物往来社。

藤田修平（二〇一九）「『運動』の映画をめぐって——10フィート運動と『市民』の言説」『映像学』一〇一号、六九—九一頁。

松田政男（一九七六）「若い世代の映画思想」『シナリオ』三二巻一二号、四四—四九頁。

『もうひとつのヒロシマ』上映事務局（一九八六）「全国上映運動と制作協力カンパのお願い」ニュースレター。

山本昭子（二〇一二）「かながわ時流自流この人が語る　民族差別問題に取り組む映画監督朴壽南さん　歴史の闇に光当て」『神奈川新聞』六月二十三日：二四。

Bruzzi, Stella. 2006. *New Documentary: 2nd Edition*. London: Routledge.

Chatani, Sayaka. 2021. Revisiting Korean Slums in Postwar Japan: Tongne and Hakkyo in the Zainichi Memoryscape. *The Journal of Asian Studies*. 80(3): 587–610.

Ogawa, Shota. 2014. Zainichi Cineastes: Film and the Korean Diaspora in Japan. PhD diss. University of Rochester.

第5部

イメージの脈動

藤田瑞穂

パンデミック後のイメージの行方

――「静のアーカイブ」から「動的イメージ」へ

新型コロナウイルス感染症の世界的大流行によって一変してしまった世界で、人々はそれまで行ってきた活動の継続を模索し、どうにかやり過ごしてきた。そうしているうちに、さまざまな物事のオンライン化が一気に進む。技術は急速に進歩し、サービスが日に日に洗練された結果、当初悩まされていた数々の不便も気にならなくなり、やがてその状態に慣れてしまう。たとえばあらゆる生の声に代わり、瞬間的に記録された映像や音声などのデータをオンラインで交わすことによってコミュニケーションを図ることが当たり前になってしまったように。もちろん、誰もが実際に何かを見聞きすることの重要性を忘れたわけではない。ただし「必須」

ではなく「理想」になりつつある。感染症が直接的に、あるいは間接的に、地球上の至るところで人々の心身を蝕んでいったのと同時に、オンラインにどっぷりと浸かった私たちの身体性は、ゆるやかに失われていく。

アートにとって、実際に作品を鑑賞し、体験することは何より重要な要素の一つではなかったか。感染症がいかに猛威を振るおうと、画像や映像データはあくまで記録であって、そこから本来的な意味での経験は得られないという認識は変わらないはずだった。しかし二〇二〇年、次々と美術館が臨時休館に追い込まれ、イベントは中止または延期され、人々が自宅に閉じ込められてしまった状況下で、オンラインのコンテンツが量産された。たとえばマーターポート(Matterport)社のバーチャルリアリティ技術による、建築物のなかを通り抜けるように閲覧できるシステムを多くの美術館が導入するなど、臨時休館中の施設ですでに準備されていた展覧会が次々にコンテンツ化されていった。再開館後も、会場を訪れることが困難な鑑賞希望者へのサービスとして、これらのコンテンツは増え続けた。

また、移動が著しく制限されたことで、ここ十数年の間にすっかり人、作品ともにグローバルな移動を前提として動くようになっていたアート界は、その方法論を大きく変えなければならなかった。計画が頓挫した企画も少なくない。実現できた企画もアーティストや関係者の現地入りは叶わず、オンラインでの指示による遠隔作業で設営することになった。作品の輸送に随行し、梱包から開梱までの作業に立ち会うクーリエの仕事もオンラインでの監督業務に変化した。枚挙にいとまがないが、これらの事象の多くは、アート界の持続可能性を検討する上での努力目標としてすでに想定されていたものである。それが新型コロナウイルス感染症の感染拡大をきっかけとして、一気に実行に移されることとなった。ゆえに、感染症問題が落ち着いた後も、完全にそれ以前の状態に戻ることはないだろう。現に、二〇二一年五月にＣＩＭＡＭ（国際美術館会議）が発表した「美術館実践における環境の持続可能性についてのツールキット」[1]には、関係者の渡航を伴わない遠隔設営の計画、地元のアーティストや収蔵品を重点的に取り上げることなどが目標項目として挙げられている。このツールキットは比較的規模の大きい美術館を想定した内容になっており、日本の中小規模の美術館や文化施設などにそのまま当てはまらない項目も多いが、それぞれの機関の事情に合わせた持続可能な活動のあり方を考えるべきであることは間違いない。

筆者が活動拠点とする京都市立芸術大学ギャラリー@KCUA[2]（アクア）（以下、@KCUA）は、キャンパス外にある展示施設である。大学の収蔵品の保存・研究といった博物館業務は、学内他機関の京都市立芸術大学芸術資料館[3]（以下、芸術資料館）が担っている。@KCUAの展示室の面積や予算規模は小さくスタッフ数もごくわずかだが、美術館ではなく大学の一機関だからこそ可能なユニークで専門性の高い活動を行うことを常に意識して運営を行っている。主な鑑賞者層は若手アーティストやアート関係者、あるいはアートに高い関心を持つ人々となっている。

1　CIMAM Toolkit on Environmental Sustainability in the Museum Practice https://www.cimam.org/sustainability-and-ecology-museum-practice/httpscimamorgsustainability-and-ecology-museum-practicecimams-toolkit-on-environmental-sustainability/（最終閲覧日：二〇二三年二月二日）

2　二〇一〇年開設。

3　一九九一年開設。芸術資料館開設以前は大学附属図書館で資料の保管がなされていた。

パンデミックの影響を特に大きく受けたのは、国際的に活躍するアーティストの招聘による国際交流事業である。このプロジェクトでは例年、国外から招聘したアーティストが京都で制作した新作を展示作品に含む展覧会やレクチャーなどを実施してきた。加えて、若手アーティストに向けて現場での経験を介した唯一無二な学びの機会として、作品制作や展示設営、ワークショップなどへの積極的な参加を呼びかけてきた。また、展覧会では作品を展示するだけでなく、制作のプロセスも開示するなど、間接的にではあるが鑑賞者にも作品鑑賞を超えた経験をもたらすような仕掛けを常に考えている。ゆえに、パンデミックによってアーティストの渡航が叶わず、オンラインによる遠隔指示での展覧会を準備しなければならなくなったことは、事業の根幹に関わる大打撃を受けたに等しいと言っても過言ではない。

社会に大きな変化が起こり続けるなかで、経験を通した理解、知や技術の共有という身体性をともなったコミュニケーションをいかに保ち、また新たに生み出すことができるのか。そのためには従来の活動からの拡張を目指さねばならない。「持続可能な活動のあり方」も念頭に置きつつとりわけ力を入れたのが、芸術資料館が有する芸術資料を新たな視点から調査・研究・

活用することを目指した実験的な展覧会「京都市立芸術大学芸術資料館収蔵品活用展」（以下、芸術資料館収蔵品活用展）である。このプロジェクトでは例年、資料と解説を並置した博物館様展示ではなく、資料を現代の文脈に接続するような新たな資料展示のあり方を検討してきた。本稿では、新型コロナウイルス感染症の影響によるさまざまな変化を受けて芸術資料の「活用」について再考し、二〇二〇年度・二一年度の芸術資料館収蔵品活用展において「静のアーカイブ」を「動的イメージ」へと変換しようとした筆者自身の試みについて取り上げてみたい。キュレーターである筆者が、展示構成からインスタレーション的な会場デザインまでを担った二例に共通するのは、資料が収蔵されてから現在に至るまでの、収蔵品の背景にある／あった物事を推察し、そこから新たな語りのあり方を探ろうとする姿勢である。

1 アーカイブに「出会う」

京都市立芸術大学の前身である京都府画学校は、日本初の公立の絵画専門学校として一八八〇年に創立された。芸術資料館では、一八九四年以来の卒業制作作品に加え、京都府画学校の時代から現在に至るまでに集められてきた美術・工芸作品や絵手本・粉本・模本、写真・書類など、学校の教育・研究活動にまつわる資料「参考品」などを収蔵している。これらのコレクションは、博物館資料であると同時に、大学の歴史のアーカイブでもある。

明治期から現在まで歴代の卒業・修了制作作品を順に辿ると、時代を追うごとに表現の傾向が移り変わっていくのに気づかされる。そこには、教育方針、社会状況などさまざまな変化を受容しながら表現者たちが辿ってきた道が示されている。最初期の特筆すべき変化としては、東京の上野動物園に次いで日本で二番目に古い動物園である一九〇三年の京都市紀念動物園（現在の京都市動物園）開園以後、動物が積極的に描かれるようになったことや、欧州視察で知見を得た竹内栖鳳（一八六四—一九四二）をはじめとする当時の教員から学んだ西洋画表現からの影響などが挙げられる。戦前の京都画壇の中心人物ともされる竹内栖鳳は、選び抜かれた最小限の筆数で絵を構成していく「省筆」を追求した画家で、古今東西の絵画を貪欲に学び、表現の可能性を探究したことで知られる。一九〇〇年の欧州視察後には西洋美術の美点、またそれらと比較しての日本美術、日本絵画の良い点を学生たちに説いたとされる。当時の学生の作品からは、その教育のなかでとりわけ空間の把握が重要視され、課題に取り組む学生たちが画面内にいかに空間を作り出すかに注力したことが窺える。

一例目の実践、二〇二〇年度の芸術資料館収蔵品活用展[4]では、この時期に制作され、そうした絵画空間についての考察の痕跡が顕著に見られる入江波光（一八八七―一九四八）、村上華岳（一八八八―一九三九）、渡辺与平（一八八九―一九一二）の三名の画家の卒業制作作品を題材とした。のちに大家となる彼らが学生時代に、いかにして新しい表現と出会い、受容したのか。そうした歴史の物語を、現代に生きる人々に何らかの身体性をともなうイメージとして伝えるこ

4　会期：二〇二〇年九月十二日―十月二十五日、京都市立芸術大学ギャラリー@ＫＣＵＡ。「異文化との出会い」というテーマを同じくする同時開催展の横内賢太郎「誰もに何かが（Something for Everyone）」との境界を曖昧にして実施した。

とが可能だろうか。

美術館に収蔵されるということは、すなわちそれらが美術史のなかに位置づけられることを意味する。美術史家はそれら「資料」に遺された数々の痕跡をもとに情報を整理し、さらに先の時代と接続しながら、分析を進める。そうした積み重ねによって、歴史は記述されていく。そして、美術史の一部となった「資料」の周りに生きていた人々もまた歴史に吸収される。美術館に展示された「資料」そのものを目にすることができても、そこでは静かに歴史が語られるのみで、彼らの身体はその場には不在なのである。美術批評家でキュレーターのボリス・グロイスは「芸術が現実的で、生き生きとしていて、現在のものであるように見える」ためには、「すでに収集されて美術館の資料と化した芸術のように見えてはならない」とし、「既存の美術作品を新たな文脈のなかに位置づけ（中略）、その展示の仕方を変化させるだけで、その作品を受容する際に差異を作り出すことができる」という（グロイス 二〇一七：四九、六九）。このグロイスの言説を参考にするとして、そのうえでさらに、そのイメージの受け手たる鑑賞者についても考慮する必要があるだろう。美術批評家の建畠晢は、批評家で芸術家のブライアン・オドハティの言説[5]を参照しながら、白い壁と白い天井に囲まれた展示空間であるホワイトキューブ[6]では、鑑賞者に自らの身体を忘れて鑑賞に集中させる仕掛けがなされるが、作品鑑賞の純粋性を成立させるためには、同時に鑑賞者の姿も理想的には不在でなければならないという逆説的な事態が生じると述べている（建畠 二〇〇八）。

ではその展示理論に従えば鑑賞者の身体性を欠いてしまうというホワイトキューブにおいて、明治期に制作された収蔵品、すなわち当事者の身体がそもそも不在である「静のアーカイブ」を「現実的で、生き生きとしていて、現在のものであるように見える」もの、つまり現代の時間軸に接続する「動的イメージ」に近づけるためにはどのような展示手法を取るべきか。実施

5　O'Doherty, Brian. 1976, 1986. Inside the White Cube: The Ideology of the Gallery Space. San Francisco: The Lapis Press.

6　一九二九年に開館したニューヨーク近代美術館（ＭｏＭＡ）がその形式を採用し、その後美術館の展示室の標準規格となった、白い立方体の内側のように白い壁と白い天井に囲まれた展示空間のこと。ブライアン・オドハティが「ホワイトキューブ」と称して以降その名が一般化したとされる。

時期は二〇二〇年秋。国境を越えた移動が困難になって半年が経過した当時、「出会い」をキーワードとして明治期の若き画家たちと現代に生きる私たちに交点を生じさせ、それをあらためて異文化との接触やコミュニケーションについて考えるためのトリガーとすることにした。そのためには、過去に生み出された静的なイメージ、そして鑑賞者の双方に、いかに身体性を取り戻すかが重要なポイントとなってくる。

まず空間自体を作品とし、鑑賞者に体験としての鑑賞を促すインスタレーションの展示空間のように、「静のアーカイブ」と鑑賞者の身体を同時にのみ込んでしまうには、ホワイトキューブたる展示空間に何らかの「見立て」が必要だと考えた。そこで、見えないものを見る「見立て」の芸能である能にヒントを求めてみる。能では、謡曲によってはごく限られた小道具が登場することもあるが、基本的に状況を説明するような空間演出はなされない。ごく簡素化された空間である能舞台は、ある意味でホワイトキューブと共通する要素を持つと言えるだろう。

能には大きく分けて、登場人物が全て実在の人物である「現在能」と、霊的な存在が主人公（シテ）となる「夢幻能」の二つのパターンがある。「静のアーカイブ」、またかつてその周囲にあった身体との「出会い」を創出するために、異界の者（死者）と「出会う」物語である夢幻能を参照するのが適切であろう。多くの謡曲では、まずはじめに旅人である「ワキ」（主人公である「シテ」の相手役）が登場する。下掛宝生流ワキ方能楽師の安田登は、「ワキ」の原義は「分く」で、「分ける」と「分からせる」の二つの意味があることを説明したうえで、能のワキの役割をその二つにしたがって分析している。一つは神様や幽霊などの不可視の存在であるシテの姿を観客に「分からせる」こと、もう一つは、思いを残してずっと前からその場所にいるが、誰もが気がつかなかったシテと出会い、その思いを「分け」そして再統合することであるとする。そして、あくまでもシテの語りを引き出すためにのみ存在し、自分のことをほとんど語らないワキは、無名であるがゆえに亡霊と出会い、異界と出会うことができるという（安田 二〇一一：二七—三二）。このように、はじめに舞台上にあらわれて異界の者に出会ってしまうワキの姿を、展覧会の鑑賞者に重ねてみる。つまり、その身体が空間に入ってくることで物語が始まる存在とするのだ。そうしてできあがったのが、会場に足を踏み入れた鑑賞者が、他には何もないところに立つ絵画に正対し「出会う」さまの演出の試みである。

照明器具の数を最小限にとどめて空間を囲む四方の壁面にはできるだけ鑑賞者の意識が向かないようにし、絵画をかける仮設壁幅は、空間に溶け込むように可能な限り狭く造作、また黒に塗装している。そして、鑑賞者が三点の作品それぞれに対面する際、奥にある作品が視界に入らないように配置した。

また、作品画面に向かい合った壁面および各作品の仮設壁裏面には、芸術資料館学芸課長の松尾芳樹への聞き取り調査をもとに編集した「学芸員の語り」を設置した。[7] これは能に当てはめると地謡（謡曲の地の文［場面や情景など描写］を能舞台の右手［地謡座］に数名のシテ方能楽師が座して謡う）のような役割を担っている。鑑賞者（ワキ）が、会場で作品（シテ）に出会い、さらに

7　左記ＵＲＬ（京都市立芸術大学ギャラリー＠ＫＣＵＡウェブサイト）にて全文を公開。
https://gallery.kcua.ac.jp/articles/2021/7797/

渡辺与平（当時は宮崎与平）は長崎の出身で、京都に出てきて美術工芸学校で日本画を学びましたが、並行して鹿子木孟郎に洋画も学んでいました。資質そのものはどちらかというと洋画の方にあったように見受けられます。そうして洋画、日本画の両方の訓練を受け、最後に卒業作品として制作されたのがこの作品です。二匹の狐が手前から向こう側に向かって歩くという情景を描いたものですが、こちらには背を向けているので狐の顔は見えません。また、後ろから手前に歩く、逃げていくような構図はとても面白いものです。全体の画面の構成も非常に巧みに作られています。この人は卒業後、東京に移住し、結婚して渡辺与平と改名し、コマ絵という子供向けのイラストを描いて一世を風靡します。当時、コマ絵と言えば渡辺与平か竹久夢二か、という形で人気を二分するような形であったほどだそうですが、与平は油絵の世界にどんどんと進んでいきます。非常に才能のある画家でしたが、病気のために二十代前半で亡くなってしまい、発表作品数が少ないこともあって、今日ではそれほどその名が知られてはいないのが残念なところです。

学校という前身の学校ができた頃に比べると、実技の時間そのものはずっと少な
くなっています。そこで行われていた教育は、基本的な部分では江戸時代から続いてい
たさまざまな絵画教育と大きくは違いませんでした。明治時代に入っても、京都の画壇
では「円山派」や「四条派」が江戸時代に引き続き中心的な役割を担っていました。こ
の作品の作者、入江波光、渡辺与平、村上華岳の三人が先生にしていたの
は、竹内栖鳳、山元春挙、菊池芳文といった、まさにこの円山派、四条派に属している
画家です。この二つの流派は、写生を重視したものと捉えられています。ここで言う
「写生」は、西洋画でいうところの写実、例えば立体的に見える陰影表現などとは少し
違い、対象が持っている生き生きとした活力や精神性を絵の中に写し取ることを重視し
たものです。
円山派がそういう写実的な表現、そのなかで写生というものを非常に律儀に追求して
いったのに対し四条派では、本物に即して絵を描くことを重視しつつ、詩や文学の世界
の趣向性の高い絵画表現を目指して、その詩情を取り込むような絵画表現がよく使わ
れるようになりました。その代表的な表現が「つけたて」という筆の表現です。「つけ
たて」というのは、筆で一本の線を引くときに、水の含ませ具合で濃淡をつけることに
よってでき上がった線のなかに、その筆のなかにある墨の濃淡がそのまま表現されて
濃い部分と薄い部分ができるという表現の技法です。その濃い部分と薄い部分をうまく
使い分けることによって、一筆の線のなかで立体感を表すというわけです。その「一筆」
筆を省略していくと、一種の抽象化のような作用一歩進み後ろを振り返ると、作品そのものを観るだけでは聴くことができない、それらを守ってきた護り人たる学芸員の声（現役の一人に限らず、語り継がれてきた声だとも言えるだろうか）が可視化され、その作品が背負ってきた物語が、他には何もない空間を満たしているのを目にする。あるいは物語を示す書物のなかに入り込んだかのような感覚を覚えるかもしれない。

物語を聴いた鑑賞者は、その語りに誘われて、再び絵の前に戻り、画面の全体を、細部を観察し、さらに背後にある別の声を聴こうとする。こうして往復を繰り返す鑑賞者によって、通常の形式の展示とは違う動きが生み出される。このとき作品は、展示された博物館資料というだけでなく、一つのパフォーマティブな空間を成立させる要素としての役割を担い、その場のイメージを変化させる主要な役者として舞台に立っている。たとえそれ自身が動くものではなかったとしても、会場に配置された「静のアーカイブ」ではなく、現代に生きる鑑賞者と同じ舞台に立つ「動的イメージ」を成立させるものへと変換されるのだ。

美術家の石原友明は、アーカイブを「記述されたもの」とし、その創造性を「正しく記述する」という「書き方」の側よりも、意識的／無意識的に「間違えて」読む／読んでしまう、という「読み」の行為に見出して、その行為を「創造的誤読」と呼ぶ。そして、ヒップホップ（HIP HOP）やハウスミュージックのDJによる「ブレイクビーツ」（簡単に言えば、二台のレコードプレイヤー＝ターンテーブルとミキサーを使って、二枚の同じレコードを交互に繰り返すことで、終わることのないビートを鳴らし続けるテクニック）という方法を「創造的誤読」の一つのモデルとして提示する。このように合理的で正しい目的のために設計された装置をあえて「間違った」使い方をすることは、個人や特定の集団の欲望に沿わせて身体化するという意味で、いわば〈道具化〉する行為であり、そうすることで完成されていたはずの静的な「作品」がそのままのかたちで、動的な〈素材〉へと回帰する可能性が私たちの認識のなかに入り込んでしまうと述べる（石原 二〇二〇）。この三つの作品の例は「創造的誤読」とまでは言わないが、「静のアーカイブ」に創造性をもたらすために、ホワイトキューブの「間違った」使い方によって身体化を目指したという意味ではこの理論を当てはめることができるだろうか。歴史的資料としてではなく、突如目の前にあらわれたイメージとして出会うことで、作品と鑑賞者の身体とは同じときに同じ場にあることを意味する。こうして時代を超えたモノと者が接続されることで、「静のアーカイブ」は生身の身体と相互に作用しうるものへと変化し、それらを取り巻く物語が「動的イメージ」として動き出すのである。

2　アーカイブを「聴く」

二例目の実践、二〇二一年度の芸術資料館収蔵品活用展では、アーカイブを読む／聴くことを起点として、想像を喚起する言葉やイメージ、そして歴史のなかに埋もれてしまった小さな出来事に意識を向けて全感覚を傾けそれを聴き、探究するアーティストのｍａｍｏｒｕと協働し、さらなる考察を試みた。筆者とｍａｍｏｒｕとで対話を重ねたのち、ｍａｍｏｒｕの提案により、まず筆者の構成による芸術資料館収蔵品活用展にて収蔵品の展示を行い、それを引き継ぐかたちで「おそらくこれは展示ではない（としたら、何だ？）」を展開することとなった。この「おそらくこれは展示ではない（としたら、何だ？）」とは、ｍａｍｏｒｕをリーダーとするチームの「プレイヤー」[8]たちによって、展示会場とウェブサイトの二つの場所で三ヶ月超にわたる期間繰り広げられる、言語のみによらない「対話」を軸とした即興的なパフォーマンス「プレイ」である。はじめにｍａｍｏｒｕによって、収蔵品展示期を「ｐｈａｓｅ０」、「おそらくこれは展示ではない（としたら、何だ?・）」の会期を三つに分けた「ｐｈａｓｅ１、２、３」という合計四つの「ｐｈａｓｅ」が設定され、その「ｐｈａｓｅ」ごとに「プレイ」の進行のためのスコアが定められる。各プレイヤーは、スコアに沿って会場やウェブサイト上でアクションを起こし、またそれに対するリアクションが発生する。そうして誰かが動くたびに会場やウェブサイトの様子が次々に変化していき、プロジェクトは結果的に一つの視点から論じるだけでは全貌を眺めることができない複雑なものとなった。本稿では主に、一例目に続く大学の有する芸術資料の「活用」に焦点を当て、これら「プレイ」のなかでの資料の行方について述べる。

筆者が「プレイヤー」の一人としてその構成を担当する芸術資料館収蔵品活用展「第十門第四類」（「おそらくこれは展示ではない（としたら、何だ?・）」ｐｈａｓｅ０）[9]は、実質この「プレイ」の初手となる。そこで、ｍａｍｏｒｕがこのプロジェクトが始動して間もない頃に記した〈思索

8 「プレイヤー」は以下の六人からなる。
mamoru：今回のプロジェクトの発案者。プロジェクトの発信源となるハイパーテキストの執筆者。そのテキストは転じて各プレイヤーに向けた投げかけであり、ときにはスコア的なものでもあるため、いわばコンポーザー的バンドリーダー的な役割のプレイヤー（相当な部分が各プレイヤーにゆだねられており、プロジェクトを「私の作品」のようには考えていない）。二階のシアタールームの映像出品者。

池田精堂（美術家／展示技術者）：会場（京都市立芸術大学ギャラリー@KCUA）を舞台に設営作業＝展示技術を用いたパフォーマンスを行う。

仲村健太郎、小林加代子（デザイナー／Studio Kentaro Nakamura）：mamoruによるハイパーテキストを用いた特設ウェブサイト（https://gallery.kcua.ac.jp/mamoru/）ならびに関連資料のデザインを担当。

松本久木（デザイナー／有限会社松本工房）：芸術資料館収蔵品活用展「第十門第四類」のフライヤーならびに会場のビジュアルデザインを担当。

筆者：芸術資料館収蔵品活用展「第十門第四類」の構成、0から3までに分けられた各「phase」での諸々の変化に伴って公開されるテキストや記録の執筆、プロジェクト全体の企画制作・運営を担当。

9 会期：二〇二一年十二月十一日―十二月二十六日、京都市立芸術大学ギャラリー@KCUA。

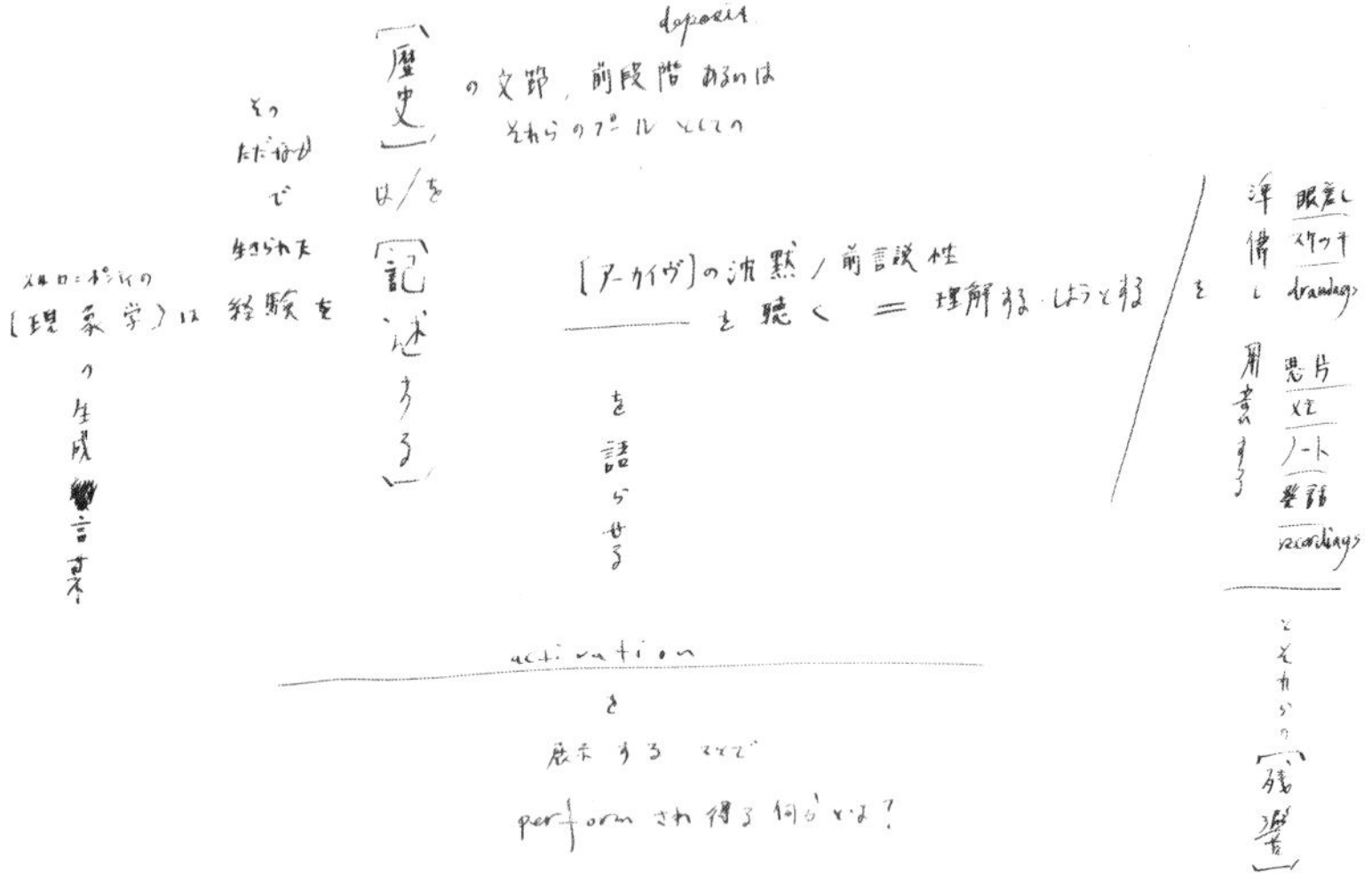

mamoru〈思索の地図〉（2020年12月作成）

の地図〉（右図）に登場するキーワード群を手がかりに展示構成・会場デザインを考案することにした。〔歴史〕を〔記述〕しようと〔アーカイヴ〕[10]を〔聴く〕ためのものとして持ち込み、またそれらが会場内に〔残響〕を響かせることができると良い。そこで、鑑賞対象としての「作品」ではなく、〔歴史〕を語るための「資料」、すなわち、かつて行われていた活動の〔アーカイヴ〕のなかから検討した。

展覧会タイトルにある「第十門第四類」とは、京都府画学校以降、京都市立芸術大学の前身である各学校に受け継がれてきた図書台帳の「第十門」（粉本類＝模写、下絵、手本類等）の「第四類」として分類された写生用手本画を指す。主な出品資料は、これら「第十門第四類」のうち、創立当初に制作されたが、教育方針の変化から、早い段階であまり実用されなくなった京

10　本書での表記は「アーカイブ」で統一されているが、ｍａｍｏｒｕの言説を参照・引用した部分は原文ママの「アーカイヴ」とした。

都府画学校の運筆用絵手本で構成した。

これらの絵手本は、教材としての役割をほぼ終えた後も廃棄されることなく、長らく図書として保管されてきた。第二次世界大戦後、日本における美術をとりまく状況が大きく変化したこともあり「第十門第四類」は、昭和二十六年の再分類時に図書台帳から詳細が割愛され、巻末に点数が記録されるのみとなった。昭和五十七年に大学所蔵の芸術資料の再整理が始まると、「第十門第四類」を含む非現用資料も博物館資料として登録された。古くから保管されてきた資料のうちのいくつかは歴史的資料として研究対象となり、その価値、役割を変化させた。画学校時代の粉本類も例外ではなく、絵画あるいは絵画教育の歴史を解釈するための資料として考察しようとする取り組みが、学芸員によって少しずつ進められてきた。

このように、実用資料としての役目を終えた後は収蔵庫に眠り、一度は「その他」扱いとしてリストから個々の情報が割愛されてしまった「第十門第四類」だが、現在に至るまで残されて再整理された結果、個々に番号を付与され、〔歴史〕を〔記述する〕ための資料となり得る〔アーカイヴ〕となった。いくつかが時の流れのなかで失われてしまったこともあり、これらの資料からは、まだ断片的な物事を窺い知ることしかできない。しかし、百三十年余り前に描かれたとされる手本画の一つ一つには、研究のための資料としてだけでなく、制作した当時の教員であった画家たちの個性も垣間見られ、本画とはまた異なる魅力を感じさせられる。これらの手本画に向き合い、語りかけてくる声に耳を澄ましてきたのが歴代の学芸員である。

元・京都市立芸術大学附属図書館学芸員である廣田孝（現・京都女子大学名誉教授）は、幸野楳嶺と竹内栖鳳による画塾で用いられた手本画、京都府画学校から京都市立美術工芸学校での手本画をそれぞれグルーピングし、相互の具体的な影響関係や展開について考察した。幸野楳嶺が中国（清）の画家の編による絵画制作の手引書である『芥子園画伝』[11]に中国の伝統的画論の論拠を

11　一六七九年に山水樹石譜が、一七〇一年に蘭・竹・梅・菊譜と草虫花卉《かき》、翎毛《れいもう》花卉譜がそれぞれ出版された。画論、山水・花鳥などの技法の図解、多色刷りで復元した有名画家の作品を収録。絵画論書として広く普及した。日本には元禄時代（一六八八―一七〇四）に伝来し、写本や版本で普及し、とりわけ南画の分野に大きな影響を与えた。京都府画学校絵手本の中にも「芥子園画伝」の図柄を引用したものが多数ある。

求め、その教育のなかでも重視したこと、また楳嶺の門下生であった竹内栖鳳も、修学時代に『芥子園画伝』を筆写し楳嶺の絵画理念を学習しており、晩年には自らの画塾で『芥子園画伝』の講義を行っていることにも言及する。また、学校で用いられた手本画のグルーピングから、『芥子園画伝』を主体とした時期、過渡期、創作手本の時期、衰退期、といった変遷を提示した（廣田 一九九七）。また、芸術資料館学芸課長の松尾芳樹は、主に一九〇一年から一九一二年頃（京都市立美術工芸学校時代）に新世代の教員によって制作された絵手本を中心とした芸術資料館所蔵の絵手本類について細かに分析・解説を行った（松尾 一九九五）。また別稿では、京都府画学校とその粉本資料がいかに形成され、どのような変遷を辿ったか、その分類と保存の歴史にも着目しながら分析し、学校教育でどのように使用されたかを論じている（松尾 一九九九）。

この経緯から、長い間沈黙していたように思われた資料に誰かが耳を傾けたことによって、そのか細い声が歴史を物語り始めつつあるのだと考えた。そして芸術資料館収蔵品活用展「第十門第四類」では、少しずつその〔歴史〕を読み解こうとしてきた学芸員らの思索の足取りを追い、それらに連なる思索を視覚化することから始めて、〔アーカイヴ〕による新たな語りの可

第十門第四類

望月玉泉（1834–1913）
望月玉川の子として京都に生まれる。
一、通称駿三。父に画を学ぶ、
また安政2年（1855）の内裏造営、
治天皇即位に際し御用画をつとめる。明治11年
幸野楳嶺とともに京都府画学校の設立を
（1880）同校東宗の副教員となるが、同22年
する。女学校および盲唖院の
局の依頼で正倉院御物を写生した。

能性を探究していった。

持ち込む全ての「第十門第四類」の絵手本は、博物館資料的にケース等に陳列するのではなく、地面に水平に天井から吊り下げたアクリル板に挟んで配置する。各絵手本には手書きのラベルを付し、宙ぶらりんになっていた古い教材が人の手によって分類され、博物館資料へと役割を変化させていくさまを表そうとした。そして、会場入り口付近には一九二六年から一九八〇年まで使われた今熊野校舎の正面玄関ステンドグラス（大学の〈歴史〉を表すもの）と「第十門第四類」が入っていた粉本箪笥を配置した。会場での主な説明文をキャプションではなく短い映像にして投影することで動的要素を加えた。また、新しい教育方針のもとに制作された「第十門第五類」に分類される絵手本三点ならびに図書資料の保存の歴史を示す各種資料類も会場後方に展示した。

そして一点、ｍａｍｏｒｕの自宅の天井に吊り下げられていた紙飛行機を会場に運び、絵手本の間に設置した。この紙飛行機はｍａｍｏｒｕの過去のプロジェクトに関連して制作されたもので、いわばｍａｍｏｒｕの作家活動の〈アーカイヴ〉の一つである。紙飛行機はｍａｍｏｒｕの分身として、上空から会場の様子を見つめているかのようでもあった。

そして「第十門第四類」が『おそらくこれは展示ではない（としたら、何だ？）』[12]に引き継がれると、まず「第十門第四類」に対するｍａｍｏｒｕの応答として、展示映像が置き換えられた（ｐｈａｓｅ１）。このなかでｍａｍｏｒｕは、《ｃｏｒｎ》と題した自作の音楽にのせて「とうもろこしを桂剝きにしたものを食った経験が／橙（だいだい）の（相当な数の）種を／ささっ！て取ってしまう方法を生んだ」と語りはじめる。

12　会期：二〇二二年一月四日―三月二十一日、京都市立芸術大学ギャラリー＠ＫＣＵＡ。一月をｐｈａｓｅ１、二月をｐｈａｓｅ２、三月をｐｈａｓｅ３とした。本プロジェクトの記録に、『おそらくこれはアーカイヴにはなり得ない（かもしれないが…そうとも言い切れない？）としたら、何だ？』（ｍａｍｏｒｕ、小林加代子、仲村健太郎、藤田瑞穂、松本久木編著、二〇二二年、京都市立芸術大学）がある。

学ぶとはそういうことだ
勝手に
やっちゃうんだ

絵手本にも同じ様なことが言えるだろう（か？）
絵手本の作者にとっては
そこに描かれた内容を描くことが

そもそもの目的ではなかった（はず？）↓
描かれた内容を誰かが真似て描くこと↓
そのことを通じて生まれる経験的な理解⮤

を経て、別の何かを生み出すこと

それが目的？
つまりさ
お手本は道なの（かもしれない）

道ってたどっていくと↓
道の先へと通じていって↓
どこか別の場所へ出るじゃない？⮤

それってとうもろこしを桂剝く時にも言えることで↓
と言いつつ、はっきりとは言えないけど↓
これは何かのＰＡＲＴ１（だと思うんですよ）⮤

橙（だいだい）の種のことだけではない↓
と言いつつ、はっきりとは言えないけど↓
紛れもなくまだ終わってない感じがしているから↓

そう、思考は続く↓
THANKS FOR TUNING IN ↓
アー、アー、アー⇧

アーカイヴよ↓
俺の話は↓
お前となんらの関係もないかのようだ…
が⇧

どうだろう？↓
アーカイヴよ↓

お前は経験を残すことができるか？
お前は経験を生み出すことができるか？
お前は経験を伝えることができるか？

一人の人間のライフスパンを超えて？
いや、
わたしが問うているのは
アーカイヴではなく
もう少し還元された「記述」に対してか？

という気もする

どうだろう？

記述よ

お前は経験を残すことができるか？
お前は経験を生み出すことができるか？
お前は経験を伝えることができるか？[13]

13　展示映像《ｃｏｒｎ》に含まれたテキストの一部。

を経て、別の何かを生み出すこと→

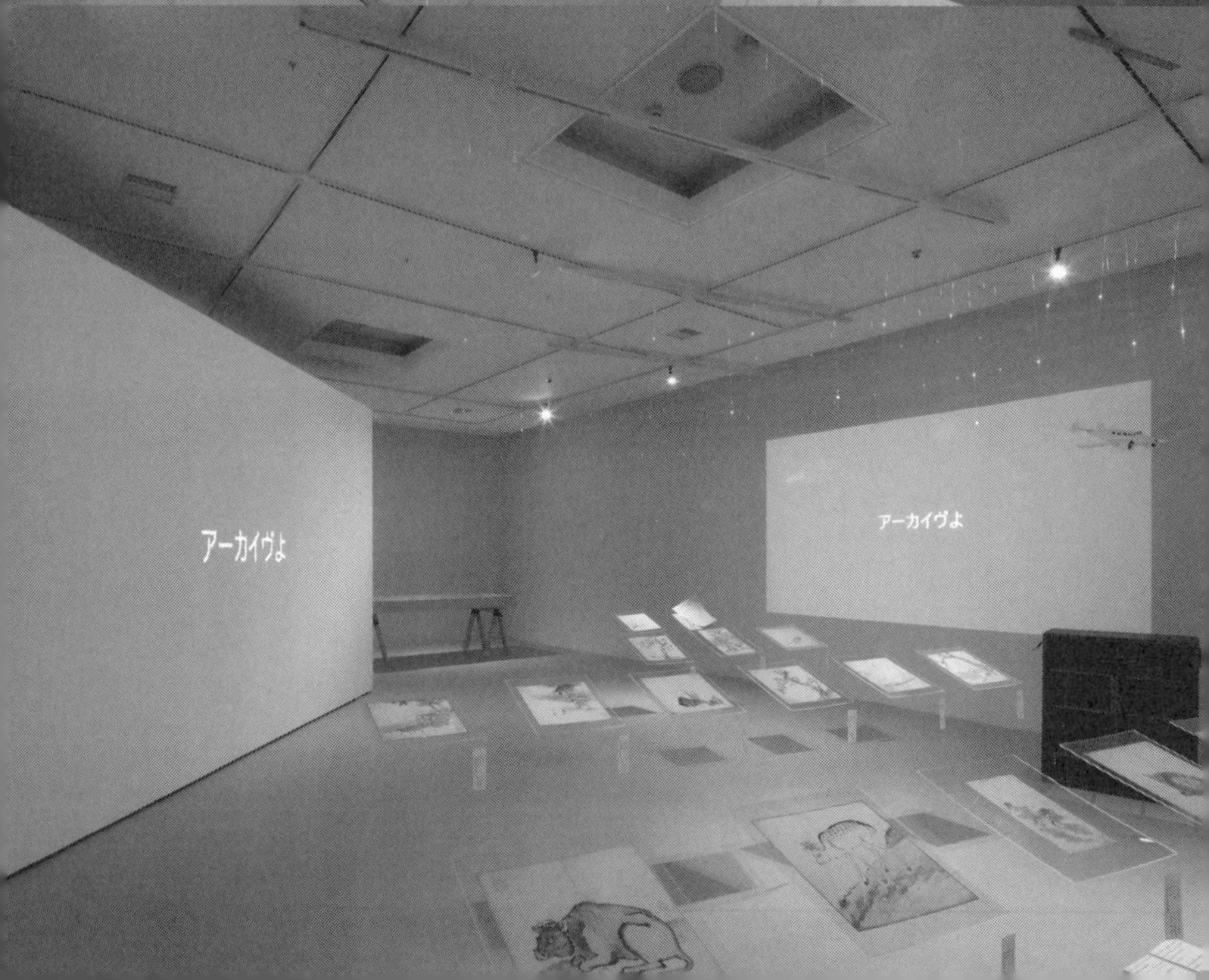
アーカイヴよ
アーカイヴよ

このｍａｍｏｒｕの語りによって、収蔵庫から連れ出されて宙に浮いていた絵手本が、現代に生きる人間が経験から得た学びの例（「とうもろこしを桂剝きにしたものを食った経験が／橙（だいだい）の（相当な数の）種を／さささっ！て取ってしまう方法を生んだ」）に接続され、空間が変化する。まず、この場には不在の、絵手本を描いた教員たち、またそれを模写し学んだ学生たちの存在が示唆され、次に「学ぶ」という経験を媒介に、彼らと現代に生きる私たちとが結びつけられる。そして「お前は経験を残すことができるか？」「生み出すことができるか？」「伝えることができるか？」という問いかけによって、鑑賞者だけでなく、絵手本そのものも整列して耳を傾けているかのような場面に一気に塗り替えられるのだ。つまりｍａｍｏｒｕの演出によって、「静のアーカイブ」が、それ自身が何かを演じさえする「動的イメージ」に変換されたのである。

こうして演劇の登場人物のようになった絵手本は、ｐｈａｓｅ２でさらに浮かび上がり、ｐｈａｓｅ３へ移り変わるなかで会場内からその姿を消すことになる。まるで出番の終わった俳優が舞台袖に消えていくように。対して紙飛行機は、その高度を下げ、地面へと近づいていく。

phase3では、資料に代わって、このプロジェクトに関連したmamoruによる思索の数々を視覚化した複数の映像が空間を満たした。中心となるのはmamoruによるテキスト、音楽、そしてphase2までの記録映像が重ねられた「糸を縫う針」と題する映像である。この「糸」とは、絵手本が吊られていた無数の釣り糸に端を発するものだ。

ティム・インゴルドは、人の営みが何らかの「ライン」を描くことに着目し、運動し成長するものとして知覚される「糸 thread」と「軌跡 trace」の二種類の「ライン」に焦点を当てて検討を重ねた。そして、「糸」と「軌跡」は相互に変形し合うものであり、その両方が記述する〈書く〉という行為に密接に関係することを示している（インゴルド 二〇一四）。

私たちはまた会場にある有形のものを絶え間なく動かし、また思索という無形のものを視覚化し続け、変化を起こすことによって生まれるそれらの痕跡を意図的に残しながらプロジェク

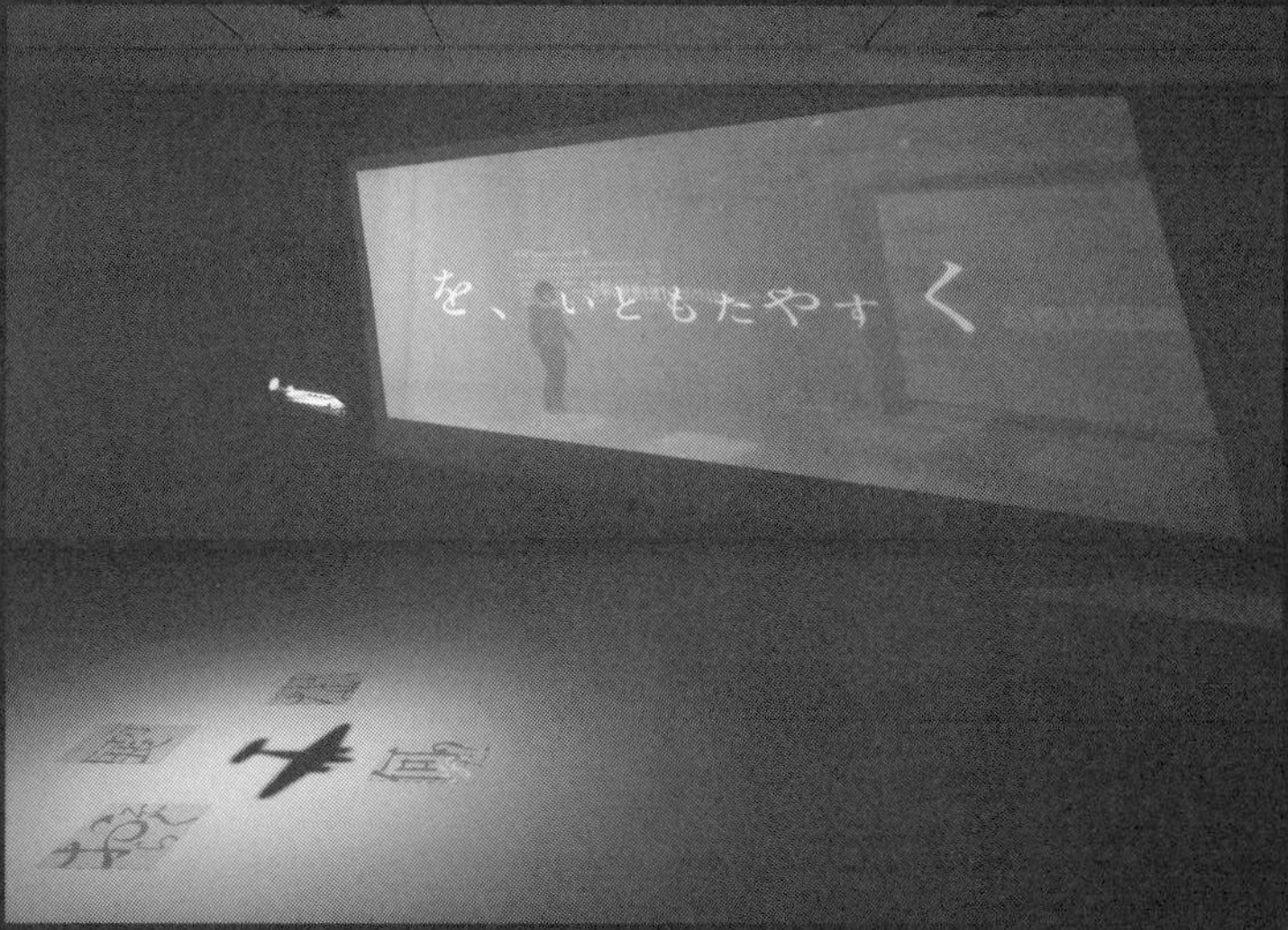
を、いともたやすく

トを進めてきた。資料を会場の天井につなぎとめた糸も、プロジェクトが進むとその長さを短くして資料を動かしたことで軌跡を描くものとなる。「糸を縫う針」のごとく、それらの軌跡は資料が生きてきた時間と現在とをつなぎ合わせ、有形無形を問わず、いま現在進行形で動くものごとと結びつける。そうすることで生まれた線は、「運動し成長するものとして知覚される」もの、すなわち「動的イメージ」を描き出すのである。

「橙（だいだい）以下省略」に現れた何か、
この場合は「とうもろこし以下省略」に代表される
「何かしらを剝く方法」という
無形文化的なもの、が
「わたしは生きてきた」のひとつの発露であって、
芋づる式に、あるいは、原形追跡不可能なレベルで

あれやこれやの経験などが、一体化し、混在している、

リアル。[14]

とｍａｍｏｒｕは言う。実際の経験と同じく、アーカイブあるいは記述が経験を残し、生み出し、伝えるものとなるためには、思索のなかでそれらが生きていなければならない。ゆえに、まずはアーカイブを記述されたものとしてではなく生きているものと捉えるための何らかの仕掛けを作り、異なる時間軸にあったものを現在に引き寄せて身体的な結びつきを生じさせる必要があるのだ。運動し成長するものであるはずの線が静態的なものになってしまうことのないように。

14　展示映像《影響とインスピレーションの速度の違い》に含まれたテキストの一部。

糸を縫う針

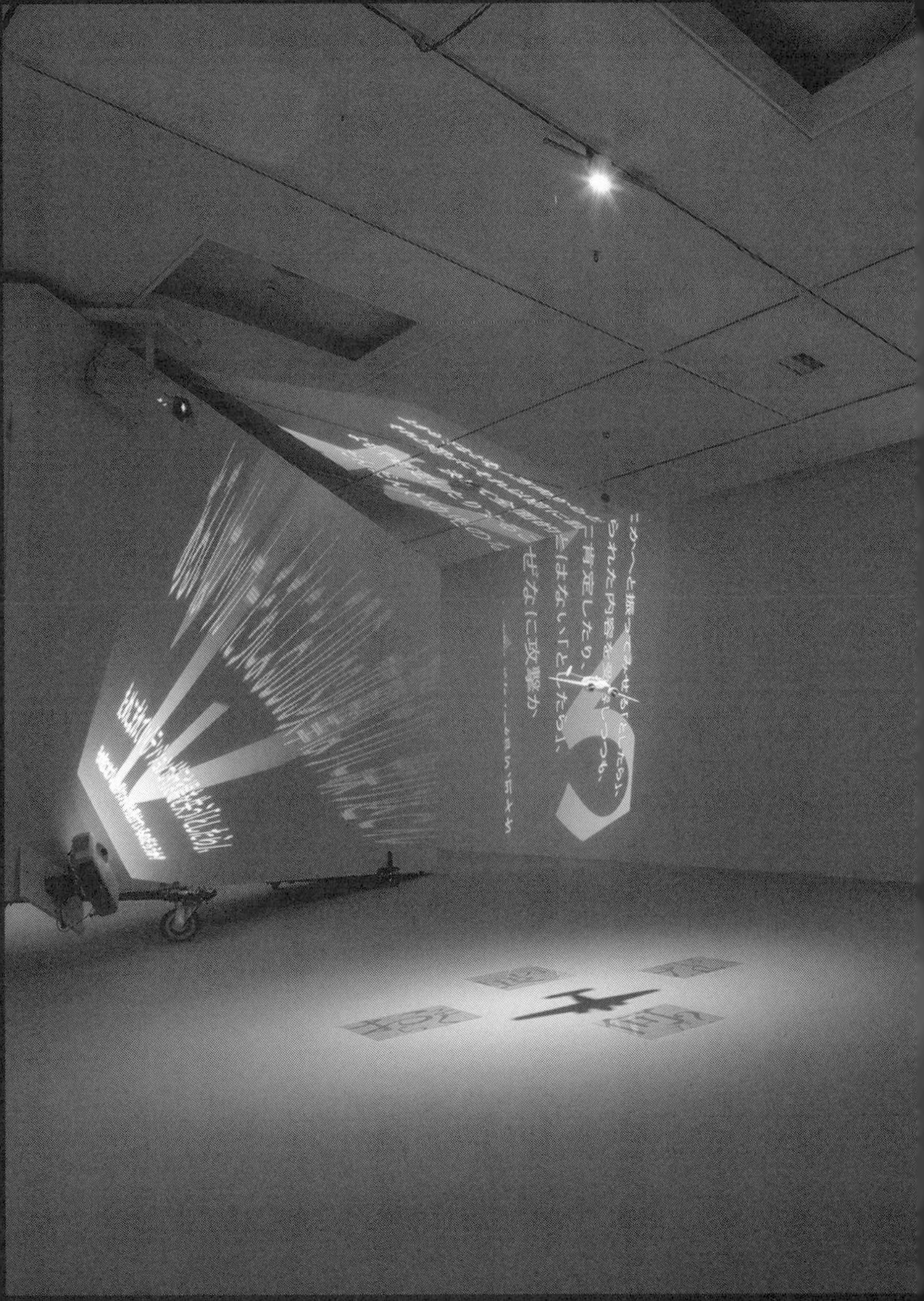

そしてそれは、アーカイブや記述との関係だけではなく、オンラインにどっぷり浸かってしまった現代に生きる私たち自身の身体性を取り戻すための道をも示している。たとえ物理的に同じ場所にいることができなかったとしても、ともにあること、経験することとは何かを常に考えながら、無数の線を描き続ける行為こそ、私たちが「生きる」ための実践なのではないだろうか。

掲載図版撮影：来田猛

参考文献

石原友明（二〇二〇）「『あえて間違った読み方』を――創造的誤読についてのノート」『COMPOST』（vol. 1）、一六一―一六七頁。

ティム・インゴルド（二〇一四）『ラインズ――線の文化史』工藤晋訳、管啓次郎解説、東京：左右社。

京都市立芸術大学美術学部（一九八〇）『画学校～京都芸大一〇〇周年記念 卒業制作 日本画聚英』、弘津友三郎・原田平作・石本正・榊原吉郎・河本昭・宮本道夫編、京都：京都書院。

京都市立芸術大学百年史編纂委員会（一九八一）『百年史 京都市立芸術大学』京都：京都市立芸術大学。

建畠晢（二〇〇八）「Still/Motion」『液晶絵画 Still/Motion』三重県立美術館、国立国際美術館・東京都写真美術館・朝日新聞社編、東京：朝日新聞社、一〇―一六頁。

廣田孝（一九九七）「運筆手本の研究、京都市立芸術大学所蔵資料を中心に」『美術史』第一四三冊、八二―九七頁。

ボリス・グロイス（二〇一七）「新しさについて」『アート・パワー』石田圭子・齋木克裕・三本松倫代・角尾宣信訳、東京：現代企画室、四〇―七四頁。

松尾芳樹（一九九五）『京の絵手本』（上・下）、東京：日貿出版社。

――（一九九九）「『画学校』粉本について」『京都市立芸術大学芸術資料館年報』第九号、一三―二三頁。

安田登（二〇一一）『異界を旅する能 ワキという存在』東京：ちくま文庫。

イメージの吟遊詩人

川瀬慈
Kawase Itsushi

1　イメージの脈動

世界的なパンデミックの期間、私のなかにあるビジョンがふくれあがった。心象、心像、死後の世界、夢、自然界がもたらす神秘、超越的な存在などが主体性を持ち、生きていると想像する。イメージは生命を持ち、脈動し、歌う。歌う主体はなにも生きた人間とは限らない。歌に輪郭も境界も存在しない。私と他者の壁を溶解させ、生と死の境を貫入し、転調を重ね、変調を繰り返し、その存在を拡張させていく。人の意図、はからいの類を悠々と超え、イメージ自身が集い、身を寄せ合い、有象無象の様々な命を揺さぶり、漂いながら、歌い手を求めて、ストーリテラーを求めて、時空の旅を続けていく。それらは、人による所作を通して活性化されたり、時に廃れたり、人と人のつながりを介し、その生命をしたたかに維持させていく。

私は数年前、ドイツの民族学・人類学の拠点である、フロベニウス研究所に客員として滞在したことがある。研究所では二十世紀初頭から半世紀にわたり、民族学者と職業画家を世界各地に派遣し、先史時代の岩絵の模写を蓄積してきた。写真をあえて活用せず、模写にこだわった理由について、研究所創設者のレオ・フロベニウスは、岩絵の模写の目的は、研究資料の蓄積なのではなく、絵の奥にある、古代の知性、精神性に同期し、直感に基づき、その世界と交流することにあると指摘する（Kuba 2012）。フロベニウスのこの指摘は、いったい何を意味するのか。人類学における近年の思想の潮流においては、フィールドを所与のものとして客体化し、分析するという思考が再考されている。人類学者が世界を外側から観察するのではなく、直感、感性に基づく、内在的な視点から世界を捉えようという思想的な試みが展開しているといえよう。フロベニウスが探求し、「同期」を試みたのは、イメージの源泉のような世界なのかもしれない。例えば、歌やことばの奥底に、イメージの鉱脈があると仮定する。そこへ何らかの技法を通してアクセスをこころみようとする存在、例えば詩人、芸能者、宗教職能者等の営みから、人による創造行為、芸術表現について新たな視座を提供することは可能であろうか。本稿では、私自身が長年研究対象としてきたアフリカの吟遊詩人、職能集団、アズマリによるイメージをめぐる実践を紹介し、世界を読み替える〝ヘテロトピアン〟としての彼らの役割に着目する。また、それを映像によって記録し発信する人類学者である私自身の営みを省察的に考察する。

2　吟遊詩人

各地を広範に移動し、詩歌を歌い奏でる吟遊詩人は古代から各国に存在した。一般に吟遊詩人というと、中世ヨーロッパにおいて存在したトルバドールやミンストレル、バード等の口承文芸の担い手や芸能者を指すことが多い。吟遊詩人的な存在の歌い手や語り部は世界各地において脈々と生きてきたといえる。彼ら、彼女たちは時代の変遷のなかで様々な役割を担ってきた。王侯貴族の系譜を語り継ぐ語り部、戦場で兵士を鼓舞する楽師、為政者を揶揄する批評家、権力に抗うレジスタンス、宴席に哄笑の渦をまき起こすコメディアン、庶民の意見の代弁者、中央のニュースを地方に伝えるメディア、儀礼を司る職能者、五穀豊穣を祈願する門付芸人等が挙げられる。これらの存在については、歌と語りの領域を行き来する口承文芸を担い、身体的なパフォーマンスを実践し、地域社会において、時には畏怖の対象とされ、また時には社会的周縁に追いやられてきた点を指摘できる。同時に近年は、グローバルな消費社会、ポピュラー音楽界、さらには無形文化遺産をめぐるポリティックスとのつながりのなかで、その芸能の様式や、自身の表象のありかたを柔軟に変え、したたかに生き延びてきたともいえる。

私は、エチオピアの北部都市ゴンダールや同国首都のアジスアベバにおいて、音楽をなりわいとする職能集団の人類学的な研究を行ってきた。本稿では、地域社会において弦楽器マシンコを弾き語るアズマリと呼ばれる楽師たちが、歌を通して空間を読み替え、変容させる作業や、歌を通して、生の状態のなかに死が包み込まれているということを人々にリマインドする、イメージを喚起する営みについて考察したい。

3　アズマリの概要

アズマリはいにしえより、多様な社会的役割を担ってきた。エチオピア北部の様々な社会的状況において、アズマリの演奏が要請されてきたといえる。歴史家の文献を俯瞰すると、アズマリが、権力者や体制に従属的な立場をとったり、時代の脈絡においては為政者に抵抗するなど、複数の顔を持ってきたことがうかがえる（Bolay 1999, Gebreselassie 1986）（図1）。ソロモン朝ゴンダール期（一六三二―一七六九）による封建体制が崩壊した後の群雄割拠の時代、アズマリは諸侯の保護下にあり、歌を通して主人を褒め、ねぎらい、時には楽器を持って戦場に赴き、兵士たちを鼓舞するために演奏を行った。現地のアムハラ語においてシュメットと呼ばれる、武勲のあった戦士や貴族に与えられる冠位を受け取ったアズマリもいた。十九世紀後半のメネリク二世の統治時代は、アズマリが歌を用いて税を徴収する係として雇用され働いたことが報告されている（Gebreselassie 1986）。

一九三〇年代半ば、ムッソリーニによるイタリア領東アフリカ帝国建国の野望

図1　新年の家庭の宴席で弦楽器を弾き語るアズマリ男性（著者撮影）

を掲げたイタリア軍は、エチオピアに侵攻を開始し、主要都市の多くを支配下におく。エチオピアがイタリア軍の統治下にあったこの時代、アズマリのなかには、侵略者であるイタリア軍を、あからさまに褒めたたえる歌を歌うものがいた。その一方で、ファシスト・イタリア軍による軍政に歌を通して抗い、人々を扇動したアズマリもいた。それらの歌い手の多くが捕えられ処刑された（Falceto 2001, Powne 1968）。社会主義のイデオロギーを中心とする軍事政権の時代は、政権のスローガンをエチオピアの諸民族の言葉で歌うアズマリがラジオに出演した。アズマリは権力者の庇護のもと、体制維持に貢献するために歌うとともに、時には庶民の代弁者となって支配者に抵抗するための音楽活動を行ってきたのである。そのようななか、近年アズマリのなかから、エチオピアのポピュラー音楽界で活躍するような歌手や、欧米のプロデューサーとの出会いを通し、エチオピア国外でのライブやフェスティバルに参加する者も飛躍的に増えている。エチオピア移民を多く抱える北米や欧州を拠点に活動するアズマリもでてきた。同時にユネスコやエチオピアの研究機関から、アズマリの音楽文化を無形文化としてとらえようとする動きがあることも見過ごせない。地域社会の音楽を担ってきたアズマリが、外部から激しく揺り動かされ、地域社会における職能者からより開かれた場における表現者へと変化していく過程にあると考えられる。

4　地域社会のアズマリの演奏

アズマリの歌の代表的な特徴に、相手を褒める、「褒め歌」がある。相手の身体的な特徴、服装、職業、あるいは性格などを対象に、即興で歌をつむいでいく。例えば、アズマリの子供たちの日々の営みを描いた拙作の民族誌映画『僕らの時代は』に登場する歌に以下がある。

ተጫወት ሰለሞን ጨዋታህ ያምረኛል
ソロモン　なかなかいいユーモアのセンスしてるね　もっと話してよ

ከሆድህ ንብ የለው ከፍህ ማር ይገኛል
おなかにハチがいないのに　あなたの口から蜂蜜があふれてくる　（川瀬　二〇二〇：八九）

この歌詞では、公園に歌いにやってきた若いアズマリが、公園でくつろぐ三人の若者のうち、ソロモンと呼ばれる青年にターゲットを絞る。ここにおいて「蜂蜜」は「楽しい話」というイメージでとらえられる。すなわち「ソロモンのおなかのなかに蜂などいないのに彼の口から蜂蜜があふれてくる。どうか蜂蜜のような甘く愉快な話を続けて」ということだ。あるいは、蜂蜜を、「流ちょうな語り口」を意味するとも受け取ることができる。アズマリはまた、聴き手たちの意見を代弁するメディアでもある。アズマリは歌を通し意見を述べるのみならず、聴き手たちの意見を代弁する。その「代弁」の意味は、アズマリが演奏する場面を観察していると、アズマリ演奏を初めて目の当たりにする者にでも容易にわかる。聴き手からアズマリへ向かってさかんに即興詩が投げかけられ、アズマリはそっくりそのまま投げかけられた詩を反復し、他の聴衆に聴かせるのである。観客どうし互いの長所を褒めあう対話と同時に、時には聴衆どうしの喧嘩までが、アズマリを介してなされる場合もある。演奏が男女のアズマリによる場合は、主にマシンコ奏者である男性アズマリから詩が投げかけられ、中心的なボーカルを担当する女性アズマリがその詩を繰り返すなど、アズマリ同士でも詩の復唱が行われることがある。逆に、アズマリが聴衆に詩を投げかけ、聴衆がそれを復唱することはない。投げかけられる詩の内容や長さは様々であるが、フッカラと呼ばれる、軍人や男性が行う、己の強さの大声での誇示が、酒場において聴衆からさかんになされる傾向にある。詩の復唱は、アズマリが演奏を行う時に顕著な、奏者と聴衆間の相互行為ともいえる。

アズマリはエチオピアの社会のなかで親しまれると同時に、蔑まれながらも様々な役割を担ってきた。権力者や国家体制などの支配勢力に対して、対抗的なメッセージを伝達する媒体としてアズマリの歌が機能してきたという歴史家の意見もある（Bolay 1999）。そのようななか、エチオピアの近年の内戦に付随する歌が生まれ、北部のアズマリのあいだでひろまっている現状もある。二〇一八年、それまで紛争の絶えなかった隣国エリトリアとの外交の再開と和平実現をはじめとする革新的な取り組みが評価され、アビィ・アハメド・アリ首相がノーベル平和賞を受賞した。しかしながら、かつて長いあいだ、政権の中心的な役割を担ってきたティグライ人民解放戦線（ＴＰＬＦ）とエチオピア連邦政府軍とのあいだで二〇二〇年に内戦が勃発してからは、エチオピアの政治状況は決して安定しているとは言い難い。反乱軍の拠点である北部のティグライ州は中央政府軍によって、物資、食料の供給を絶たれ、いわば、兵糧攻めにあう。ティグライ州の多くの地域が深刻な飢饉に陥った。ティグライ州にむけて支援物資が送られるようになった矢先、反乱軍のリーダーがそれらの物資を独占しているのでは、という噂が人々のあいだにひろまった。二〇二一年、中央政府軍に抗うＴＰＬＦのリーダーの一人であるゲタチョウ・ラダを揶揄する、以下の歌がアズマリたちによってさかんに歌われた。

ኑሮ ተወደደ ሰው ራብ አለቀ
物価の上昇のため人々は飢えて死ぬ
ጌታቸው ረዳ ሊጥ እየሰረቀ
ゲタチョウ・ラダによって生地（食物）が盗まれる

庶民がインフレ下における、物価高の生活に苦しむなか、反乱軍のリーダー、ゲタチョウ・ラダが、食物を貪っているというストレートな批判。反乱軍側のリーダーの強欲なイメージに付随する内容であるが、それに対する人々の不満をアズマリがうまく代弁しているともとらえられる。

以上のようにアズマリは、人々を褒めたたえたかと思うと、民衆の気持ちを見事に代弁もする。アズマリは同時に、地域社会において、祝祭や宴会をいろどる道化師というイメージが強い。しかしアズマリは、歌を通して世界を異化する指揮者でもある。以下にその具体的な内容を紹介したい。

5　空間を読み替え、イメージの鉱脈を揺さぶる職人

アズマリは穀物の収穫の場で歌う。十月から十一月、エチオピアの主要な穀物、テフの収穫時、共同作業による刈り入れが高原の各地で行われる。穀物の収穫は共同作業によって行われる。農夫たちは集団で横一列に並び、いわゆるうさぎ跳びを繰り返す。しなやかに、踊るように穀物を刈りとっていく。アズマリは収穫

の場を戦場にみたてて歌う。時折銃声を模すかのような擬声を用いて、兵士たちが撃ち合い、斬り合い、血を流す戦場に読み替えていくのである。穀物の収穫の場を、戦場として劇化するアズマリ。それに対する農夫たちの応答は見事である。銃声の模倣に急き立てられるかのように、農夫たちの跳躍は勢いを増し、鎌の動きは素早くなり、ピョンピョン飛び跳ね、喉の奥をぜえぜえ、ぜえぜえ、ぜえぜえと鳴らしながら、みな一体となって作業をすすめる（図2）。

憑依儀礼における演奏についても触れねばなるまい。中東から、北東アフリカにひろく伝わる、ザールと呼ばれる憑依儀礼がある。フランスの詩人・民族学者、ミシェル・レリスの紹介でも知られる通り、エチオピア北部はザールが盛んに行われてきたことで知られる。ザールの場は、宗教的な規制やものさしから解き放たれた混沌としたジャムセッションの空間だ。病気に関する話題、嫁・姑間のいざこざ、不妊に関する悩み、人々はそれぞれが抱え込む問題を霊媒にはき出していく。霊媒は「精霊の馬」、すなわち精霊が乗りこなす馬と人々に認識される。北部において一般に邪教と位置付けられるこの憑依儀礼では、アズマリは精霊を各地から呼び寄せるために歌うとされる。地域社会の様々な場面において演奏を要

図2　穀物の収穫時に演奏するアズマリ男性（著者撮影）

請されるアズマリではあるが、彼ら、彼女たちの演奏機会のなかでも、ザールは難易度が高い機会と、集団間では位置づけられている。トリッキーでいたずら好きで、気まぐれな精霊（現地のアムハラ語では一般に、コレ、ウカビ、アウォリイェと呼ばれ、アズマリの隠語ではロンケと呼ばれる）たちとの相互交渉は、人間を相手にした演奏よりやっかいなのである。歌詞において重要なのが、精霊たちの出身地と名前である。特に強大な力を宿した精霊の多くがゴンダール北部のシミエン山脈界隈や、ティグライ州ラヤの荒れ地に棲むとされる。また、外国からやってくる精霊や、ゴンダールの南、青ナイルの源タナ湖界隈からやってくる者もいるという。精霊のなかには、教会に通い聖書を勉強する者、また、熱心なイスラム教徒もいるとされる。

アズマリは、空間の密度を濃くし、人々の意識のあり方をかえていく役割を担う。ゴンダールでは、ザールの参加者一般を指して、アンカサッカシ（「揺さぶり起こす人」）、アムァムァキ（「あたためる人」）という言葉が用いられる。セイフチャンガル、ブレー、シァンキットゥ、ソフィア、それぞれの精霊には性格があり、好むとされるメロディやリズムパターンがある。ザールにおいては、精霊を誘い出すために、アズマリの演奏を軸に、人々が一体となって眠っている精霊を揺さぶり起こし、儀礼の場を歌や踊りで文字通り、あたためることが求められるのだ。この際のあたためるというのは、部屋の温度の高低に言及するものではない。むしろ、光、音、匂い、煙によって、空間の密度を濃くしていくということを意味する(図3)。精霊が去ったあとの霊媒の体や、儀礼の場は「冷める」、と表現される。アズマリは、精霊それぞれの特徴にあわせた旋律や歌詞を使い分けて演奏を行う。それはすなわち、各地においてふだんは眠っている多様な精霊というイメージの源泉を揺さぶり起こし活性化させ、人々がその脈動に同期することを促す作業であるととらえることができる。

6 伸縮するイメージのアーカイブの番人

ここでは、アズマリによる、イメージの世界へのアクセスを紹介したい。アズマリの歌には、セムナ・ワルク(「蠟と金」の意)と呼ばれる、特殊な歌の世界がある。「蠟と金」は、演奏機会がどのような場であれ、演奏を始める際に男性アズマ

図３　憑依儀礼において演奏するアズマリ（川瀬慈映像作品『精霊の馬』より）

りの独唱によって数分間歌われる。曲に一定の拍子はなく、いわゆる語りに近い。数行で意味内容が完結する短い詩が連なっていくのであるが、愉快な道化師であるアズマリも、この歌を歌う時だけは、何か雰囲気が違う。遠方をみつめ、ことばを嚙みしめながら、自らにじっくり言い聞かせるかの如く歌い上げるのだ。まず、集団の起源伝承が歌われる。そこでは、死の床にあった聖母マリアの苦しみをやわらげるために神によって天使が遣わされ、マシンコを弾き語ったという話が歌われる。アズマリによれば、この天使、エズラは集団の始祖であるということだ。聴き手は歌詞の上っ面の情報を受け止めるだけではいけない。注意深く歌詞に耳を傾け、言葉の奥に拡がる、イメージの世界に深く深く潜っていくことが求められる。「蠟」は歌詞上で字義通りに理解される特定の単語や節、ひとまとまりの段落を意味する。一方「金」は、蠟が徐々に溶けることによってあらわれ出る歌詩の深淵、イメージの世界を指す。「蠟と金」の歌詞の大半には、人の生死に関わる諦観、あるいは無常観と呼べるような内容が埋め込まれている。しかしそれは、あくまでも埋め込まれているイメージであって、露骨に、人は誰でも死ぬんだよ、と諭すようなトーンで歌われるわけではない。歌い手は、特定の歌いまわしによって、人々に、死についてのイメージを喚起させるのである。このイメージについては「死をめぐる意識」、とでも描写するのがひょっとすると適切かもしれない。以下、死生観に関する代表的な歌を紹介する。

የዘሬ ዘመን ገበሬ
近頃の農民たちは
ምድር ኢያውቅም እስከ ዛሬ
農地に関してなにも知らない
ቈንጬ ነው ብለህ አትለፈው
ここは砂利混じりの土だと言って　通り過ぎてはいけない
እረሰው አፈር ነው።
耕せ！　ここは　土であるから

（川瀬　二〇二〇：九七）

ここでは、四行目の「耕せ！」に、「蠟」と「金」が宿る。命令文 ኧረሰው アラソウ「耕せ」を ኧረ アラ（感嘆詞：え！あれ！）と、ሰው ソウ（名詞：人）に分ける。すると、「あれ！ 人は 土である」、「人は（いずれは）土になっていく」というイメージが生起する。もう一つ事例を紹介したい。

የልጃገረድ አውታታ
少女がさまよい歩き

ከአውራ መንገድ ላይ ተኛች
道のまんなかで寝てしまった

ተነሽ ቢሏት ምነው
誰も彼女に立ち上がりなさいと言わないの

ይህ ሁሉ እለም እፈር ነው

（彼女は）何も恥じることはない

ここでは、四行目の「恥じることはない」に、「蠟」と「金」が宿る。彼女が「道の真んなかで寝ていても恥じない」**እለም እፈር** という蠟はみるみる溶け、「金」すなわち、「この世界 **እለም** はすべて、土 **እፈር** に還る／消え去る」というイメージが湧き上がるのである。

「金」が包含するイメージは抽象的で、多義的にも解釈可能だ。聴き手は、蠟と金を含む歌を聴きながら、誰もが免れえない運命、死について思いをはせる。歌い手や、聴き手のなかには、人の世のはかなさを想い、感極まり、涙を流す者もいる。聴き手は「蠟」、すなわち歌の外側にあらわれでている世界のみに固執してはいけない。「金」には、一元的で、固定的な答えや、論理的で、首尾一貫したメッセージが聴き手を待っていない。そこは、広大なイメージの海であり、各々が想像力を頼りに、深く潜行していくスペースなのである。

「金」のパートは、歴史の古層に堆積し、固定されたものではなく、変化を続けるイメージのアーカイブであるととらえることができるのかもしれない。アズマリはそのアーカイブの番人であると同時にコンダクターでもあるといえるのではないだろうか。「蠟と金」については、テクストとして翻訳するのが必ずしも正しいのではなく、フロベニウスの言葉のように、金が包含する世界と同期し、交流するとはどういうことかを考えていくことが大切であるように思われる。

7　映像作品とイメージの喚起

私は、これまで紹介したエチオピア北部において音楽を専業とする職能集団、アズマリを対象とした民族誌映画をいくつか制作してきた。『僕らの時代は』（二〇〇五年、二〇一六年再編集）、『ドゥドゥイエ　禁断の夜』（二〇〇六年、二〇一六年再編集）、『精霊の馬』（二〇一二年）等である。私は制作した映像作品を多くの視聴者に向けて上映し、議論することをフィールドワークの延長であるととらえている。作品は視聴者の感情や感覚に強く訴えかけることがある。この場合の作品については、始まりと終わりを持つ、特定の時間枠に収まる完結した存在として位置づけるのは正しくない。作品は、様々な感覚、記憶、感情を喚起させるイメージの世界であり、それを享受する側の人々のイメージ世界と呼応、共振し、またさらなるイメージを創発させていく。すなわち、イメージを享受する側の人々は決して、受動的な存在ではなく、能動的にそれを読み取り、受け取り、こちらが予想しなかったような意見や情報をぶつけてくることもある。映像が引き起こす多様な声にどう向かい合い、それを対象のさらなる理解にどう反映させるのか、は私のなかではとても大きな問いである。前出の作品は、多くの上映会、映画祭、学会、大学講義の場で上映され、視聴者から多種多様なリアクションをひきおこしてきた。上映を重ねるなかで、これらの映像作品が、私という制作者が制作した、意味内容が固定された研究成果ではなく、こちらの予想しなかったような議論の地平を開くディバイスであるとも考えるようになった。作品を公開することによって、音楽集団に関する貴重な情報を得たり、研究の新たな展開が生まれるようなことが多々あった。音楽集団との邂逅に関するパーソナルな記憶について語ってくれる視聴者とも数多く出会ってきた。

さて、『僕らの時代は』は、十代半ばのアズマリの少年、タガブとイタイアが主人公である。音楽職能を生きる二人の日々の営みを、私と二人による、アムハラ語、アズマリ隠語による対話を中心に描くものである。我々はカメラを介して、互いの意思決定、立ち居振る舞いに深く影響しあう、共犯関係のようなつながりにあったのかもしれない。楽器マシンコを抱えながら、演奏場所を求めて町中をさまよう少年二人。我々は冗談を言いあったり、励ましあったり、時には喧嘩をしたり、大人のアズマリたちや町の人々の邪険な態度に憤慨しつつ一喜一憂し、密度の濃い時間を過ごした。本作はアズマリの活動についての記録というよりも、私と二人の少年とのやりとりそのものをとらえた記録であるともいえる。

この二人の少年と同じ北部のアズマリ母村出身の歌手にデレブ・デサレイがいる。本作を彼に見せたときに得た経験を紹介したい。彼はオーストラリアとエチオピアを行き来しつつ、日本での演奏ツアーも複数回経験した。いくつかのヒット曲とともに、エチオピアのポピュラー音楽界において、広く知られる存在だ。デレブは、ゴンダールのアズマリの家系という血のしばりと、自己が理想に掲げるアーティスト像のなかで揺れ動き、アズマリの定義を更新し続けるアーティストであるともいえる。音楽集団の家系に生まれ育ったデレブは、アズマリの詩の語りの継承というミッションを自己のうちに抱えるとともに、エチオピア社会からアズマリにむけられるスティグマとたたかってきた。オーストラリアにもエチオピアにも安住の地を見いだせないことから生まれる彼の葛藤はすなわち、デレブという類まれなアーティストの創造の源泉そのものであるといえる。アジスアベバのFMラジオ番組、さらにはアジスアベバ大学での講演会を通して彼は「我々はアズマリではなく、アーティストである」という主張を繰り返し行っている。

そんな彼による、二〇一八年の来日ツアーに私は参加した。東京都港区において行われた彼のコンサートのなかで『僕らの時代は』が上映されることになった。アズマリ音楽の文化背景をコンサートに来た聴衆に知ってもらおうという、主催団体・一般社団法人エチオピア・アートクラブによる提案が上映に至る経緯にあった。しかしながら、オーストラリアから同伴したバンドメンバーとの演奏開始直前に本作を視聴したデレブは、なぜかはげしく憤慨し、コンサートをとりやめるよう主張し、会場を飛び出そうとした。あわてた主催者が彼を必死でなだめて、なんとかコンサートは無事に行われたが、上映と演奏のあいだの時間帯に予定されていた、私と彼のトークショーは中止になり、代わりに急遽、バンドのキーボーディストが私と対談をすることになった（図4）。牧歌的ともうけとれるようなアズマリの少年と私の映像記録が、なぜ、デレブをここまで怒らせたのか。コンサートが終わり、ほとぼりが冷めたあと、彼にたずねると、彼は自身の非礼を私に詫びつつ「作品そのものに非はない。しかし、映像のなかで苦労して音楽活動を行う二人の少年の姿が、自らの幼少時の姿そのものであり、それを見ることがつらく耐えられなかった。」と答えた。エチオピア北部の職能者からアーティストへと自らを読み替え、組み替え、創造する革新者を自負するデレブ。異国の地において主張したかった彼自身のイメージに、根底から拮抗するイメージを拙作が否応なく彼につきつけてしまい、彼を動揺させたのかもしれない。

本作の英語字幕版は、民族誌映画祭や、国際アズマリ会議等において、アズマリの少年たちのライフコースを克明に表していると一定の評価を得てきた。上記の作品をはじめとする、エチオピアの音楽集団を対象にした拙作は、アフリカの無形文化記録の事例としてエチオピア国内の研究機関を中心に今日に至るまで活

図４　映画上映後の対談（撮影：エチオピア・アートクラブ）

発な議論の対象とされてきた。しかしながら、この東京での上映機会のように、こちらが予期せぬような反応で迎えられることがある。エチオピア文化遺産調査保護局からは、エチオピア国内で蔑視される傾向にあるアズマリを、映像を通して国外に紹介してほしくはない、という直接的な要望を受け取ったこともある。さらに、北米を拠点にするエチオピア移民によるセミナー等でも、上記作品は数多くの上映機会を得てきた。北米の映画界においては、エチオピア系移民二世の作家が台頭し、多方面で活躍している。また、ゴンダール出身であり、世界的にも著名な映画監督であるハイレ・ゲリマや、彼に学ぶ若手の映像作家や学生たちが、映画によって表象されるエチオピアの歴史や文化を対象に議論する研究会をワシントンDCで定期的に開催している。これらのセミナー、研究会に招聘され、エチオピア系の映像作家、学者、アーティストと議論を重ねるなかで、世襲の職能集団や路上生活者、あるいはエチオピア正教会からは邪教あつかいされる憑依儀礼等を「エチオピア国外では見せるべきではない祖国の恥ずべき文化」としてみなし映像作品のなかでとりあげることに深い懸念を示す視聴者が多いことに気付かされた。同時に、エチオピアの行政関係者や欧米のエチオピア移民コミュニティが関わる上映の場では、オーソライズされた有形・無形のエチオピアの文化遺産こそが、映像を通して記録されるべきであるという、いささか強い意見や理想的な表象をめぐる声に出会うことが少なくない。作品や被写体の選択に対する批判や厳しい意見を受けることは決してここちよいものではない。しかしながら、上記のような上映の場では、学会や映画祭では得られない、人々の記憶や感情に関わる、対象を理解する新たな視点に巡り合うことも確かである。作品の上映を介した、表象に対する理想、イメージの誘発とその考察については、今後も検討を重ねたい。

アズマリの歌が、固定的なパフォーマンスなのではなく聴き手との豊かなやりとりの中に常に生成、創発し続ける営みであるのと同様に、映像上映とそれをめぐるコミュニケーションは、イメージの脈動によりそい伴奏する、終わりなき旅のようでもある。

参考文献

川瀬慈（二〇二〇）『エチオピア高原の吟遊詩人――うたに生きる者たち』東京：音楽之友社。

Bolay, Anne. 1999. The Role of Music, Expressions of Faith, Expressions of Power. Musical Instruments of Ethiopia. *Collection of the Ethiopian Museum of the Institute of Ethiopian Studies*. Addis Ababa: Centre Français des Études Éthiopiennes. 10–11.

Falceto, Francis, Albrecht, Karen Louise. 2001. *Abyssinie Swing: A Pictorial History of Modern Ethiopian Music = images de la musique éthiopienne moderne*. Addis Ababa: Shama Books.

Gebreselassie, Teclehaimanot G. 1986. A brief survey study of the Azmaris in Addis Ababa. *Proceedings of the International Symposium on the Centenary of Addis Ababa*, Vol 2, A. Zekaria, B. Zewdie and T. Beyene (eds.). Addis Ababa: Institute of Ethiopian Studies, Addis Ababa University, 161–172.

Kuba, Richard. 2012. Portraits of Distant Worlds: Expedition Paintings between Ethnography and Art. *Object Atlas: Fieldwork in the Museum*, Clémentine Deliss (ed.). Frankfurt: Kerber Verlag, 327–342.

Powne, Michael. 1968. *Ethiopian Music: An Introduction: A Survey of Ecclesiastical and Secular Ethiopian Music and Instruments*. London: Oxford University Press.

おわりに

本書は二〇一八年から二〇二二年にかけて行われた、国立民族学博物館共同研究「拡張された場における映像実験プロジェクト」の成果である。ここにおいて繰り返し述べるまでもなく、共同研究の期間は奇しくも、地球上の誰もが否応なく影響を受けた、新型コロナウイルス感染症（COVID-19）の感染拡大の時期と重なることとなった。研究会合は前半、メンバーが会場の国立民族学博物館に集い、対面で行ったが、後半においてはほぼオンラインでの開催となった。対面による開催であれ、オンライン形式による開催であれ、研究会合は、人類学者、アートを専門とする研究者、キュレーター、映像作家、アーティストなどによる領域横断的な熱い議論と交流の場になった。共同研究の開催記録の詳細は以下の通りである。

国立民族学博物館共同研究（若手）「拡張された場における映像実験プロジェクト」

研究期間　二〇一八年十月―二〇二二年三月
研究代表者　藤田瑞穂
共同研究員　【館内研究員】川瀬慈、【館外研究員】奥脇嵩大、佐藤知久、西尾咲子、西尾美也、福田浩久、村津蘭、矢野原佑史、（二〇一九年度より）岸本光大、下道基行

研究会開催記録

二〇一八年度

第一回　二〇一八年十一月三十日（金）　於：国立民族学博物館　大演習室

・藤田瑞穂（京都市立芸術大学）
「共同研究の趣旨説明と検討課題について」

第二回　二〇一九年二月一日（金）　於：国立民族学博物館　大演習室

・矢野原佑史（京都大学）
「音楽主体の映像編集による文化表象」

・西尾美也（奈良県立大学）、西野正将（美術家／映像ディレクター）
「映像編集と表現の「拡張」――言語／非言語による二次的な語りの可能性」

二〇一九年度

第一回　二〇一九年六月九日（日）　於：国立民族学博物館　第7セミナー室

・田中みゆき

「全盲者による映像の可能性／不可能性について」

・奥脇嵩大（青森県立美術館）

「百姓の眼」

・藤田瑞穂（京都市立芸術大学）

「変わりゆく街における芸術とアクティビズム」

第二回　二〇一九年九月十五日（日）　於：国立民族学博物館　第7セミナー室

・山内政夫（柳原銀行記念資料館）

「自主映画『東九条』とその時代」

・満若勇咲（映像作家）

「制作現場から見たドキュメンタリーについて」

第三回　二〇一九年十一月十七日（日）　於：国立民族学博物館　大演習室

・小川翔太（名古屋大学大学院）

「期待の地平としての映像アーカイブ――帝国観光の映像が露呈する問題」

・佐藤知久（京都市立芸術大学）

「映像／拡張された場／震災の前と後／現在」

第四回　二〇二〇年二月九日（日）　於：国立民族学博物館　映像実験室

・川瀬慈（国立民族学博物館）、村津蘭（京都大学）、矢野原佑史（京都大学）

「あふりこ――フィクションの重奏／遍在するアフリカ」

・金子遊（多摩美術大学）

「ゾミアの遊動民――映画『森のムラブリ』の企画・撮影・上映について」

二〇二〇年度

第一回　二〇二〇年七月一日（水）　ウェブ開催

・村津蘭（東京外国語大学）

「憑依におけるメディアと情動」

・ふくだぺろ（福田浩久・立命館大学）

「ルワンダの元狩猟採集民トゥワのイメージコスモロジー」

第二回　二〇二〇年十一月十八日（水）　於：国立民族学博物館　大演習室（ウェブ併用）

・柳沢英輔（同志社大学）
「エオリアン・ハープを用いた環境の可聴化」

第三回　二〇二一年三月九日（火）　ウェブ開催

・各メンバーによる研究進捗報告

二〇二一年度

第一回　二〇二一年五月三十一日（月）　ウェブ開催

・全員
「拡張する映像――人類学とアート／表現と学術」

第二回　二〇二一年十月十一日（月）　ウェブ開催

・川瀬慈（国立民族学博物館）
「イメージの生とその増殖」
・奥脇嵩大（青森県立美術館）
「ミミズの抵抗――牡鹿半島での志賀理江子らの制作にみる『錯乱期』イメージ実践の可能性」
・西尾美也（奈良県立大学）
「アートプロジェクトを記録・アーカイブする二次的な語り直しの可能性：『感覚の洗濯　いわきツアー

2017–2019』の実践を通して」
・柳沢英輔（京都大学）
「エオリアン・ハープの実践を通して再構築される身体と環境の関係性」
・藤田瑞穂（京都市立芸術大学）
「イメージの受容とずれゆく感覚――展覧会の現場から」
・村津蘭（東京外国語大学）
「喚起する妖術師――マルチモーダル人類学と民族誌の拡張」
・小川翔太（名古屋大学）
「証言映画アウトテイク・アーカイブの映像学研究、フォト・エッセー」
・金子遊（多摩美術大学）
「ゾミアの遊動民――映画『森のムラブリ』について」
・ふくだぺろ（立命館大学）
「民族誌映画人類学映画について：アンチ・リアリズム、ポエティクス、実験の系譜」
・佐藤知久（京都市立芸術大学）、矢野原佑史（京都大学）
「art/based/research/based/art → art/as/research/as/art」

研究会合の場では、イメージという現象を、各自の研究や活動実践に徹底的に立脚しながら思考し、イメージの主体性を前提とした知や学問のあり方をひろく検討してきた。本書が、本共同研究で交わされた議論の熱気を、多少の荒々しさを含みつつも、少しでも伝えているのであれば、編者一同としては嬉しい限りである。

私たちの意図や計らいを超え、イメージは生きていく。記録のツールや、表現の媒体という、私たちにとって都合のよい手段・役割の中に押しとどめたとしても、イメージはこちらの手元をすりぬけ、私たちの存在を揺るがし、世界を拡張させていくだろう。人類学とアートの合流点からイメージの生命の躍動をとらえようとする試みは、メディアが複合的、重層的に絡まり展開していく状況の中で、今後さらに重要性を増していくことが想定される。そのようななか、国立民族学博物館の共同研究に端を発する本書が、イメージの主体性を前提とした知的な冒険の嚆矢とならんことを願う。企画段階から出版に至るまで、執筆陣に辛抱強く伴走してくださった編集者の田中祥子氏、書籍という「場」における、テクストとイメージの複雑な共奏を実現くださったデザイナーの五十嵐哲夫氏、校正者の金子亜衣氏、並びに亜紀書房の関係者の皆様に深く感謝したい。

イメージの淀みない生命の力を借り、私たちを包む地球レベルの危機に応答するヴィジョンを創造し、構想し、多種多様なオルタナティブな世界（もう一つの物語）を提示していくことは可能であろうか。

二〇二三年二月

編者一同

※本書出版にあたり、館外での出版を奨励する国立民族学博物館の制度を利用した。

執筆者プロフィール

藤田瑞穂（ふじた・みずほ）
一九七八年兵庫県生まれ。京都市立芸術大学ギャラリー@ＫＣＵＡチーフキュレーター／プログラムディレクター。大阪大学大学院文学研究科文化表現論専攻比較文学専門分野博士後期課程修了。同時代を生きる作家と並走して、領域を横断する展覧会やプロジェクトの企画・運営から書籍出版まで多数手がける。近年の主な展覧会企画に、フェムケ・ヘレフラーフェン「Corrupted Air｜腐敗した空気」（二〇二三年）、グスタフソン&ハーポヤ「Becoming――地球に生きるための提案」（二〇二一年）、ジョーン・ジョナス京都賞受賞記念展覧会「Five Rooms For Kyoto: 1972–2019」（二〇一九―二〇年）、ジェン・ボー「Dao is in Weeds（道在稊稗／道《タオ》は雑草に在り）」（二〇一九年）など。

川瀬慈（かわせ・いつし）

一九七七年岐阜県生まれ。国立民族学博物館・総合研究大学院大学准教授。京都大学大学院アジア・アフリカ地域研究研究科博士課程修了。専門は映像人類学、アフリカ地域研究。エチオピア北部において活動する楽師、吟遊詩人の人類学研究、及び民族誌映画制作を行う。近年は詩、小説、パフォーマンス等、既存の学問の枠組みにとらわれない創作活動を行う。主な著書に『ストリートの精霊たち』（世界思想社、二〇一八年、第六回鉄犬ヘテロトピア文学賞）、『エチオピア高原の吟遊詩人——うたに生きる者たち』（音楽之友社、二〇二〇年、第四十三回サントリー学芸賞〈芸術・文学部門〉受賞、第十一回梅棹忠夫 山と探検文学賞受賞）、詩集『叡智の鳥』（Tombac／インスクリプト、二〇二一年）など。

村津蘭（むらつ・らん）

一九八三年大阪府生まれ。東京外国語大学現代アフリカ地域研究センター特定研究員。京都大学大学院アジア・アフリカ地域研究研究科博士一貫課程修了。専門は文化人類学、マルチモーダル・映像人類学、アフリカ地域研究。主な民族誌的な映像作品として「トホス」（二〇一八年第一回東京ドキュメンタリー映画祭短編映画部門奨励賞受賞）、テクストのフィクション作品として「太陽を喰う／夜を喰う」『あふりこ——フィクションの重奏／遍在するアフリカ』（新曜社、四二一—一一七頁、二〇一九年）、インスタレーションとして「モノ／人／物神」『im/pulse: 脈動する映像』（ふくだぺろ・矢野原佑史との共作、京都市立芸術大学ギャラリー@KCUA、二〇一八年）など。主な著書に『ギニア湾の悪魔——キリスト教系新宗教をめぐる情動と憑依の民族誌』（世界思想社、二〇二三年）。

小川翔太（おがわ・しょうた）

一九八三年東京都生まれ。名古屋大学大学院准教授。ジョージ・イーストマン・ミュージアム（動画部門インターン）、ノースカロライナ州立大学シャーロット校（助教）を経て二〇一七年から現職。帝国主義、冷戦、グローバル化を背景とした多層的な人や映像メディアの移動に関心を持つ。近著に『Routledge Handbook of Japanese Cinema』（Routledge、二〇二〇年、共編著）、「証言映画のアーカイバル・ターン――朴壽南（パク・スナム）の映像断片の可読性をめぐって」『映像学』一〇七号（一二二―一三九頁、二〇二二年）、「Ticklish Contact Zones: Colonial, Inter-Imperial, and Trans-Pacific Encounters in/around the Japanese Empire」『Media Fields Journal』一五号（二〇二二年）など。

奥脇嵩大（おくわき・たかひろ）

一九八六年埼玉県生まれ。青森県立美術館学芸員。早稲田大学人間科学部人間環境科学科卒業。ミュージアムの諸活動や主として現代アートのキュレーション実践を手がかりに、形と命の相互扶助の場をつくることに関心をもつ。近年の主な企画に「光の洞窟」（KYOTO ART HOSTEL kumagusuku、二〇一四―一五年）、「青森ＥＡＲＴＨ２０１６　根と路」、「アグロス・アートプロジェクト２０１７―１８　明日の収穫」「青森ＥＡＲＴＨ２０１９：いのち耕す場所――農業がひらくアートの未来」（すべて青森県立美術館）など。主な論考に「アーティストの人類学的実践とは」『美術手帖』二〇一八年六月号など。現在「美術館堆肥化計画」（青森県立美術館）進行中。

金子遊（かねこ・ゆう）

一九七四年埼玉県生まれ。批評家、映像作家、フォークロア研究者。慶應義塾大学環境情報学部卒業。著書『映像の境域』でサントリー学芸賞〈芸術・文学部門〉受賞。他の著書に『辺境のフォークロア』『異境の文学』『混血列島論』『光学のエスノグラフィ』『マクロネシア紀行』ほか多数。共訳にティム・インゴルド著『メイキング』、アルフォンソ・リンギス著『暴力と輝き』など。長編ドキュメンタリー映画の近作『映画になった男』（二〇一八年）、『森のムラブリ』（二〇一九年）は全国で劇場公開された。ほかに「東京ドキュメンタリー映画祭」プログラム・ディレクター、多摩美術大学准教授、芸術人類学研究所所員。

佐藤知久（さとう・ともひさ）

一九六七年東京都生まれ。京都市立芸術大学芸術資源研究センター教授・専任研究員。専門は文化人類学、芸術資源研究。主な著書に、『コミュニティ・アーカイブをつくろう！――せんだいメディアテーク「3がつ11にちをわすれないためにセンター」奮闘記』（甲斐賢治・北野央との共著、晶文社、二〇一八年）、『フィールドワーク2・0――現代世界をフィールドワーク』（風響社、二〇一三年）、主な論文に「映像のオラリティ、映像のリテラシー――オーラル・ヒストリーと映像メディア」（『日本オーラル・ヒストリー研究』一六号、一一一―一二五頁、二〇二〇年）など。京都市立芸術大学芸術資源研究センター紀要『COMPOST』編集委員。

西尾美也（にしお・よしなり）
一九八二年奈良県生まれ。美術家、東京藝術大学美術学部先端芸術表現科准教授。東京藝術大学大学院美術研究科博士後期課程修了。専門は現代美術、アートプロジェクト。文化庁新進芸術家海外研修員（ケニア共和国ナイロビ）、奈良県立大学地域創造学部准教授などを経て現職。装いの行為とコミュニケーションの関係性に着目したプロジェクトを国内外で展開。ファッションブランド「NISHINARI YOSHIO」を手がける。近年のグループ展に「Study：大阪関西国際芸術祭　２０２２」「MIND TRAIL 2021」「東京ビエンナーレ 2020/2021」など。共著に『ケアとアートの教室』（東京藝術大学 Diversity on the Arts プロジェクト編、左右社、二〇二二年）、『アーバンカルチャーズ――誘惑する都市文化、記録する都市文化』（晃洋書房、二〇一九年）など。

ふくだぺろ
一九八二年生まれ。立命館大学先端総合学術研究科先端総合学術専攻博士課程在籍。マルチモーダル（映像）人類学、アフリカ大湖地域研究、詩、芸術。現実とは何か？　を主要テーマに論文、映像、詩、写真、小説、展示といったメディアを複合的に用いて制作する。映像作品に『sitting, gazing, gazed』（二〇二〇年）、著書に『flowers like blue glass』（Commonword Enter Prises/Ltd.、二〇一八年）、アート・プロジェクトに「INOUTSIDE」（ダヴィデ・ヴォンパク、川口隆夫との共作）など。マンチェスター国際映画祭２０１６実験映画賞受賞、イギリスの詩賞、フォワード賞２０２０候補。Anthro-film Laboratory 運営委員。

柳沢英輔（やなぎさわ・えいすけ）
一九八一年東京都生まれ。京都大学大学院アジア・アフリカ地域研究研究科特任助教。京都大学大学院アジア・アフリカ地域研究研究科博士後期課程修了。同志社大学文化情報学部助教を経て、現職。主な研究対象は、ベトナム中部地域の金属打楽器ゴングをめぐる音の文化。場所の特徴的な響きに焦点を当てたフィールド録音作品を国内外のレーベルより出版。著書に『ベトナムの大地にゴングが響く』（灯光舎、二〇一九年、第三十七回田邉尚雄賞受賞）、『フィールド・レコーディング入門――響きのなかで世界と出会う』（フィルムアート社、二〇二二年）。共訳書に『レコードは風景をだいなしにする』（デイヴィッド・グラブス著、フィルムアート社、二〇一五年）。

矢野原佑史（やのはら・ゆうし）
一九八一年鹿児島県生まれ。京都大学アフリカ地域研究資料センター特任研究員。京都大学大学院アジア・アフリカ地域研究研究科博士後期課程修了。専門は音楽人類学、アフリカ地域研究。近年の共著に『音楽の未明からの思考――ミュージッキングを超えて』（野澤豊一・川瀬慈編、アルテスパブリッシング、二〇二一年）。

拡張《かくちょう》するイメージ——人類学《じんるいがく》とアートの境界《きょうかい》なき探究《たんきゅう》

二〇二三年三月三十一日　第一版第一刷発行

編者　藤田《ふじた》瑞穂《みずほ》
　　　川瀬《かわせ》慈《いつし》
　　　村津《むらつ》蘭《らん》

装丁・組版　五十嵐哲夫

発行者　株式会社亜紀書房
〒一〇一－〇〇五一
東京都千代田区神田神保町一－三二
TEL　〇三－五二八〇－〇二六一
https://www.akishobo.com/

印刷・製本　株式会社トライ
https://www.try-sky.com/

Printed in Japan
ISBN978-4-7505-1785-8 C0010